KT-447-140

J.R.R. Tolkien

De hobbit

Eerste druk 1960
Zeventigste druk 2024

ISBN 978-90-225-9140-6
ISBN978-94-6023-118-6 (e-boek)
NUR 334

Oorspronkelijke titel: *The Hobbit*
Vertaling: Max Schuchart
Omslagontwerp: HarperCollinsPublishers, bewerkt door DPS Design & Prepress Services, Amsterdam
Omslagbeeld: J.R.R. Tolkien
Zetwerk: Elgraphic

J.R.R. Tolkien bij Boekerij:

De hobbit

IN DE BAN VAN DE RING
De reisgenoten
De twee torens
De terugkeer van de koning

De aanhangsels
De Silmarillion
Bilbo's laatste lied

Sprookjes en vertellingen
Nagelaten vertellingen
Roverandom

Brieven van de Kerstman
Geschriften van Midden-aarde
De avonturen van Tom Bombadil
De Smid van Groot Wolding
Meneer Blijleven
De kinderen van Húrin
De legende van Sigurd en Gudrún
Arthurs val
Beowulf
Het verhaal van Kullervo
Beren en Lúthien
De val van Gondolin

www.boekerij.nl

De hobbit

Inhoud

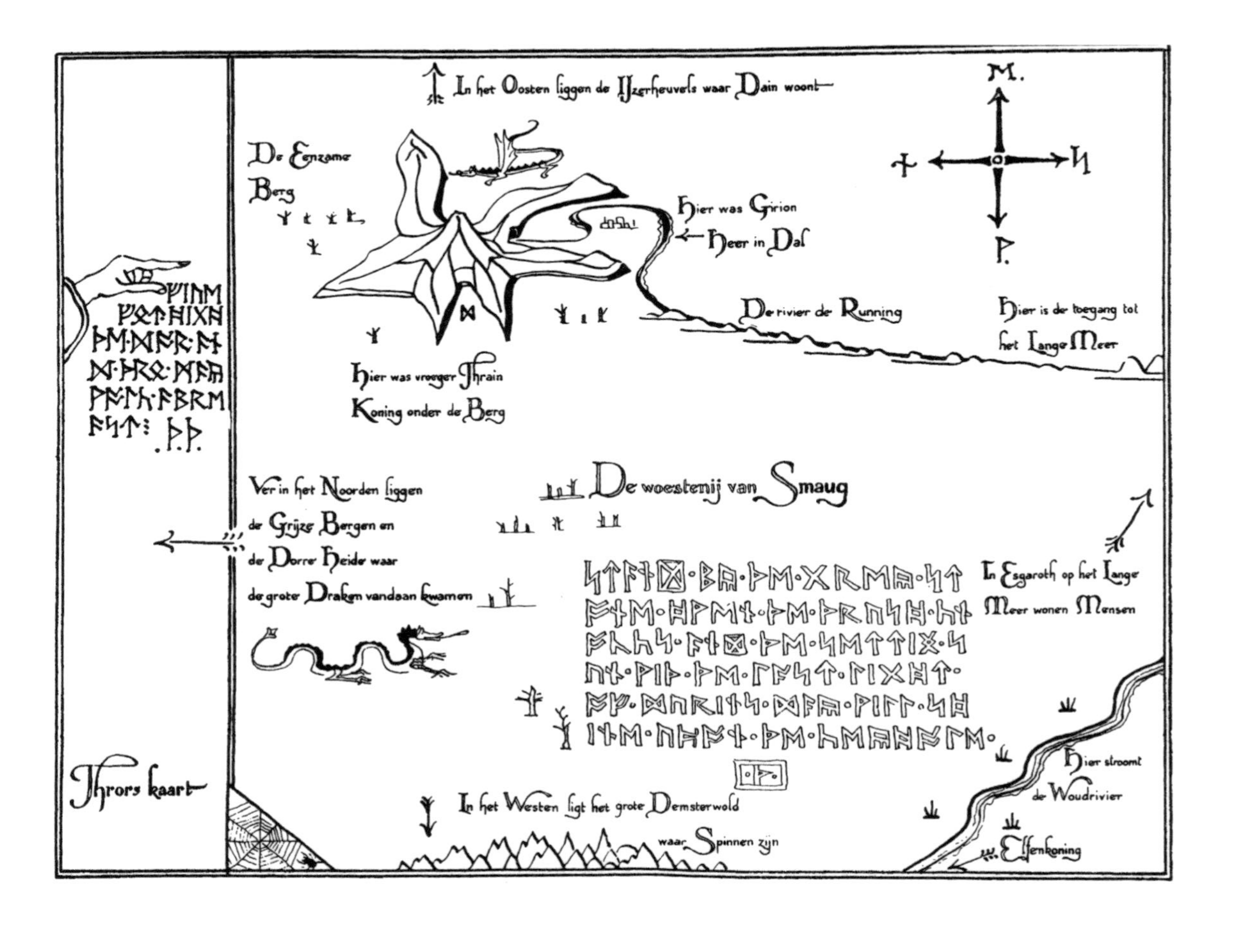

In het Oosten liggen de IJzerheuvels waar Dain woont
De Eenzame Berg
Hier was Girion Heer in Dal
De rivier de Running
Hier is de toegang tot het Lange Meer
Hier was vroeger Thrain Koning onder de Berg
Ver in het Noorden liggen de Grijze Bergen en de Dorre Heide waar de grote Draken vandaan kwamen
De woestenij van Smaug
In Esgaroth op het Lange Meer wonen Mensen
Hier stroomt de Woudrivier
Elfenkoning
In het Westen ligt het grote Demsterwold waar Spinnen zijn
Thrors kaart

ᚦᛖ·ᚻᚩᛒᛒᛁᛏ

ᚩᚱ

ᚦᛖᚱᛖ·ᚪᚾᛞ·ᛒᚪᚳᚳ·ᚪᚷᚪᛁᚾ

Dit is een verhaal uit een ver verleden. De talen en lettertekens waren heel anders dan die van nu. Het Nederlands wordt gebruikt om die talen uit te drukken. Een opmerking: ork is geen Nederlands woord. Het komt op enkele plaatsen voor, maar het is meestal vertaald met aardman. Ork is de hobbitvorm van de naam die in die tijd aan deze schepselen werd gegeven, en heeft niets te maken met het woord 'ork(a)' voor zeedieren van de dolfijnensoort.
Runen waren oude letters die oorspronkelijk werden gebruikt om op hout, steen of metaal te krassen of te snijden, en waren derhalve dun en hoekig. Ten tijde van dit verhaal gebruikten de dwergen ze regelmatig, vooral voor persoonlijke of geheime annalen. Hun runen worden in dit boek voorgesteld door Nederlandse runen die nog maar weinig mensen tegenwoordig kennen. Als de runen op Thrórs landkaart worden vergeleken met de omzettingen in moderne letters (op blz. 20 en 51) kan men achter het alfabet, aangepast aan het moderne Nederlands, komen en kan de bovenstaande titel ook in runen worden gelezen. Op de landkaart treft men alle normale runen aan behalve ᛉ voor X. I en U worden gebruikt voor J en V. Er bestond geen rune voor Q (gebruik CW) en evenmin voor Z (de dwergenrune ᛦ kan zo nodig worden gebruikt). Men zal echter merken dat er soms één rune in de plaats staat van twee moderne letters; *th*, *ng*, *ee*; andere runen van dezelfde soort (ᛠ *ea* en ᛞ *st*) werden soms ook gebruikt.
De geheime deur werd aangeduid met D ᛞ . Van opzij wees een hand hiernaar, en eronder was geschreven:

ᚠᛁᚢᛖ·ᚠᛟᛏ·ᚻᛁᚷᚻ·ᚦᛖ·ᛞᚩᚱ·ᚪᚾᛞ·ᚦᚱᛟ·ᛗᚪᚣ·ᚹᚪᛚᚳ·ᚪᛒᚱᛖᚪᛋᛏ: ᚦ.ᚦ.

De laatste twee runen zijn de initialen van Thrór en Thraín.

De maanrunen die Elrond las, waren:

ᛋᛏᚪᚾᛞ·ᛒᚣ·ᚦᛖ·ᚷᚱᛖᚣ·ᛋᛏᚩᚾᛖ·ᚻᚹᛖᚾ·ᚦᛖ·ᚦᚱᚢᛋᚻ·ᚳᚾᚩᚳᚳᛋ·ᚪᚾ
ᛞ·ᚦᛖ·ᛋᛖᛏᛏᛁᛝ·ᛋᚢᚾ·ᚹᛁᚦ·ᚦᛖ·ᛚᚪᛋᛏ·ᛚᛁᚷᚻᛏ·ᚩᚠ·ᛞᚢᚱᛁᚾᛋ·ᛞᚪᚣ·
ᚹᛁᛚᛚ·ᛋᚻᛁᚾᛖ·ᚢᛈᚩᚾ·ᚦᛖ·ᚳᛖᚣᚻᚩᛚᛖ.

Op de landkaart staan de streken van het kompas aangegeven in runen met het Oosten bovenaan, zoals gebruikelijk is op landkaarten van dwergen, en luiden dus, met de klok mee: O(ost), Z(uid), W(est), N(oord).

I. Een onverwacht gezelschap

In een hol onder de grond woonde een hobbit. Geen naar, smerig, nat hol, vol endjes wormen en een bedompte geur, maar ook geen droog, kaal, zanderig hol met niets erin om op te zitten of te eten: het was een hobbithol en dat betekent gemak.

Het had een volmaakt ronde deur als een patrijspoort, groen geschilderd, met een glimmende geelkoperen knop precies in het midden. De deur kwam uit op een buisvormige hal, als een tunnel: een bijzonder gerieflijke tunnel, met gelambriseerde muren en betegelde, met tapijten bedekte vloeren, voorzien van geboende stoelen, en een heleboel knoppen om hoeden en jassen aan op te hangen – de hobbit was dol op visite. De tunnel liep kronkelend verder en verder en ging een heel eind, maar niet helemaal recht, de flank van de heuvel in – De Heuvel, zoals iedereen mijlen in de omtrek hem noemde – en er kwamen veel kleine deuren op uit, eerst aan de ene kant en dan aan de andere. Trappen lopen was er voor de hobbit niet bij: slaapkamers, badkamers, kelders, provisiekamers (een heleboel), klerenkasten (hij had hele kamers alleen voor kleren), keukens, eetkamers, alle lagen op dezelfde verdieping en zoals gezegd, aan dezelfde gang. De beste kamers waren allemaal aan de linkerkant (als je binnenkwam), want dit waren de enige die ramen hadden: diepliggende ronde ramen die uitkeken op zijn tuin en de weiden daarachter, die schuin naar de rivier afliepen.

Deze hobbit was een zeer welgestelde hobbit, en zijn naam was Balings. De Balingsen hadden sinds hobbitheugenis in de buurt van De Heuvel gewoond en men beschouwde hen als zeer respectabel, niet alleen omdat de meesten van hen rijk waren, maar ook omdat ze nooit een avontuur beleefden of iets onverwachts deden; je wist bij voorbaat wat een Balings op welke vraag ook zou antwoorden, zonder dat je de moeite hoefde te nemen het hem te vragen. Dit is het verhaal van een Balings die wél een avontuur beleefde en tegen wil en dank volkomen onverwachte dingen deed en zei. Hij mag dan misschien het respect van zijn buren verloren hebben, maar – welnu, je zult zien of hij er uiteindelijk beter van werd.

De moeder van de hobbit in kwestie – wat een hobbit is? Ik neem aan dat het tegenwoordig nodig is de hobbits te beschrijven, nu ze zeldzaam zijn geworden en bang van de Grote Lieden, zoals zij ons noemen. Het zijn (of waren) kleine lieden, ongeveer half zo groot als wij en kleiner dan de baardige dwergen. Hobbits hebben geen baarden. Er is weinig of niets magisch aan ze, behalve het gewone alledaagse dat hen helpt stilletjes en snel te verdwijnen, wanneer grote domme lieden, zoals jij en ik, langs komen klossen en een lawaai maken als olifanten dat zij op een kilometer afstand kunnen horen. Ze hebben de neiging tot dikbuikigheid; ze kleden zich in felle kleuren (voornamelijk groen en geel); dragen geen schoenen, omdat hun voeten van nature leerachtige zolen hebben en dik, warm bruin haar als dat op hun hoofden (dat krult); ze hebben lange, behendige bruine vingers, goedaardige gezichten en een diepe jeuïge lach (vooral na de warme maaltijd die zij zo mogelijk dagelijks twee keer tot zich nemen). Nu weet je voorlopig genoeg. Zoals ik al zei, de moeder van deze hobbit – van Bilbo Balings namelijk – was de beroemde Belladonna Toek, een van de drie opmerkelijke dochters van de Oude Toek, het hoofd van de hobbits die aan de overkant van Het Water woonden – de kleine rivier die langs de voet van De Heuvel stroomde. Er werd vaak (door andere families) beweerd dat een van de voorvaderen van de Toeken, langgeleden, een fee tot vrouw had genomen. Dat was natuurlijk belachelijk, maar het leed geen twijfel dat ze nog steeds iets hadden dat niet helemaal hobbitachtig was, en nu en dan trokken leden van de Toekstam eropuit om avonturen te beleven. Ze verdwenen dan stilletjes en de familie stopte het in de doofpot, maar het bleef een feit dat de Toeken niet zo achtenswaardig waren als de Balingsen, hoewel ze ongetwijfeld rijker waren.

Niet dat Belladonna Toek ooit avonturen beleefde, nadat ze mevrouw Bungo Balings was geworden. Bungo, dat was Bilbo's vader, bouwde het meest luxueuze hobbithol voor haar (en gedeeltelijk met haar geld) dat er onder De Heuvel of over De Heuvel of aan de andere kant van Het Water te vinden was, en daar bleven zij tot aan het einde van hun dagen. Maar het is mogelijk dat Bilbo, haar enige zoon, hoewel hij er net zo uitzag en zich net zo gedroeg als een tweede editie van zijn omvangrijke en welgedane vader, iets vreemds van de kant van de Toeken had meegekregen, iets dat alleen maar op een gelegenheid wachtte om zich te openbaren. Die gelegenheid deed zich pas voor, toen Bilbo Balings volwassen was, op vijftigjarige leeftijd of daaromtrent, en in het prachtige hobbithol woonde dat zijn vader had gebouwd en dat ik zojuist heb beschreven, tot hij er zich naar het scheen onwrikbaar had gevestigd.

Door een vreemd toeval kwam op een ochtend langgeleden – toen de wereld nog rustig was en er minder lawaai en meer groen was en de hobbits nog talrijk en welvarend waren, en Bilbo Balings na het ontbijt bij zijn deur een enorm lange, houten pijp stond te roken die bijna tot aan zijn wollige, netjes geborstelde tenen reikte – Gandalf voorbij. Gandalf! Als je maar een kwart zou hebben gehoord van wat ik over hem heb horen vertellen, en ik heb maar heel weinig van alles wat er te horen valt gehoord, zou je op allerlei vreemde verhalen zijn voorbereid. Waar hij ook ging, ontsproten de verhalen en avonturen op de vreemdste manier. Hij was in tijden en tijden niet die kant onder De Heuvel uit geweest, eigenlijk niet sinds zijn vriend de Oude Toek was gestorven, en de hobbits waren bijna vergeten hoe hij eruitzag. Hij was voor zijn eigen zaken weg geweest over De Heuvel en over Het Water sinds ze allemaal kleine hobbitjongens en hobbitmeisjes waren.

Het enige dat de nietsvermoedende Bilbo die morgen zag, was een kleine oude man met een staf. Hij droeg een hoge blauwe punthoed, een lange grijze mantel, een zilveren sjaal waar zijn lange witte baard tot onder zijn middel overheen hing, en enorme zwarte laarzen.

'Goedemorgen!' zei Bilbo en hij meende het. De zon scheen en het gras was heel groen. Maar Gandalf keek hem aan vanonder lange borstelige wenkbrauwen, die nog verder uitstaken dan de rand van zijn beschaduwende hoed.

'Wat bedoel je?' vroeg hij. 'Wens je me goedemorgen of bedoel je dat het een goede morgen is, of ik dat wil of niet; of dat jij je goed voelt vanmorgen; of dat het een morgen is waarop je goed behoort te zijn?'

'Dat allemaal tegelijkertijd,' zei Bilbo. 'En bovendien een bijzonder mooie morgen om buitenshuis een pijpje te roken. Als u een pijp bij u hebt, ga dan zitten en stop eens van mij! We hebben geen haast, we hebben de hele dag voor ons!' Toen ging Bilbo op een stoel voor zijn deur zitten, sloeg zijn benen over elkaar en blies een prachtige rookkring die zonder te breken in de lucht opsteeg en over De Heuvel wegdreef.

'Heel aardig!' zei Gandalf. 'Maar ik heb vanochtend geen tijd om rookkringen te blazen. Ik zoek iemand die wil deelnemen aan een avontuur dat ik aan het organiseren ben, maar het is bijzonder moeilijk om iemand te vinden.'

'Dat zou ik denken – in deze streken! Wij zijn gewone, rustige lieden en voelen niets voor avonturen. Nare, verontrustende, ongemakkelijke dingen! Maken dat je te laat komt voor het eten! Ik begrijp niet wat men erin ziet,' zei onze meneer Balings, en hij stak een duim achter zijn bretels en blies een nog grotere rookkring. Toen haalde hij zijn ochtendpost tevoorschijn en begon te lezen en deed alsof hij verder geen notitie nam van de oude man. Hij was tot de slotsom gekomen dat deze niet van zijn slag was en wilde dat hij weg zou gaan. Maar de oude man maakte niet de minste aanstalten. Hij stond op zijn staf geleund de hobbit aan te kijken zonder iets te zeggen, totdat Bilbo zich slecht op zijn gemak en zelfs een beetje boos begon te voelen.

'Goedemorgen!' zei hij ten slotte. 'We willen hier niets met avonturen te maken hebben, dank u! U zou het eens aan de andere kant van De Heuvel of aan de overkant van Het Water kunnen proberen.' Daarmee wilde hij zeggen dat het gesprek ten einde was.

'Wat gebruikt u *Goedemorgen* voor een hoop dingen!' zei Gandalf. 'Nu bedoelt u dat u me kwijt wilt, en dat hij pas goed zal zijn als ik wegga?'

'Helemaal niet, helemaal niet, waarde heer! Laat me eens kijken, ik geloof niet dat ik weet wie u bent.'

'Ja, ja mijn waarde heer! – maar ik weet wel wie u bent, meneer Bilbo Balings. En u kent mijn naam, hoewel u niet meer weet dat die bij mij hoort. Ik ben Gandalf, en Gandalf wil zeggen ik! Te denken dat ik nog eens begoedemorgend zou worden door de zoon van Belladonna Toek, alsof ik met knopen langs de deur ga!'

'Gandalf! Gandalf! Lieve help! Toch niet de zwervende tovenaar die de Oude Toek een paar diamanten toverknopen gaf die zichzelf vastmaakten en pas losgingen als je zei dat ze dat moesten doen? Toch niet de man die zulke wonderbaarlijke verhalen op feestjes placht te vertellen over draken en aardmannetjes en reuzen en de redding van prinsessen en het onverwachte geluk van de zonen van weduwen? Niet de man die zulke buitengewoon voortreffelijke stukken vuurwerk placht te maken? Ik herinner me die nog! De Oude Toek had ze altijd op Midzomeravond. Schitterend! Ze schoten de lucht in als grote lelies en leeuwenbekken en goudenregen van vuur en bleven dan de hele avond in de schemering hangen!' Je zult al merken dat meneer Balings niet zo prozaïsch was als hij zelf dacht, en ook dat hij bijzonder veel van bloemen hield. 'Lieve hemel!' vervolgde hij. 'Toch niet de Gandalf door wie het kwam dat zoveel rustige jongens en meisjes er zomaar opuit trokken om wilde avonturen te beleven? Van het klimmen in bomen tot het bezoeken van elfen – of het varen met schepen – het varen naar andere kusten! Allemachies, het leven was toen heel inter – ik bedoel: u stuurde de dingen vroeger behoorlijk in de war in deze contreien. Neem

me niet kwalijk, maar ik had er geen idee van dat u nog steeds actief bent.'
'Wat zou ik anders zijn?' vroeg de grijsaard. 'Maar in ieder geval doet het mij deugd dat u zich nog iets van mij herinnert. In ieder geval schijnt u aangename herinneringen aan mijn vuurwerk te hebben, en dat is nogal hoopvol. Goed, ter wille van uw oude grootvader Toek en ter wille van de arme Belladonna zal ik u datgene geven waarom u hebt gevraagd.'
'Neem me niet kwalijk. Ik heb nergens om gevraagd!'
'Ja, dat hebt u wel! Twee keer nu. Mijn vergiffenis. Ik schenk u die. Feitelijk wil ik zelfs zo ver gaan om u op dit avontuur te sturen. Heel amusant voor mij, heel goed voor u – en ook profijtelijk, hoogstwaarschijnlijk, als u er ooit overheen komt.'
'Het spijt me! Ik heb geen zin in avonturen, dank u. Vandaag niet. Goeiemorgen! Maar kom alstublieft eens op de thee – wanneer u maar wilt! Waarom niet morgen? Kom morgen! Vaarwel!' Hierop draaide de hobbit zich om en snelde zijn ronde groene deur binnen en deed die zo vlug als hij durfde dicht om niet onbeleefd te schijnen. Tovenaars zijn per slot van rekening tovenaars.
'Waarom heb ik hem in 's hemelsnaam op de thee gevraagd?' vroeg hij zich af toen hij de provisiekamer binnenging. Hij had nog maar kortgeleden ontbeten, maar hij vond dat een paar gebakjes en een dronk van het een of ander hem goed zouden doen na de schrik die hij had gehad.
Gandalf stond ondertussen nog steeds voor de deur en lachte lang, maar in zijn baard. Na een poosje stapte hij op en grifte met de scherpe punt van zijn staf een vreemd teken op de mooie, groene voordeur van de hobbit. Toen schreed hij weg, vrijwel op hetzelfde ogenblik dat Bilbo zijn tweede gebakje had verorberd en begon te vinden dat hij uitstekend aan avonturen was ontsnapt.
De volgende dag was hij Gandalf al bijna vergeten. Hij herinnerde zich de dingen niet erg goed, als hij ze niet op zijn Schrijftablet voor Afspraken noteerde: zoals *Gandalf Thee Woensdag*. Gisteren was hij te erg in de war geweest om zoiets te doen.
Vlak voor theetijd werd er enorm hard aan de voordeur gebeld, en toen schoot het hem ineens te binnen! Hij spurtte en zette het water op, pakte nog een kop en schotel en nog een paar taartjes en rende naar de deur.
Hij was net van plan om 'het spijt me dat ik u heb laten wachten' te zeggen, toen hij zag dat het Gandalf helemaal niet was. Het was een dwerg met een blauwe baard die in een gouden gordel was gestopt, en heel heldere ogen onder zijn donkergroene kap. Zodra de deur

openging, stapte hij naar binnen, alsof hij werd verwacht.
Hij hing zijn mantel met capuchon aan de dichtstbijzijnde knop en zei: 'Dwalin, uw dienaar,' terwijl hij een lichte buiging maakte.
'Bilbo Balings, tot uw dienst,' zei de hobbit, te verbaasd om op dit ogenblik vragen te stellen. Toen de stilte die erop volgde pijnlijk was geworden, voegde hij eraan toe: 'Ik stond net op het punt om thee te gaan drinken; wilt u mij alstublieft gezelschap houden?' Wat stijfjes misschien, maar hij bedoelde het vriendelijk. En wat zou jij doen als er een ongenode dwerg kwam en zijn spullen in de hal ophing zonder een woord van uitleg?
Ze hadden nog niet lang aan tafel gezeten, ja eigenlijk waren ze nauwelijks aan hun derde gebakje bezig, toen er opnieuw en nog harder werd gebeld.
'Excuseer me,' zei de hobbit en hij ging naar de deur.
'Dus daar ben je dan eindelijk!' had hij deze keer tegen Gandalf willen zeggen. Maar het was Gandalf niet. In plaats daarvan stond er een heel oud uitziende dwerg op de stoep met een witte baard en een scharlaken kap, en ook hij wipte naar binnen zodra de deur open was, net alsof hij was uitgenodigd.
'Ik zie dat er al iemand is,' zei hij, toen hij Dwalins groene kap zag hangen. Hij hing zijn rode ernaast en zei: 'Balin, uw dienaar!' met de hand op de borst.
'Dank u!' zei Bilbo met stokkende adem. Het was niet correct om te zeggen, maar het *ik zie dat er al iemand is* had hem erg in de war gemaakt. Hij hield van bezoekers, maar hij vond het prettig om ze te kennen voor ze arriveerden, en hij nodigde ze liever zelf uit. De afschuwelijke gedachte kwam bij hem op dat er wel eens niet genoeg gebakjes zouden kunnen zijn, en dan zou hij – als gastheer: hij kende zijn plicht en nam die in acht, hoe pijnlijk het ook was – misschien zonder moeten doen.
'Kom binnen en drink een kop thee!' bracht hij er met moeite uit, na een diepe zucht.
'Ik voel meer voor een biertje als het u hetzelfde is, waarde heer,' zei Balin met de witte baard. 'Maar ik wil graag wat gebak – kruidkoek als u dat hebt.'
'Volop!' hoorde Bilbo zichzelf tot zijn verbazing zeggen; en hij merkte ook dat hij naar de kelder snelde om een bierkroes te vullen en toen naar de provisiekamer om twee prachtige ronde kruidkoeken te halen, die hij die middag had gebakken als toetjes na het avondmaal.
Toen hij terugkwam, zaten Balin en Dwalin als oude vrienden aan tafel te praten (feitelijk waren zij broers). Bilbo zette het bier en de

koeken met een smak voor hen neer toen er weer hard werd gebeld, en toen nog eens.
Deze keer is het vast en zeker Gandalf, dacht hij toen hij amechtig door de gang holde. Maar dat was niet zo. Het waren nog twee dwergen, beiden met blauwe kappen, zilveren gordels en gele baarden; en ze droegen allebei een zak met gereedschappen en een schop. Ze wipten naar binnen, zodra de deur zich opende – Bilbo verbaasde zich nauwelijks nog.
'Wat kan ik voor jullie doen, beste dwergen?' vroeg hij.
'Kíli, uw dienaar!' zei de een. 'En Fíli,' voegde de ander eraan toe en beiden namen met een zwaai hun blauwe kappen af en maakten een buiging.
'Uw dienaar en die van uw familie!' antwoordde Bilbo, die deze keer zijn manieren niet vergat.
'Dwalin en Balin zijn er al, zie ik,' zei Kíli. 'Laten we ons bij de menigte voegen!'
Menigte, dacht meneer Balings. Dat bevalt me helemaal niet. Ik moet werkelijk even gaan zitten om weer tot mijn positieven te komen, en wat drinken. Hij had net een slokje genomen – in de hoek, terwijl de vier dwergen om de tafel zaten en over mijnen, goud en moeilijkheden met de aardmannen spraken en de verwoestingen door draken en een heleboel andere dingen waar hij niets van begreep, en ook niet wilde begrijpen, omdat ze te avontuurlijk klonken – toen *tingelingeling*, zijn bel opnieuw klonk, alsof een of andere ondeugende, kleine hobbitjongen probeerde de knop eraf te trekken.
'Iemand aan de deur!' zei hij, met knipperende ogen.
'Vier, zou ik zeggen, zo te horen,' zei Fíli. 'Bovendien hebben we ze in de verte achter ons aan zien komen.'
De arme kleine hobbit ging in de hal zitten en legde zijn hoofd in zijn handen en vroeg zich af wat er was gebeurd, en wat er te gebeuren stond, en of ze allemaal zouden blijven eten. Toen klonk de bel luider dan ooit, en hij moest naar de deur rennen. Het waren er helemaal geen vier, het waren er VIJF. Er was nog een dwerg bijgekomen, terwijl hij in de hal had zitten nadenken. Hij had de deurknop nog niet omgedraaid of ze waren allemaal binnen en bogen en zeiden één voor één 'uw dienaar'. Dori, Nori, Ori, Oín en Gloín waren hun namen; en weldra hingen er twee purperen kappen, een grijze kap, een bruine kap en een witte kap aan de kapstok en marcheerden ze weg met hun brede handen in hun gouden en zilveren gordels gestoken om zich bij de anderen te voegen. Het was al bijna een menigte geworden. Sommigen vroegen om bier en anderen om

port en één om koffie, en allemaal vroegen ze om gebak; en zo had de hobbit het een tijdlang erg druk.
Er was net een grote kan koffie op het vuur gezet, de kruidkoeken waren op, en de dwergen begonnen net aan een schaal beboterde theebroodjes, toen er een luide klop klonk. Geen gebel, maar een hard gerikketik op de mooie groene deur van de hobbit. Iemand bonsde erop met een stok!
Bilbo liep hard de gang door, erg boos en helemaal in de war en ontsteld – dit was de vervelendste woensdag die hij ooit had meegemaakt. Hij trok de deur met een ruk open en ze kwamen allemaal naar binnen getuimeld, over elkaar heen. Nog meer dwergen, nog vier meer! En daarachter stond Gandalf, die op zijn staf leunde en lachte. Hij had een behoorlijke deuk in de mooie deur gemaakt: hij had ook, tussen twee haakjes, het geheime teken eruit geslagen dat hij er de vorige ochtend op had gezet.
'Voorzichtig! Voorzichtig!' zei hij. 'Het is niets voor jou, Bilbo, om vrienden op de mat te laten wachten en dan de deur als een proppenschieter open te doen! Laat mij je Bifur, Bofur, Bombur, maar vooral Thorin voorstellen!'
'Uw dienaar,' zeiden Bifur, Bofur en Bombur die op een rijtje stonden. Toen hingen zij twee gele kappen en een lichtgroene op; en ook een hemelsblauwe met een lange zilveren kwast. Deze laatste was van Thorin, een enorm belangrijke dwerg, eigenlijk niemand minder dan de grote Thorin Eikenschild in hoogsteigen persoon, die het helemaal niet prettig vond dat hij op Bilbo's mat was gevallen met Bifur, Bofur en Bombur boven op hem. In de eerste plaats was Bombur geweldig dik en zwaar. Thorin deed werkelijk erg uit de hoogte, en zei niets over *uw dienaar*; maar de arme meneer Balings zei zo vaak dat het hem speet, dat hij ten slotte 'o het was niets,' bromde en niet langer dreigend keek.
'Nu zijn we er allemaal!' zei Gandalf, toen hij naar de dertien kappen op een rij keek – de beste afneembare feestkappen – en naar zijn eigen hoed, die aan de haken hingen. 'Een echt vrolijke bijeenkomst! Ik hoop dat er voor de laatkomers nog wat te eten en te drinken over is! Wat zeg je? Thee! Nee, dank je! Ik lust wel wat rode wijn.'
'En ik ook,' zei Thorin.
'En frambozenjam en appeltaart,' zei Bifur.
'En vruchtenpasteitjes en kaas,' zie Bofur.
'En varkenspastei en sla,' zei Bombur.
'En nog meer gebak – en bier – en koffie, als je 't niet erg vindt,' riepen de andere dwergen door de deur.

'Zet een paar eieren op, beste kerel!' riep Gandalf hem na, toen de hobbit naar de provisiekamers strompelde. 'En breng ook de koude kip en tomaten maar mee!'
Hij schijnt evenveel van de inhoud van mijn provisiekamers af te weten als ikzelf! dacht meneer Balings, die zich wat je noemt van zijn stuk gebracht voelde en zich begon af te vragen of er niet een naar avontuur regelrecht zijn huis was binnengemarcheerd. Tegen de tijd dat hij alle flessen en schotels en messen en vorken en glazen en borden en lepels en spullen op grote dienbladen had gestapeld, begon hij erg warm en rood en boos te worden.
'Die verdraaide, blikskaterse dwergen nog aan toe!' zei hij hardop. 'Waarom komen ze niet een handje helpen?' En zie! daar stonden Balin en Dwalin in de keukendeur en Fíli en Kíli erachter en voor hij *mes* kon zeggen, hadden ze in een oogwenk de dienbladen en een stel bijzettafeltjes naar de zitkamer gebracht en alles keurig netjes opgesteld.
Gandalf zat aan het hoofd van het gezelschap met de dertien dwergen in het rond; en Bilbo zat op een krukje bij het vuur op een koekje te knabbelen (hij had helemaal geen trek meer) en probeerde te kijken, alsof dit alles doodgewoon was en helemaal geen avontuur. De dwergen aten en aten en praatten en praatten en de tijd vorderde. Eindelijk schoven zij hun stoelen achteruit, en Bilbo maakte aanstalten om de borden en glazen af te ruimen. 'Ik neem aan dat jullie allemaal blijven voor het avondeten?' zei hij zo beleefd en ongedwongen mogelijk.
'Maar natuurlijk!' zei Thorin. 'En daarna ook. Het zal heel laat worden voor we de zaken hebben afgehandeld en eerst moeten we nog wat muziek maken. Maar nu opruimen!'
Daarop sprongen de twaalf dwergen op – maar niet Thorin, want hij was te belangrijk en bleef met Gandalf zitten praten – en zetten alles op hoge stapels. En weg waren ze, zonder op dienbladen te wachten, met torens borden balancerend, elk met een fles erbovenop, met één hand, terwijl de hobbit achter hen aan rende, bijna piepend van angst: 'Wees alsjeblieft voorzichtig!' en 'Alsjeblieft, doe geen moeite! Ik kan het best alleen af.' De dwergen begonnen echter alleen maar te zingen:

Schilfer de glazen en borden maar!
Maak vorken krom en messen bot!
Dat vindt Bilbo Balings naar!
Smijt de flessen gerust kapot!

Snij in het laken, trap in het vet!
Schenk de melk op de keukenmat!
Gooi de botten maar op het bed!
Spat de deuren met wijn maar nat!

Gooi de vaat in een kokende teil.
Stamp dan het zaakje, hard en lang;
En als je daarmee klaar bent, keil
Wat nog heel is door de gang!

Daaraan heeft Bilbo Balings 't land!
Dus behandel de vaat met zachte hand.

Natuurlijk deden ze geen van deze afschuwelijke dingen, en alles werd afgewassen en bliksemsnel veilig opgeborgen terwijl de hobbit midden in de keuken ronddrentelde en probeerde te zien wat ze uitvoerden. Toen gingen zij terug en zagen dat Thorin met zijn voeten op het haardrekje een pijp zat te roken. Hij blies enorme rookkringen en ze gingen precies daarheen waar hij dat wilde – de schoorsteen in, of achter de klok op de schoorsteenmantel, of onder de tafel of in kringen om het plafond heen, maar waar ze ook heen gingen, ze waren niet vlug genoeg om aan Gandalf te ontsnappen. Pop! Hij blies een kleinere rookkring uit zijn korte, stenen pijp dwars door die van Thorin heen. En dan werd Gandalfs rookkring groen en keerde terug en bleef boven het hoofd van de tovenaar zweven. Er hing al een hele wolk om hem heen, en in het flauwe licht gaf het hem een vreemde, toverachtige aanblik. Bilbo stond stil te kijken – hij was dol op rookkringen – en bloosde, toen hij bedacht hoe trots hij de vorige ochtend was geweest op de rookkringen die hij op de wind over De Heuvel heen had gezonden.
'En nu wat muziek!' zei Thorin. 'Haal de instrumenten tevoorschijn!'
Kíli en Fíli renden naar hun tassen en brachten kleine violen mee terug; Dori, Nori en Ori haalden ergens vanuit hun jassen fluiten tevoorschijn; Bombur bracht een trommel mee uit de hal; Bifur en Bofur gingen ook weg en kwamen terug met klarinetten die ze tussen de wandelstokken hadden gezet. Dwalin en Balin zeiden: 'Excuseer me, ik heb de mijne in het portiek laten staan!' 'Breng de mijne ook mee!' zei Thorin. Ze kwamen terug met vedels die even groot waren als zijzelf en met Thorins harp die in een groene doek was gewikkeld. Het was een prachtige gouden harp en toen Thorin

hem aansloeg, begon ineens de muziek, zo onverwacht en lieflijk dat Bilbo al het andere vergat, en door de muziek werd meegevoerd naar donkere landen onder vreemde manen, ver over Het Water en heel ver van zijn hobbithol onder De Heuvel.

De duisternis viel in de kamer door het kleine raam dat op de helling van De Heuvel uitkeek; de vlammen van het vuur flakkerden – het was april – en nog steeds speelden zij, terwijl de schaduw van Gandalfs baard tegen de muur heen en weer bewoog.

De hele kamer was in duisternis gehuld en het vuur doofde en de schaduwen waren verdwenen, maar nog altijd speelden zij verder. En plotseling begonnen zij één voor één te zingen terwijl zij speelden, het keelachtige gezang van dwergen in de diepten van hun eeuwenoude woonplaatsen; en dit is een fragment van het lied, voor zover het zonder hun muziek op hun lied kan lijken:

Ver over nevelbergen koud
Naar kerkers diep en grotten oud,
Moeten wij gaan eer dag breekt aan
Op zoek naar het betoverd goud.

Menige spreuk met toverkracht
Onder rink'lende hamerslag,
Werd daar gewrocht in diepe krocht
Onder de berg, waar 't duister wacht.

Voor vroegere vorst en elfenheer
Smeedden zij daar van goud weleer
Glanzende schat, lichtend gevat
In pronkjuweel op zwaard en speer.

Aan zilveren ketens regen zij
De sterrenbloei; aan kronenrij
Het drakenvuur; in garnituur
Werd licht van maan en zon getwijnd.

Ver over nevelbergen koud
Naar kerkers diep en grotten oud,
Moeten wij gaan eer dag breekt aan,
Opeisen 't lang-vergeten goud.

Bekers smeedden zij voor zichzelf,
Harpen van goud, waar geen mens delft

In hun gebied, en menig lied
Klonk, ongehoord door mens en elf.

De sparren brulden bergenhoog
Terwijl de storm de nacht bevloog.
Het vuur was rood, werd angstig groot
Tot boom als fakkel vlammen spoog.

Toen luidden klokken overal,
Mensen verbleekten in het dal:
De drakengram, feller dan vlam,
Sloopte hun torens, huizen, al...

De berg rookte in het licht der maan
Ondergang staarde dwergen aan,
Ze ontvluchtten grot naar 't stervenslot
Onder zijn poten, onder maan.

Ver over nevelbergen koud
Naar kerkers diep en grotten oud,
Moeten wij gaan eer dag breekt aan
Om te herwinnen harpe' en goud!

Terwijl zij zongen voelde de hobbit de liefde voor mooie dingen die door handen, kundigheid en toverkracht waren gemaakt door zich heen stromen: een felle, jaloerse liefde, het verlangen van de dwergenharten. Toen werd er iets Toekachtigs in hem wakker en hij wilde de grote bergen gaan zien, en de pijnbomen en de watervallen horen, en de grotten onderzoeken en een zwaard dragen in plaats van een wandelstok. Hij keek uit het raam. De sterren straalden aan een donkere hemel boven de bomen. Hij dacht aan de juwelen van de dwergen die in donkere grotten schitterden. Plotseling sprong in het bos achter Het Water een vlam omhoog – waarschijnlijk iemand die een houtvuur ontstak – en hij moest aan plunderende draken denken die zich op zijn rustige Heuvel vestigden en alles in vlammen deden opgaan. Hij huiverde; en heel vlug werd hij weer gewoon meneer Balings van Balingshoek, Onderheuvel.
Hij stond bevend op. Hij voelde er weinig voor de lamp te gaan halen, maar veel meer om te doen alsof, en zich achter de biervaten in de kelder te verschuilen en niet tevoorschijn te komen voordat alle dwergen zouden zijn vertrokken. Plotseling kwam hij tot de ont-

dekking dat de muziek en het gezang waren verstomd en dat ze hem allemaal met glinsterende ogen in het donker zaten aan te kijken.
'Waar ga je heen?' vroeg Thorin op een toon die erop scheen te wijzen dat hij de wankelmoedige gevoelens van de hobbit doorzag.
'Wat zouden jullie zeggen van wat licht?' vroeg Bilbo verontschuldigend.
'Wij houden van het donker,' zeiden alle dwergen. 'Donker voor duistere zaken! Het duurt nog vele uren voor het licht wordt.'
'Natuurlijk!' zei Bilbo en hij ging vlug zitten. Maar hij miste het krukje en kwam op het haardhekje terecht, waarbij de pook en de schop kletterend omvielen.
'Ssst,' zei Gandalf. 'Laat Thorin spreken.' En Thorin begon als volgt:
'Gandalf, dwergen en meneer Balings! Wij zijn hier bijeengekomen in het huis van onze vriend en medesamenzweerder, deze voortreffelijke en stoutmoedige hobbit – moge het haar op zijn tenen nooit uitvallen! en alle lof voor zijn wijn en bier!' Hij zweeg even om adem te halen en de hobbit gelegenheid te geven een beleefde opmerking te plaatsen, maar de complimenten waren helemaal niet besteed aan de arme Bilbo Balings, die zijn mond bewoog om te protesteren tegen het feit dat hij *stoutmoedig* en, wat nog erger was, *medesamenzweerder* werd genoemd, hoewel hij geen geluid kon uitbrengen, zozeer was hij van streek. Daarom vervolgde Thorin: 'Wij zijn hier samengekomen om onze plannen te bespreken, onze mogelijkheden, middelen, gedragslijn en listen. Wij zullen spoedig, voor de dag aanbreekt, onze lange reis aanvaarden, een reis waarvan sommigen van ons, of misschien wij allen wel (behalve onze vriend en raadsman, de vindingrijke tovenaar Gandalf) misschien nooit zullen terugkeren. Het is een plechtig ogenblik. Ons doel is, neem ik aan, ons allen welbekend. Voor de achtenswaardige heer Balings en misschien ook voor enkelen van de jongere dwergen (ik denk dat ik hier met recht bijvoorbeeld de namen van Fíli en Kíli mag noemen) vereist de situatie, zoals die op het ogenblik is, wellicht een korte uitleg.'
Dit was Thorins manier van spreken. Hij was een belangrijke dwerg. Wanneer het hem vergund was geweest, zou hij waarschijnlijk op deze manier zijn doorgegaan tot hij buiten adem was, zonder iemand iets te vertellen dat al niet bekend was. Maar hij werd op lompe wijze in de rede gevallen. De arme Bilbo kon het niet langer aanhoren. Bij het *misschien nooit zullen terugkeren* voelde hij een gil in zijn binnenste opkomen, en algauw barstte deze los als de

fluit van een locomotief die een tunnel uit komt. Alle dwergen sprongen overeind en stootten de tafel omver. Gandalf ontstak een blauw licht aan het uiteinde van zijn toverstaf en in de vuurwerkachtige gloed kon men de arme, kleine hobbit op het haardkleedje zien hurken en trillen als een smeltende gelatinepudding. Toen viel hij plat op de grond en gilde 'door de bliksem getroffen, door de bliksem getroffen!' telkens en telkens weer; en meer viel er een tijdlang niet uit hem te krijgen. Daarom pakten zij hem op en legden hem een eindje verder op de divan in de zitkamer met een drankje naast hem, en zetten zij zich weer aan hun duistere zaken.

'Een licht ontvlambaar manneke,' zei Gandalf toen ze weer gingen zitten. 'Krijgt vreemdgekke toevallen, maar hij is een van de besten, een van de besten – even woest als een draak die in het nauw zit.'

Als je ooit een draak in het nauw hebt zien zitten, zul je beseffen dat dit alleen maar een dichterlijke overdrijving was die op elke hobbit van toepassing was, zelfs op de overgrootoom van de Oude Toek, Bullebas, die zo enorm was (voor een hobbit) dat hij een paard kon berijden. Hij viel de gelederen van de aardmannen van de Gramberg aan in de Slag van de Groene Velden, en sloeg het hoofd van hun koning Golfimbul er finaal af met een houten knuppel. Het vloog honderd meter door de lucht en rolde een konijnenhol in, en op die manier werd de slag gewonnen en tegelijkertijd het golfspel uitgevonden.

Maar ondertussen begon Bullebas' zachtmoediger nazaat in de salon bij te komen. Na een tijdje en een dronk sloop hij zenuwachtig naar de deur van de zitkamer. Toen hoorde hij Gloín het volgende zeggen: 'Ahum!' (of een andere grom van dien aard). 'Vind je dat hij ermee door kan? Het is allemaal goed en wel dat Gandalf zegt dat die hobbit woest is, maar één zo'n gil in een ogenblik van opwinding zou voldoende zijn om de draak en zijn hele familie wakker te maken, en ons allemaal om zeep te brengen. Ik vind dat het meer op angst dan opwinding leek! Om je de waarheid te zeggen, als dat teken niet op de deur had gestaan, zou ik er zeker van zijn geweest dat we bij het verkeerde huis waren. Zodra ik het kereltje, zoals hij daar op de mat stond te huppelen en te puffen, in de kijker kreeg, twijfelde ik. Hij lijkt meer op een kruidenier dan op een inbreker!'

Toen draaide meneer Balings de kruk om en ging naar binnen. De Toek in hem had gewonnen. Hij kreeg plotseling het gevoel dat hij het zonder bed en ontbijt zou willen stellen om maar voor woest te worden versleten. En wat het *kereltje dat op de mat stond te huppelen* betrof, het maakte hem bijna echt woest. Menigmaal daarna be-

treurde de Balings in hem wat hij nu deed, en zei hij bij zichzelf: 'Bilbo, je bent een stommeling geweest; je bent er met open ogen ingelopen en je hebt je vergaloppeerd.'
'Neem me niet kwalijk,' zei hij, 'dat ik heb gehoord wat u zei. Ik pretendeer niet te begrijpen waar u het over hebt, of wat u over inbrekers zei, maar ik meen met recht te kunnen aannemen' (dit noemde hij op zijn ponteneur staan) 'dat u vindt dat ik niets waard ben. Ik zal het jullie bewijzen. Er staan geen tekens op mijn deur – hij is een week geleden geschilderd – en ik ben er zeker van dat jullie naar het verkeerde huis zijn gegaan. Zodra ik jullie rare gezichten op de drempel zag, bekroop mij een gevoel van twijfel. Maar doe maar alsof het 't goede huis is. Zeg maar wat jullie van me willen en ik zal het proberen, al moet ik van hier nog verder oostelijk dan het oosten lopen en tegen de wilde Weerdraken in de Laatste Woestijn vechten. Ik heb eens een achter-achter-overgrootoom gehad, Bullebas Toek en –'
'Ja, ja, maar dat was langgeleden,' onderbrak Gloín hem. 'Ik had het over jou. En ik verzeker je dat er een teken op deze deur staat – zoals in dat beroep gebruikelijk is, of althans was. *Inbreker vraagt goed karwei, volop Opwinding en redelijke Beloning*, zo wordt het gewoonlijk opgevat. Je kunt *Deskundige Schatzoeker* in plaats van *Inbreker* zeggen als je dat prettiger vindt. Je hebt van die lieden. Maar ons blijft 't om het even. Gandalf vertelde ons dat er in deze streken zo iemand was die onmiddellijk een baantje wilde hebben, en dat hij hier op deze woensdag een bijeenkomst omstreeks het thee-uurtje had gearrangeerd.'
'Natuurlijk is er een teken,' zei Gandalf. 'Ik heb het er zelf op gezet. En met heel goede redenen. Jullie hebben mij gevraagd de veertiende man voor jullie expeditie te vinden, en ik heb meneer Balings uitgekozen. Als iemand zegt dat ik de verkeerde man heb gekozen of het verkeerde huis, dan mogen jullie met je dertienen blijven en net zoveel ongeluk hebben als je wilt, of teruggaan om steenkool te delven.'
Hij keek zo boos naar Gloín dat de dwerg in zijn stoel ineendook; en toen Bilbo probeerde zijn mond open te doen om een vraag te stellen, keerde hij zich om, keek hem dreigend aan en stak zijn borstelige wenkbrauwen naar voren, zodat Bilbo zijn mond met een klap dichtdeed. 'Goed zo,' zei Gandalf. 'En nu geen tegenspraak meer. Ik heb meneer Balings gekozen en dat behoort voor jullie allemaal genoeg te zijn. Als ik zeg, dat hij een Inbreker is, dan is hij een Inbreker, of hij zal het zijn als de tijd daar is. Er steekt veel meer in hem dan jullie denken en heel wat meer dan hijzelf ook maar

vermoedt. Jullie zullen mij (waarschijnlijk) nog wel eens dankbaar zijn. Welnu, Bilbo, m'n jongen, ga de lamp halen en laat hier eens wat licht op schijnen!'

Op de tafel in het licht van een grote lamp met een rode kap spreidde hij een stuk perkament uit dat op een landkaart leek.

'Die is door je grootvader gemaakt, Thorin,' zei hij als reactie op de opgewonden vragen van de dwergen. 'Het is een plan van de Berg.'

'Het lijkt mij niet dat dit ons erg veel zal helpen,' zei Thorin teleurgesteld na er een blik op te hebben geworpen. 'Ik herinner mij de Berg en ook de omliggende landen maar al te goed. En ik weet waar het Demsterwold is en de Dorre Heide, waar de grote draken zich voortplantten.'

'Er staat een draak met rood op de Berg aangegeven,' zei Balin, 'maar het zal een koud kunstje zijn om hem te vinden, als we daar ooit aankomen.'

'Er is één ding dat jullie niet hebben opgemerkt,' zei de tovenaar, 'en dat is de geheime ingang. Zie je die rune aan de westzijde, en de hand die naar de andere runen wijst? Die duidt een geheime gang aan naar de Lagere Zalen.' (Zie de kaart aan het begin van dit boek en je zult de runen daar zien.)

'Misschien is hij eens geheim geweest,' zei Thorin, 'maar hoe weten wij of hij nu nog geheim is? De oude Smaug heeft daar nu lang genoeg gewoond om achter alles te komen wat er omtrent die grotten te weten valt.'

'Misschien wel – maar hij kan hem jarenlang onmogelijk hebben gebruikt.'

'Waarom?'

'Omdat hij te klein is. "Vijf voet hoog de deur en drie kunnen er naast elkaar gaan," zeggen de runen, maar Smaug zou niet eens een hol van die afmetingen in kunnen kruipen, zelfs niet toen hij nog een jonge draak was, en zeker niet na zoveel dwergen en mensen uit Dal te hebben verslonden.'

'Het lijkt mij een geweldig groot hol,' piepte Bilbo, die geen ervaring met draken had, maar alleen met hobbitholen. Hij begon weer opgewonden en geïnteresseerd te worden, zodat hij vergat zijn mond te houden. Hij was dol op landkaarten; in zijn hal hing een grote van de Streekronde waarop al zijn geliefkoosde wandelingen met rode inkt stonden aangetekend. 'Hoe zou zo'n grote deur voor iedereen behalve de draak geheim kunnen blijven?' vroeg hij. Je moet niet vergeten dat hij maar een kleine hobbit was.

'Op een heleboel manieren,' zei Gandalf. 'Maar op welke manier deze is verborgen, weten we niet als we niet gaan kijken. Te oorde-

len naar wat er op de kaart staat, zou ik denken dat er een gesloten deur is die zo is gemaakt dat hij precies op de wand van de Berg lijkt. Dat is de gewone dwergenmethode – zo is het toch, nietwaar?'
'Inderdaad,' zei Thorin.
'En ook,' zei Gandalf, 'ben ik vergeten te zeggen dat er een sleutel bij de kaart hoorde, een kleine, eigenaardige sleutel. Hier is hij!' en hij overhandigde Thorin een sleutel met een lange loop en ingewikkelde baarden die van zilver waren. 'Bewaar hem goed.'
'Dat zal ik zeker doen,' zei Thorin en hij maakte hem vast aan een dunne ketting die om zijn hals onder zijn buis hing. 'Nu beginnen de dingen er wat hoopvoller uit te zien. Dit nieuws verandert ze sterk ten goede. Tot dusver hadden we geen duidelijk idee wat we moesten doen. We dachten naar het Oosten te gaan, zo stil en voorzichtig mogelijk, tot aan het Lange Meer. Daarna zouden de moeilijkheden beginnen –'
'Lang daarvoor al, als ik nog iets van de wegen naar het Oosten af weet,' viel Gandalf hem in de rede.
'We zouden vandaar stroomopwaarts langs de rivier de Running kunnen gaan,' vervolgde Thorin, zonder er notitie van te nemen, 'en zo naar de ruïnes van Dal – de oude stad in de vallei daar in de schaduw van de Berg. Maar wij voelden geen van allen veel voor het idee van de Voorpoort. De rivier stroomt er regelrecht uit door de grote rotswand aan de Zuidzijde van de Berg, en daar komt ook de draak uit – veel te vaak, tenzij hij zijn gewoonten heeft veranderd.'
'Dat zou niets uithalen,' zei de tovenaar, 'althans niet zonder een machtige Krijger, of zelfs een Held. Ik heb geprobeerd er een te vinden, maar krijgers hebben het druk met elkaar te bevechten in verre landen, en in deze buurt zijn helden dun gezaaid of eenvoudig onvindbaar. De zwaarden in deze streken zijn meestal bot en bijlen worden gebruikt voor bomen, en schilden als wiegen of deksels voor schalen; en draken zijn behaaglijk ver weg (en daarom legendarisch). Daarom besloot ik tot *inbraak* – vooral toen ik mij het bestaan van een Zijdeur herinnerde. En hier hebben wij onze kleine Bilbo Balings, de inbreker, de uitverkoren en gekozen inbreker. Laat ons dus nu opschieten en wat plannen maken.'
'Nou goed dan,' zei Thorin, 'maar dan moet de inbraakexpert ons wat ideeën of voorstellen aan de hand doen.' Hij wendde zich spottend beleefd tot Bilbo.
'Eerst zou ik wel eens wat meer van de zaken willen af weten,' zei hij en hij voelde zich helemaal verward en een beetje beverig van binnen, maar tot zover nog steeds Toekachtig vastberaden om er-

mee door te gaan. 'Ik bedoel wat het goud en de draak en zo betreft, en hoe het daar gekomen is en aan wie het toebehoort, enzovoort enzovoort.'
'Lieve help!' zei Thorin. 'Heb je geen landkaart? En heb je ons lied niet gehoord? En hebben we niet urenlang over dit alles zitten praten?'
'Hoe dan ook, ik zou het allemaal graag duidelijk en helder willen horen,' zei hij koppig, terwijl hij zijn zakelijke houding aannam (gewoonlijk bestemd voor lieden die probeerden geld van hem te lenen), en zijn best deed om wijs en voorzichtig te lijken en professioneel om Gandalfs aanbeveling niet te beschamen. 'En ook zou ik graag iets willen weten over risico's, onkosten, benodigde tijd, beloning enzovoort' – waarmee hij bedoelde: 'Wat word ik er wijzer van? En zal ik het er levend van afbrengen?'
'Nou, vooruit dan maar,' zei Thorin. 'Lang geleden, in de tijd van mijn grootvader Thrór, werd ons geslacht uit het verre noorden verdreven en zij kwamen met heel hun rijkdom en hun gereedschappen terug naar deze Berg op de kaart. Deze was ontdekt door mijn verre voorvader, Thraín de Oude, maar nu dolven zij en groeven gangen, en maakten enorme zalen en grotere werkplaatsen – en bovendien geloof ik dat zij heel veel goud vonden en ook veel juwelen. In elk geval werden zij enorm rijk en beroemd, en mijn grootvader werd weer Koning onder de Berg, en werd met grote eerbied behandeld door de sterfelijke mensen, die in het Zuiden woonden, en zich geleidelijk langs de rivier de Running verspreidden tot aan het dal dat in de schaduw van de Berg ligt. In die tijd bouwden zij de vrolijke stad Dal. Koningen plachten onze smeden te ontbieden, en zelfs de minst bekwamen rijkelijk te belonen. Vaders plachten ons te smeken hun zonen als leerlingen aan te nemen en ons er goed voor te betalen, vooral in voedsel, want wij bekommerden er ons nooit om dat zelf te verbouwen of te zoeken. Al met al waren dat goede tijden voor ons, want zelfs de armsten onder ons hadden geld om uit te geven en uit te lenen, en vrije tijd om mooie dingen te maken zomaar uit liefhebberij, om niet te spreken van het wonderbaarlijke en magische speelgoed, waarbij vergeleken dat van tegenwoordig het gewoonweg niet haalt. Zo kwamen de zalen van mijn grootvader vol te liggen met wapenrusting en juwelen en snijwerk en bekers, en de speelgoedmarkt van Dal was het wonder van het Noorden.
Dat was ongetwijfeld wat de draak aantrok. Draken stelen goud en juwelen, zoals je weet, van mensen, elfen en dwergen, waar ze die kunnen vinden; en zij bewaken hun buit zolang zij leven (hetgeen

praktisch eeuwig is, als ze niet worden gedood), maar hebben er nog voor geen koperen ring plezier van. Eigenlijk kunnen zij een goed werkstuk nauwelijks van een slecht onderscheiden, hoewel zij goed op de hoogte zijn van de marktwaarde; en zij kunnen zelf niets maken, nog niet een losse malie van hun wapenrusting herstellen. Er woonden in die dagen hopen draken in het Noorden en het goud begon daar waarschijnlijk schaars te worden omdat de dwergen naar het zuiden vluchtten of gedood werden, en de algemene verwildering en verwoesting die draken veroorzaken van kwaad tot erger werden. Er was een bijzonder hebberig, sterk en boosaardig monster, dat Smaug heette. Op een dag verhief hij zich in de lucht en trok naar het zuiden. Het eerste wat wij van hem hoorden, was een geraas als van een orkaan die uit het Noorden kwam, en de dennenbomen op de Berg die in de wind kraakten en knakten. Sommigen van de dwergen die toevallig buiten waren (ik was er gelukkig één van – in die tijd een echt avontuurlijke knaap die altijd rondzwierf, en die dag redde het mijn leven) – welnu, van een grote afstand zagen wij de draak in een fontein van vlammen op onze Berg neerdalen. Vervolgens kwam hij de hellingen af en toen hij de bossen bereikte, gingen ze allemaal in vlammen op. Tegen die tijd waren alle klokken in Dal aan het luiden en de krijgers bewapenden zich. De dwergen kwamen hun grote poort uit rennen, maar de draak stond hen daar al op te wachten. Geen ontsnapte er langs die weg. De rivier ging sissend in stoom op en Dal werd in mist gehuld en in die mist overviel de draak hen en doodde de meesten van de krijgers – het gewone ongelukkige verhaal, dat in die dagen maar al te zeer schering en inslag was. Toen ging hij terug en kroop door de Voorpoort naar binnen en haalde alle zalen, doorgangen en tunnels, kelders, woonplaatsen en gangen overhoop. Daarna was er binnen geen levende dwerg meer over, en hij eigende zich al hun rijkdommen toe. Waarschijnlijk, want zo zijn draken, heeft hij het allemaal ver binnen in de Berg op een hoop gestapeld en gebruikt hij het als bed om op te slapen. Later placht hij de grote poort uit te sluipen en 's nachts naar Dal te gaan en mensen te ontvoeren, voornamelijk meisjes, om op te eten, tot Dal verwoest was en alle mensen dood of weg waren. Wat daar nu gebeurt, kan ik niet met zekerheid zeggen, maar ik denk niet dat er tegenwoordig iemand dichter bij de Berg woont dan de verste rand van het Lange Meer.

De weinigen van ons die een heel eind uit de buurt waren, zaten in schuilplaatsen te huilen en vervloekten Smaug; en daar voegden mijn vader en mijn grootvader zich onverwachts bij ons met ver-

schroeide baarden. Zij zagen er heel grimmig uit, maar zeiden weinig. Toen ik vroeg hoe zij ontkomen waren, zeiden ze dat ik mijn mond moest houden en dat ze het mij eens, als de tijd er rijp voor zou zijn, zouden vertellen. Daarna gingen wij weg, en wij hebben zo goed en zo kwaad als het ging aan de kost moeten komen, terwijl wij door de landen zwierven, en vaak zonken wij zelfs zo laag als smeden of mijnwerkers. Maar onze gestolen schat hebben wij nooit vergeten. En ook nu – en ik moet bekennen dat wij heel wat opzij hebben gelegd en er niet zo slecht aan toe zijn' – hierbij streelde Thorin de gouden ketting om zijn hals – 'zijn we nog steeds van plan hem terug te krijgen en onze vloek op Smaug te doen neerdalen – als wij kunnen.
Ik heb mij vaak afgevraagd hoe mijn vader en grootvader zijn ontsnapt. Ik begrijp nu dat zij een eigen Zijdeur moeten hebben gehad waar niemand anders het bestaan van kende. Maar blijkbaar hebben zij een kaart getekend, en ik zou wel eens willen weten hoe Gandalf die te pakken heeft gekregen en waarom ik, de wettige erfgenaam, hem niet heb geërfd.'
'Ik heb hem niet "te pakken" gekregen, hij is mij geschonken,' zei de tovenaar. 'Je grootvader Thrór werd, zoals je je zult herinneren, in de mijnen van Moria door Azog, de aardman, gedood.'
'Vervloekt zij zijn naam, ja,' zei Thorin.
'En Thraín, je vader, ging weg op de eenentwintigste april, verleden week donderdag honderd jaar geleden, en je hebt hem sindsdien nooit meer teruggezien.'
'Zo is het, zo is het,' zei Thorin.
'Welnu, je vader heeft mij dit gegeven om aan jou te overhandigen; en als ik mijn eigen tijd en manier heb gekozen om dat te doen, kun je mij daar geen verwijt van maken als je bedenkt wat een moeite ik heb gehad om je te vinden. Je vader kon zich zijn eigen naam niet meer herinneren toen hij mij het papier gaf en hij heeft mij de jouwe nooit verteld; ik zou daarom zeggen dat mij lof en dank toekomen. Hier is hij,' zei hij, terwijl hij de kaart aan Thorin overhandigde.
'Ik begrijp het niet,' zei Thorin en Bilbo voelde dat hij hetzelfde gezegd zou hebben. De verklaring scheen niets te verklaren.
'Je grootvader,' zei de tovenaar langzaam en boos, 'gaf de kaart aan zijn zoon om veilig te bewaren, voordat hij naar de mijnen van Moria ging. Je vader trok erop uit om zijn geluk met de kaart te beproeven nadat je grootvader was gedood; en hij beleefde een heleboel onaangename avonturen, maar hij is nooit in de buurt van de Berg gekomen. Hoe hij daar beland is, weet ik niet, maar ik trof

hem als gevangene in de kerkers van de tovenaar aan.'
'Wat voerde jij daar uit?' vroeg Thorin met een huivering, en alle dwergen rilden.
'Dat doet er niet toe. Ik was dingen aan het uitzoeken, zoals gewoonlijk; en het was een smerige, gevaarlijke zaak, dat was het. Zelfs ik, Gandalf, ontsnapte maar op het nippertje. Ik probeerde je vader te redden, maar het was te laat. Hij had zijn verstand verloren en ijlde en had bijna alles vergeten, behalve de kaart en de sleutel.'
'We hebben het de aardmannen van Moria langgeleden betaald gezet,' zei Thorin, 'we moeten nu eens aan de tovenaar denken.'
'Doe niet zo idioot! Hij is een vijand die de vermogens van alle dwergen bij elkaar te boven gaat, ook al konden ze allen weer uit de vier hoeken van de wereld worden samengebracht. Het enige wat je vader wilde, was dat zijn zoon de kaart zou lezen en de sleutel gebruiken. De draak en de Berg zijn opgaven die groot genoeg voor je zijn.'
'Bravo! Bravo!' zei Bilbo en per ongeluk zei hij het hardop.
'Wat zegt hij nu?' vroegen ze allemaal, terwijl ze zich plotseling naar hem omkeerden, en hij was zo in de war dat hij antwoordde: 'Hoor, wat ik te zeggen heb!'
'Wat zegt hij nu?' vroegen zij weer.
'Nou, ik zou zeggen dat jullie naar het Oosten behoren te gaan om eens rond te kijken. Per slot van rekening is er die Zijdeur en draken moeten ook wel eens slapen, neem ik aan. Als je lang genoeg op de drempel zit, lijkt het mij dat je wel iets zult bedenken. En nu, weet je, lijkt het mij dat we lang genoeg hebben gepraat voor één avond, als je begrijpt wat ik bedoel. Wat zouden jullie ervan zeggen om naar bed te gaan en vroeg op weg te gaan, en zo? Ik zal een goed ontbijt voor jullie klaarmaken, vóór jullie vertrekken.'
'Voordat wíj vertrekken, bedoel je zeker,' zei Thorin. 'Ben jij niet de inbreker? En is het niet jouw werk om op de drempel te zitten, om nog maar niet te spreken over naar binnen gaan? Maar ik ben het eens over slapen en ontbijt. Ik wil graag zes eieren bij mijn ham als ik op reis ga, gebakken, niet gepocheerd, en denk erom dat het spiegeleieren worden.'
Nadat alle anderen hun ontbijt hadden besteld, zonder ook maar één keer alsjeblieft te zeggen (hetgeen Bilbo bijzonder ergerde), stonden ze allen op. De hobbit moest plaats voor allemaal vinden, en vulde al zijn logeerkamers en maakte bedden op stoelen en divans, voordat hij ze allemaal had opgeborgen en naar zijn eigen kleine bed ging, doodmoe en niet erg gelukkig. Het enige dat hij besloot, was niet de moeite te nemen om heel vroeg op te staan en

ieders vermaledijde ontbijt klaar te maken. De Toekerigheid begon te slijten, en hij was er nu niet meer zo zeker van dat hij de volgende morgen op reis zou gaan.
Toen hij in bed lag, kon hij Thorin nog in de beste slaapkamer naast de zijne horen neuriën:

Ver over nevelbergen koud
Naar kerkers diep en grotten oud,
Moeten wij gaan eer dag breekt aan
Op zoek naar 't lang vergeten goud.

Bilbo sliep met deze woorden in zijn oren in en het gaf hem bijzonder onaangename dromen. De dag was allang aangebroken toen hij wakker werd.

II. Gebraden lamsvlees

Bilbo sprong overeind en terwijl hij zijn kamerjas aantrok, liep hij naar de eetkamer. Hij trof er niemand aan, maar wel alle sporen van een uitgebreid en haastig ontbijt. Er was een enorme rommel in de kamer en stapels ongewassen aardewerk in de keuken. Bijna iedere pot en pan die hij bezat, scheen te zijn gebruikt. De vaat was zo afschuwelijk reëel dat Bilbo wel moest geloven dat het feestje van de vorige avond geen deel had uitgemaakt van zijn boze dromen, zoals hij had gehoopt. Maar hij was eigenlijk wel opgelucht toen hij bedacht dat ze allemaal zonder hem weg waren gegaan, zonder de moeite te nemen hem wakker te maken (maar ook zonder een bedankje, dacht hij). Toch voelde hij zich onwillekeurig een tikkeltje teleurgesteld. Het gevoel verbaasde hem.

'Doe niet zo dwaas, Bilbo Balings!' zei hij bij zichzelf, 'op jouw leeftijd aan draken en al die buitenlandse onzin denken!' Dus deed hij een schort voor, stak haarden aan, kookte water en deed de afwas. Toen nuttigde hij een smakelijk klein ontbijt in de keuken alvorens de eetkamer op te ruimen. Tegen die tijd scheen de zon en de voordeur stond open en er woei een warm voorjaarsbriesje naar binnen. Bilbo begon hard te fluiten en te vergeten wat er de vorige avond was gebeurd. In feite wilde hij net aan een lekker tweede ontbijt bij het open raam in de eetkamer beginnen toen Gandalf binnenliep.

'Beste kerel,' zei hij, 'wanneer *kom* je nu eindelijk eens? Wat vinden jullie ervan om *vroeg op pad te gaan*? – en daar zit jij te ontbijten, of hoe je het noemt, om halfelf! Ze hebben een boodschap voor je achtergelaten, want ze konden niet wachten.'

'Wat voor boodschap?' vroeg de arme meneer Balings onthutst.

'Alle olifanten!' zei Gandalf. 'Je bent helemaal jezelf niet vanmorgen – je hebt de schoorsteenmantel niet eens afgestoft!'

'Wat heeft dat ermee te maken? Ik heb genoeg werk gehad aan de vaat voor veertien man!'

'Als je de schoorsteenmantel had afgestoft, zou je dit onder de klok hebben gevonden,' zei Gandalf terwijl hij hem een briefje (natuurlijk op zijn eigen briefpapier geschreven) overhandigde. Hij las het volgende:

'Thorin en Gezelschap aan Inbreker Bilbo: Gegroet! Voor je gastvrijheid onze oprechte dank en je aanbod van deskundige bijstand wordt door ons dankbaar aanvaard. Voorwaarden: contante betaling bij aflevering tot een bedrag van ten hoogste eenveertiende van de totale winst (zo die er is); alle reiskosten in elk geval gegarandeerd; begrafeniskosten te bestrijden door ons of onze vertegenwoordigers indien de gelegenheid zich voordoet en de zaak niet anderszins wordt geregeld.
Aangezien wij het niet nodig vonden uw geachte rust te verstoren, zijn wij vooruitgegaan om de nodige voorbereidingen te treffen en zullen uw geëerbiedigde persoon verwachten in de Herberg de Groene draak, Bijwater, om vanmorgen elf uur precies. In het vertrouwen dat u *stipt* op tijd zult zijn,
Hebben wij de eer te verblijven,
uw dienstwillige
Thorin & Co.'

'Je hebt nog net tien minuten. Je zult moeten rennen,' zei Gandalf.
'Maar –' zei Bilbo.
'Geen tijd voor,' zei de tovenaar.
'Maar –' zei Bilbo opnieuw.
'Daar is ook geen tijd voor! Wegwezen!'
Tot het einde van zijn dagen kon Bilbo zich niet herinneren hoe hij buiten kwam, zonder hoed, een wandelstok of geld, zonder al die dingen die hij gewoonlijk meenam als hij uitging; zijn tweede ontbijt half opgegeten en helemaal onafgewassen; Gandalf zijn sleutels in de hand drukte en zo snel zijn harige voeten hem door het laantje dragen konden, langs de Molen, over Het Water en zo nog wel een hele mijl of nog verder rende.
Hij was vreselijk buiten adem toen hij op slag van elven in Bijwater aankwam en merkte dat hij geen zakdoek bij zich had!
'Bravo!' zei Balin, die bij de deur van de herberg naar hem stond uit te kijken.
Op datzelfde ogenblik kwamen alle anderen de hoek van de weg uit het dorp om. Zij zaten op pony's en iedere pony was bepakt met allerlei soorten bagage, pakketten, pakjes en persoonlijke bezittingen. Er was een heel kleine pony die blijkbaar voor Bilbo bestemd was.
'Klim erop, dan vertrekken we,' zei Thorin.
'Het spijt me heel erg,' zei Bilbo, 'maar ik ben zonder hoed gekomen en ik ben mijn zakdoek vergeten en ik heb helemaal geen geld

bij me. Ik heb jullie briefje pas na kwart voor elf gekregen, om precies te zijn.'
'Wees maar niet precies,' zei Dwalin, 'en maak je geen zorgen! Je zult je zonder zakdoeken en nog heel wat andere dingen moeten behelpen voor de reis ten einde is. Wat een hoed betreft, ik heb nog een extra kap en mantel in mijn bagage.'
Zo gingen ze allen op weg, op bepakte pony's van de herberg wegsjokkend op een mooie ochtend vlak voor mei; en Bilbo droeg een donkergroene kap (een beetje verschoten) en een donkergroene mantel die hij van Dwalin had geleend. Ze waren te groot voor hem en hij zag er nogal komisch uit. Ik moet er niet aan denken wat zijn vader Bungo van hem zou hebben gevonden. Zijn enige troost was dat men hem niet voor een dwerg kon verslijten, want hij had geen baard.
Ze hadden nog niet lang gereden toen Gandalf eraan kwam, heel schitterend op een wit paard. Hij had een heleboel zakdoeken en Bilbo's pijp en tabak meegebracht. En daarna ging het gezelschap vrolijk verder en ze vertelden verhalen of zongen liederen terwijl ze de hele dag voortreden, behalve natuurlijk wanneer ze stilhielden om te eten. Dat gebeurde niet zo vaak als Bilbo wel had gewild, maar toch begon hij tot de mening over te hellen dat avonturen nog niet zo slecht waren.
Eerst waren zij hobbitlanden doorgetrokken, een grote eerbiedwaardige streek, bewoond door keurige lieden, met goede wegen, een paar herbergen en af en toe een dwerg of een boer die hen voorbij kuierde. Maar na een tijdje kwamen zij op plaatsen waar men vreemd sprak en liederen zong die Bilbo nooit eerder had gehoord. Nu waren zij ver in de Eenzame Landen doorgedrongen waar niemand meer woonde, geen herbergen waren en de wegen steeds slechter werden. Niet ver voor hen uit stonden naargeestige heuvels, die steeds hoger en hoger oprezen, met donkere bomen. Op sommige stonden oude kastelen, boosaardig om te zien, alsof ze door slechte lieden waren gebouwd. Alles zag er naargeestig uit, want het weer was die dag slecht geworden. Het was grotendeels zo mooi geweest als mei maar kan zijn, ook in blijde verhalen, maar nu was het koud en nat. In de Eenzame Landen hadden zij moeten kamperen waar dat mogelijk was, maar het was in elk geval droog geweest.
'Te bedenken dat het weldra juni zal zijn,' mopperde Bilbo, terwijl hij achter de anderen aan ploeterde in een erg modderig spoor. Het was na theetijd; het regende dat het goot en zo was het de hele dag geweest; zijn kap droop in zijn ogen, zijn mantel stond vol water;

de pony was moe en struikelde over stenen; de anderen waren te nors om te spreken. En ik weet zeker dat de regen in de droge kleren en in de etenszakken is gedrongen, dacht Bilbo. Dat gezeur over die inbrekerij en alles wat er verder mee te maken heeft! Ik wou dat ik thuis in mijn gezellige hol bij het vuur zat terwijl de ketel net begint te zingen! Dat was niet de laatste keer dat hij dat wenste!

Nog steeds sjokten de dwergen voort zonder ook maar één keer om te kijken of enige aandacht aan de hobbit te schenken. Ergens achter de grijze wolken moest de zon zijn ondergegaan, want het begon donker te worden toen zij afdaalden naar een diepe vallei met onderin een rivier. De wind stak op en de wilgen langs de rivieroever bogen en zuchtten. Gelukkig liep de weg over een oude stenen brug, want de rivier, gezwollen door de regen, kwam van de heuvels en bergen in het noorden snellen.

Het was bijna nacht toen zij die waren overgestoken. De wind reet de grijze wolken uiteen en een dolende maan verscheen boven de heuvels tussen de zeilende flarden. Toen hielden zij stil en Thorin mompelde iets over avondeten 'en waar zullen we een droge plek vinden om te slapen?'

Pas op dat ogenblik merkten zij dat Gandalf er niet was. Tot dusver was hij de hele weg met hen meegegaan zonder te zeggen of hij deelnam aan het avontuur of hen slechts een tijdje gezelschap hield. Hij had het meeste gegeten, het meeste gepraat en het meeste gelachen. Maar nu was hij er eenvoudig helemaal niet meer!

'Net op het ogenblik dat een tovenaar erg nuttig zou zijn geweest,' bromden Dori en Nori (die de mening van de hobbit deelden waar het geregelde maaltijden, overdadig en vaak, betrof).

Zij besloten ten slotte dat ze zouden moeten overnachten waar ze waren. Ze zochten een groepje bomen op en hoewel het daar droger was, schudde de wind de regen van de bladeren, en het tik, tik, tik was bijzonder ergerlijk. Ook scheen het kwaad in het vuur te zijn geslagen. Dwergen kunnen bijna overal van bijna niets een vuurtje maken, wind of geen wind; maar die avond konden ze het niet, zelfs Oín en Gloín niet, die er bijzonder goed in waren.

Toen schrok een van de pony's ergens van en sloeg op hol. Hij lag in de rivier voor ze hem konden grijpen en voordat ze hem eruit hadden kunnen halen, waren Fíli en Kíli bijna verdronken, en alle bagage die hij droeg, was weggespoeld. Natuurlijk was het voornamelijk voedsel en er was maar heel weinig voor het avondeten overgebleven, en nog minder voor het ontbijt.

Daar zaten ze allen neerslachtig en nat te mopperen terwijl Gloín en Oín almaar probeerden het vuur aan te steken, en er ruzie over maakten. Bilbo bedacht droevig dat niet alle avonturenritjes op een pony in de meizon zijn, toen Balin, die altijd hun uitkijk was, zei: 'Daarginds is een licht!' Een eind verder weg was een heuvel met bomen erop, op sommige plaatsen behoorlijk dicht. Uit de donkere bomenmassa konden zij nu een licht zien schijnen, een roodachtig gezellig uitziend licht alsof het een vuur was of twinkelende toortsen.

Toen ze er een tijdje naar hadden gekeken, begonnen ze te redetwisten. Sommigen zeiden 'nee' en anderen zeiden 'ja'. Sommigen zeiden dat ze maar eens moesten gaan kijken, want alles was beter dan weinig avondeten, nog minder ontbijt en de hele nacht natte kleren.

Anderen zeiden: 'Deze streken zijn niet erg goed bekend en zijn te dicht bij de bergen. Reizigers komen tegenwoordig zelden deze kant uit. De oude landkaarten zijn waardeloos; de zaken zijn niet ten goede veranderd en de weg wordt niet bewaakt. Ze hebben hier in deze buurt nauwelijks van de koning gehoord en hoe minder nieuwsgierig je bent als je verder trekt, des te minder moeilijkheden je je op de hals zult halen.'

Sommigen zeiden: 'Per slot van rekening zijn we met ons veertienen.' Anderen zeiden: 'Waar is Gandalf naartoe gegaan?' Deze vraag werd door iedereen herhaald. Toen begon het harder te regenen dan ooit, en Oín en Gloín begonnen te vechten. Dat deed de deur dicht. 'Per slot van rekening hebben we een inbreker bij ons,' zeiden ze, en dus gingen ze op weg en leidden hun pony's (zo goed en voorzichtig mogelijk) in de richting van het licht. Ze kwamen bij de heuvel en waren spoedig in het bos. Ze gingen de heuvel op, maar er was geen behoorlijk pad te bekennen dat naar een huis of boerderij zou kunnen leiden; en wat ze ook deden, ze veroorzaakten een hoop geritsel, geknisper en gekraak (en ook heel wat gemopper en gescheld) toen ze in het pikkedonker door het bos liepen.

Plotseling scheen het rode licht heel helder door de boomstammen, niet zo ver weg.

'Nu is het de beurt van de inbreker,' zeiden ze, waarmee ze Bilbo bedoelden. 'Jij moet nu verdergaan en alles over dat licht te weten zien te komen: waarvoor het dient en of alles veilig en in de haak is,' zei Thorin tegen de hobbit. 'En nu wegwezen, en kom vlug terug als alles veilig is. Zo niet, kom terug als je kunt! Als je niet kunt, kras dan twee keer als een torenuil en één keer als een schreeuwuil en we zullen doen wat we kunnen.'

Bilbo moest gaan voor hij kon uitleggen dat hij als geen enkele uil kon krassen, en evenmin kon vliegen als een vleermuis. Maar in ieder geval kunnen hobbits zich heel stil verplaatsen in bossen, volkomen geruisloos. Daar gaan ze prat op, en Bilbo had onderweg meer dan eens de neus opgetrokken voor wat hij 'al dat dwergenkabaal' noemde, hoewel ik niet denk dat jij of ik ook maar iets opgemerkt zouden hebben op een winderige avond, al was de hele stoet op een halve meter afstand voorbijgekomen. En wat Bilbo die parmantig op het rode licht af stapte betrof, ik denk niet dat een wezel er een snorhaar voor verroerd zou hebben. En zo kwam hij, natuurlijk, tot vlak bij het vuur – want dat was het – zonder iemands aandacht te trekken. En hij zag het volgende.

Drie heel grote lieden die om een enorm vuur van berkenblokken zaten. Ze waren lamsvlees aan lange houten spitten aan het braden en likten het vet van hun vingers af. Er hing een geur om van te watertanden. Er stond ook een vat met goede drank bij, en ze dronken uit kroezen. Maar het waren trollen. Geen twijfel aan: trollen. Zelfs Bilbo kon dat zien, ondanks zijn teruggetrokken leven: aan hun grote dikke gezichten, hun lengte en de vorm van hun benen, om maar niet te spreken van de taal die ze uitsloegen, die allesbehalve parlementair was.

'Gisteren lamsvlees, vandaag lamsvlees en, verduveld, morgen zal het ook wel weer op lamsvlees uitdraaien,' zei een van de trollen.

'Het is wel erg langgeleden dat we een drommels stuk mensenvlees hebben gehad,' zei de tweede. 'Wat die verduivelde Willem ertoe heeft gebracht ons naar deze streken te brengen mag Joost weten – en wat nog erger is, de drank begint op te raken,' zei hij terwijl hij de elleboog van Willem, die een slok uit zijn kroes nam, aanstootte.

Willem verslikte zich. 'Hou je kop!' zei hij zodra hij kon. 'Je kan toch zeker niet verwachten dat er hier voor altijd mensen zullen blijven om door jou en Bert te worden opgegeten. Jullie hebben met z'n tweeën anderhalf dorp opgevreten sinds we uit de bergen zijn gekomen. Hoeveel meer moet je er nog hebben? En er zijn tijden geweest dat je voor zo'n lekkere vette schapenbout "dank je, Wim", gezegd zou hebben.' Hij nam een grote hap van een schapenpoot die hij aan het braden was en veegde zijn lippen aan zijn mouw af.

Ja, ik vrees dat trollen zich nu eenmaal zo gedragen, zelfs degenen die elk maar één hoofd hebben. Nadat hij dit gehoord had, had Bilbo meteen iets moeten doen. Óf hij had stilletjes terug moeten gaan om zijn vrienden te waarschuwen dat er drie behoorlijk grote trollen in de buurt waren die een boze bui hadden en waarschijnlijk voor de verandering wel eens geroosterde dwerg of zelfs pony willen proeven, óf hij had vlug een nummertje zakkenrollen ten beste moeten geven. Een echte eersteklas legendarische dief zou op dit ogenblik de zakken van de trollen hebben gerold en – het is bijna altijd de moeite waard als je het kunt klaarspelen – het lamsvlees onder hun ogen van het spit hebben gestolen, het bier hebben gegapt en zijn weggelopen zonder dat ze het hadden gemerkt. Anderen, die praktischer waren, maar met minder beroepstrots, zouden hen misschien voor ze er erg in hadden een dolk tussen de ribben hebben gestoken. Dan zou de avond verder vrolijk hebben kunnen verlopen.

Bilbo wist het. Hij had gelezen over een heleboel dingen die hij nooit had gezien of gedaan. Hij was erg ongerust, en ook voelde hij walging; maar toch, op de een of andere manier kon hij niet regelrecht met lege handen naar Thorin en het Gezelschap teruggaan. Daarom bleef hij in de schaduw staan aarzelen. Van de verschillende diefachtige praktijken waar hij van had gehoord, scheen het rollen van de zakken van trollen het minst moeilijk en daarom kroop hij ten slotte achter een boom, vlak achter Willem.

Bert en Tom gingen naar het vat. Willem nam nog een slok. Toen verzamelde Bilbo zijn moed en stak zijn kleine hand in Willems enorme zak. Er zat een beurs in, die Bilbo zo groot als een baal toescheen. Ha, dacht hij, terwijl hij zin in zijn nieuwe werk begon te krijgen toen hij hem er voorzichtig uit haalde. Dit is een begin!

En dat was het! Trollenbeurzen zijn betoverd en deze was het ook.

'Hela, wie ben jij?' piepte de beurs toen hij uit de zak kwam; en Willem draaide zich onmiddellijk om en pakte Bilbo in zijn nekvel voor hij achter de boom kon wegduiken. 'Gossie Bert, kijk nou 'ns wat ik gevangen heb,' zei Willem.

'Wat is het?' vroegen de anderen toen ze naderbij kwamen. 'Ik mag een aap zijn als ik het weet! Wat ben je?'

'Bilbo Balings, een in – een hobbit,' zei de arme Bilbo die van top tot teen bibberde en zich afvroeg hoe hij uilengeluiden moest maken vóór ze hem wurgden.

'Een innehobbit?' vroegen ze, ietwat verbaasd. Trollen zijn traag van begrip en enorm achterdochtig tegenover alles wat nieuw voor hen is.

'Wat heeft een innehobbit in mijn zak te zoeken?' zei Willem.

'Kun je ze braden?' vroeg Tom.

'Het is te proberen,' zei Bert, terwijl hij een vleespan oppakte.

'Hij is niet meer dan een mondvol,' zei Willem die al een behoorlijk avondmaal op had, 'nadat hij gevild en uitgebeend is.'

'Misschien zijn er nog meer in de buurt en kunnen we kroketten maken,' zei Bert. 'Hela jij, zijn er nog meer van jouw soort in deze bossen aan het rondsluipen, smerig klein konijn?' zei hij terwijl hij naar de wollige voeten van de hobbit keek; en hij pakte hem bij de tenen op en schudde hem heen en weer.
'Ja, hopen,' zei Bilbo voor hij zich herinnerde dat hij zijn vrienden niet moest verraden. 'Nee, helemaal geen, niet een,' liet hij er onmiddellijk op volgen.
'Wat bedoel je?' vroeg Bert en hij hield hem nu omhoog met de goede kant boven, bij zijn haar deze keer.
'Wat ik zei,' zei Bilbo ademloos. 'En braad me alsjeblieft niet, beste heren! Ik ben zelf een goeie kok en braad beter dan wanneer ik braad, als u begrijpt wat ik bedoel. Ik zal heerlijk voor jullie koken, een volmaakt heerlijk ontbijt, als jullie me maar niet als avondmaal opeten.'
'Arme kleine drommel,' zei Willem (ik zei al dat hij zich te goed had gedaan aan het avondeten; en ook had hij hopen bier gedronken). 'Arme drommel. Laat hem gaan!'
'Niet voordat hij zegt wat hij bedoelt met *hopen* en *helemaal geen*,' zei Bert. 'Ik heb geen zin om in m'n slaap te worden gekeeld! Hou zijn tenen in het vuur tot hij praat.'
'Ik wil het niet hebben,' zei Willem. 'En bovendien heb ik hem gevangen.'
'Je bent een vette idioot, Willem,' zei Bert, 'zoals ik vanavond al eerder heb gezegd.'
'En jij bent een kinkel!'
'En dat neem ik niet van je, Willem Knuffel,' zei Bert en hij gaf Willem een opstopper tegen zijn oog.
Toen ontstond er een juweel van een ruzie. Bilbo was nog net genoeg bij zijn positieven toen Bert hem op de grond liet vallen om voor hun voeten weg te schuifelen voordat ze als honden aan het vechten raakten en elkaar met luide stem alle mogelijke volmaakt juiste en toepasselijke namen toevoegden. Weldra hielden ze elkaar met de armen omklemd en rolden bijna in het vuur, al schoppend en bonkend, terwijl Tom hen beiden met een tak afranselde om ze tot bezinning te brengen – maar dat maakte hen natuurlijk nog woester.
Op dat ogenblik had Bilbo ervandoor moeten gaan. Maar zijn arme kleine voeten waren in Berts grote poot gemangeld en hij had geen lucht meer in zijn lichaam en zijn hoofd duizelde hem; en zo lag hij daar een tijdje te hijgen, vlak buiten de lichtkring van de vlammen.
Midden in het gevecht verscheen Balin ineens. De dwergen hadden

uit de verte geluiden gehoord en nadat ze een tijdje hadden gewacht tot Bilbo terug zou komen, of als een uil zou krassen, waren ze één voor één zo stil als zij konden naar het licht gekropen. Zodra Tom Balin in het licht zag komen, begon hij erbarmelijk te janken. Trollen kunnen de aanblik van dwergen (rauw) gewoonweg niet verdragen. Bert en Willem hielden onmiddellijk op met vechten en zeiden: 'Een zak, Tom, vlug.' Voor Balin, die zich afvroeg waar Bilbo was in dit tumult, doorhad wat er gebeurde, was er een zak over zijn hoofd gegooid en lag hij op de grond.
'Er komen er vast nog meer,' zei Tom, 'of ik moet me heel erg vergissen. Hopen en helemaal geen,' zei hij. 'Geen innehobbits, maar een heel stel van die dwergen. Zo is het.'
'Je kon wel eens gelijk hebben,' zei Bert. 'We moesten maar uit het licht gaan.'
En dat deden ze. Met zakken in de handen, die ze gebruikten om schapen en andere buit te vervoeren, wachtten ze in de schaduwen. En iedere dwerg die tevoorschijn kwam en verbaasd naar het vuur en de omgevallen kroezen en afgekloven schapenbouten keek, kreeg, floeps, een smerige stinkende zak over zijn hoofd en dan lag hij op de grond. Weldra lag Dwalin naast Balin, en Fíli en Kíli samen en Dori en Nori en Ori allemaal op een hoop, en Oín en Gloín en Bofur, Bifur en Bombur onbehaaglijk dicht bij het vuur op elkaar gestapeld.
'Dat zal een les voor ze zijn,' zei Tom, want Bifur en Bofur hadden een hoop last veroorzaakt en als gekken gevochten, zoals dwergen doen wanneer ze in het nauw zitten.
Thorin was de laatste – maar hij werd niet onverhoeds gevangen. Hij verwachtte onheil toen hij kwam, en hoefde de benen van zijn vrienden niet uit de zakken te zien steken om te weten dat de zaken er helemaal niet goed voorstonden. 'Wat is dat hier voor herrie? Wie heeft mijn mannen toegetakeld?'
'Het zijn trollen!' zei Bilbo vanachter een boom. Ze waren hem helemaal vergeten. 'Ze hebben zich in de struiken verstopt met zakken,' zei hij.
'Zo, werkelijk?' zei Thorin en hij sprong naar het vuur toe, voor ze zich op hem konden storten. Hij pakte een grote tak die aan één uiteinde brandde; en Bert kreeg dat einde in zijn oog voor hij hem kon ontwijken. Dat stelde hem een tijdje buiten gevecht. Bilbo deed zijn best. Hij kreeg Toms been te pakken – zo goed mogelijk, want hij was zo dik als een jonge boomstam – maar werd tollend boven op een paar struiken gesmeten toen Tom de vonken in Thorins gezicht schopte.

Hiervoor kreeg Tom de tak tegen zijn gebit en verloor een van zijn voortanden. Het maakte hem aan het janken, dat verzeker ik je. Maar op hetzelfde ogenblik kwam Willem er van achteren aan en hij liet een zak over Thorins hoofd glijden, tot aan zijn tenen. En zo eindigde het gevecht. Ze zaten nu lelijk in de puree: allemaal netjes in zakken gebonden, met drie woedende trollen (twee met brandwonden en letsels die hen zouden heugen) naast zich, die aan het overleggen waren of zij hen langzaam zouden laten sudderen, of fijnhakken en koken, of één voor één op hen gaan zitten en ze tot gelei persen, terwijl Bilbo met gescheurde kleren en schaafwonden boven op een struik lag en zich niet durfde te verroeren uit angst dat ze hem zouden horen.

Op datzelfde ogenblik kwam Gandalf terug. Maar niemand zag hem. De trollen hadden net besloten om de dwergen nu te braden en later op te eten – dat was Berts idee, en na een hoop gebekvecht waren ze het er allemaal mee eens.
'Het heeft geen zin om ze nu te braden, dat zou de hele nacht duren,' zei een stem. Bert dacht dat het Willem was.
'Begin nu niet weer van voren af aan te bekvechten, Wim,' zei hij, 'anders zal het werkelijk de hele nacht duren.'
'Wie is er aan 't bekvechten?' vroeg Willem, die dacht dat Bert degene was die gesproken had.
'Jij,' zei Bert.
'Je bent een leugenaar,' zei Willem en op die manier begon de hele ruzie van voren af aan. Ten slotte besloten zij om gehakt van hen te maken en hen te koken. Ze pakten een grote zwarte pot en haalden hun messen tevoorschijn.
'Het heeft geen zin om ze te koken! We hebben geen water, en het is een heel eind naar de bron en zo,' zei een stem. Bert en Willem dachten dat het Tom was.
'Hou je kop,' zeiden ze, 'of we komen nooit ergens. En je kunt zelf water gaan halen als je nog een kik geeft.'
'Hou zelf je kop!' zei Tom, die dacht dat het Willems stem was. 'Jij bent degene die ruziemaakt en niemand anders.'
'Je bent een uilskuiken,' zei Willem.
'Dat ben je zelf!' zei Tom.
En zo begon het geruzie weer van voren af aan en heviger dan ooit, tot ze eindelijk besloten om één voor één op de zakken te gaan zitten en ze te pletten en de volgende keer te koken.
'Op wie zullen we het eerst gaan zitten?' zei de stem.
'Het is het beste om eerst op de laatste te gaan zitten,' zei Bert,

wiens oog door Thorin beschadigd was. Hij dacht dat Tom dit zei.
'Zit niet in jezelf te praten!' zei Tom. 'Maar als je op de laatste wilt gaan zitten, vooruit dan maar. Welke is het?'
'Die met de gele kousen,' zei Bert.
'Onzin, die met de grijze kousen,' zei een stem die op die van Willem leek.
'Ik ben er zeker van dat het geel was,' zei Bert.
'Het was ook geel,' zei Willem.
'Waarom heb je dan gezegd dat het grijs was?' vroeg Bert.
'Dat heb ik niet gedaan. Tom zei dat.'
'Dat heb ik helemaal niet gezegd,' zei Tom. 'Dat zei jij.'
'Twee tegen één, dus hou jij je kop dicht!' zei Bert.
'Tegen wie heb je het?' vroeg Willem.
'Hou nou maar op!' zeiden Tom en Bert tegelijk. 'De nacht is al bijna om en het wordt vroeg licht. Laten we opschieten.'
'Moge de dageraad jullie allen halen en verstenen!' zei een stem, die op die van Willem leek. Maar dat was niet zo. Want op datzelfde ogenblik scheen het licht over de heuvel en klonk er een machtig getjilp in de takken. Willem sprak geen woord, want op het ogenblik dat hij bukte, was hij versteend en Bert en Tom bleven als rotsblokken staan terwijl ze naar hem keken. En daar staan ze heden ten dage nog, moederziel alleen, behalve wanneer de vogels op hen neerstrijken; want trollen moeten, zoals je waarschijnlijk wel weet, voor de dageraad onder de grond zijn, anders veranderen zij in datgene waar de bergen van gemaakt zijn en bewegen nooit meer. En dat was er met Bert, Tom en Willem gebeurd.
'Voortreffelijk!' zei Gandalf toen hij uit het kreupelhout tevoorschijn kwam en Bilbo hielp uit een doornstruik te klimmen. Toen begreep Bilbo het. Het was de stem van de tovenaar die de trollen aan het bekvechten en ruziën had gehouden tot het licht kwam en een eind aan hun leven maakte.
Vervolgens moesten de zakken losgemaakt en de dwergen bevrijd worden. Ze waren bijna gestikt en bijzonder boos: ze hadden het helemaal niet prettig gevonden om daar te moeten liggen en te horen dat de trollen van plan waren hen te braden, te verpletteren of gehakt van hen te maken. Ze moesten Bilbo's verhaal over wat er met hem was gebeurd twee keer horen voor ze tevreden waren.
'Een idiote tijd om inbreken en zakkenrollen te gaan oefenen,' zei Bombur, 'terwijl wij vuur en eten wilden hebben.'
'En dat is nou net wat je in geen geval zonder een gevecht van die kerels zou hebben losgekregen,' zei Gandalf. 'In ieder geval ben je je tijd aan het verknoeien. Begrijp je niet dat de trollen ergens in de

buurt een hol of grot moeten hebben gegraven om voor de zon te schuilen? Dat moeten we onderzoeken!'
Ze begonnen te zoeken, en weldra vonden zij de sporen van de steenachtige trollenlaarzen die tussen de bomen liepen. Ze volgden de sporen heuvelopwaarts tot zij bij een grote stenen deur kwamen, verscholen achter bosjes, die naar een grot leidde. Maar ze konden hem niet openkrijgen, zelfs niet toen ze er met z'n allen tegen duwden, terwijl Gandalf verscheidene toverspreuken probeerde.
'Is dit misschien iets?' vroeg Bilbo toen ze moe en boos begonnen te worden. 'Ik heb het op de grond gevonden waar de trollen aan het vechten waren.' Hij liet een vrij grote sleutel zien, hoewel Willem hem ongetwijfeld heel klein en geheimzinnig zou hebben gevonden. Hij moest uit zijn zak zijn gevallen, gelukkig, voordat hij in steen was veranderd.
'Wel allemachtig, waarom heb je dat niet eerder gezegd?' riepen ze uit. Gandalf greep hem en stak hem in het sleutelgat. Toen zwaaide de rotsdeur met één stevige duw open en gingen ze allen naar binnen. Er lagen beenderen op de grond en er hing een smerige lucht, maar er stond heel wat eten achteloos op schappen en op de grond door elkaar, te midden van een ratjetoe van gestolen goederen: van allerlei soorten koperen knopen tot potten vol gouden muntstukken die in een hoek stonden. Er hingen ook hopen kleren aan de muur, te klein voor trollen; ik ben bang dat ze aan slachtoffers hadden toebehoord – en daartussen hingen verscheidene zwaarden van verschillende makelij, vorm en grootte. Twee trokken vooral hun aandacht vanwege de prachtige scheden en met juwelen bezette gevesten.
Gandalf en Thorin namen er elk een; en Bilbo nam een mes in een leren schede. Voor een trol zou het niet meer dan een klein zakmes zijn geweest, maar voor de hobbit was het zoiets als een kort zwaard.
'Deze zwaarden zien er goed uit,' zei de tovenaar terwijl hij ze half uit de scheden trok en aandachtig bekeek. 'Die zijn niet door een trol gemaakt en ook niet door mensensmeden in deze streken en deze tijd; wanneer we de runen die erop staan kunnen lezen, zullen we er meer over te weten komen.'
'Laten we uit deze afschuwelijke stank weggaan!' zei Fíli. En dus droegen ze de potten met munten naar buiten en het voedsel dat niet was aangeraakt en er eetbaar uitzag en ook een vat bier dat nog vol was. Ze hadden onderhand trek in een ontbijt gekregen en omdat ze erge honger hadden, trokken zij hun neus niet op voor wat ze uit de provisiekast van de trollen hadden gehaald. Hun eigen

mondvoorraad was heel gering. Nu hadden zij brood en kaas en volop bier en spek dat ze in de gloeiende as van het vuur konden bakken.
Daarna gingen ze slapen, want hun nachtrust was verstoord; en ze deden tot de middag niets meer. Toen haalden ze hun pony's en voerden de potten met goud weg en begroeven ze in het diepste geheim niet ver van het pad bij de rivier, en ze spraken er vele toverspreuken over uit, voor het geval ze ooit de kans zouden krijgen om terug te komen en ze op te graven. Toen dat gedaan was, stegen ze allen weer op en sjokten verder langs het pad naar het Oosten.
'Waar ben jij heen geweest, als ik zo vrij mag zijn?' vroeg Thorin aan Gandalf toen ze voortreden.
'Ik ben vooruit wezen kijken,' zei hij.
'En hoe kwam het dat je precies op tijd terug was?'
'Door achterom te kijken,' zei hij.
'Juist!' zei Thorin. 'Maar zou je misschien wat duidelijker kunnen zijn?'
'Ik ben vooruitgegaan om onze weg te verkennen. Hij zal weldra gevaarlijk en moeilijk worden. Ook maakte ik me zorgen over het aanvullen van onze kleine voorraad leeftocht. Ik was echter nog niet erg ver gegaan toen ik een paar vrienden van mij uit Rivendel tegenkwam.'
'Waar is dat?' vroeg Bilbo.
'Val me niet in de rede!' zei Gandalf. 'Je zult er over een paar dagen aankomen, als we geluk hebben, en er alles over te weten komen. Zoals ik zei, ik ben twee van Elronds lieden tegengekomen. Ze haastten zich voort uit angst voor de trollen. Ze vertelden mij dat er drie uit de bergen omlaag waren gekomen en zich in de bossen, niet ver van de weg, hadden gevestigd; ze hadden iedereen in de buurt verschrikt en verjaagd, en ze belaagden vreemdelingen.
Ik kreeg meteen het gevoel dat ik terug moest gaan. Toen ik achteromkeek, zag ik in de verte een vuur en ging erheen. Dus nu weet je het. Wees alsjeblieft de volgende keer voorzichtiger, anders zullen we nooit ergens komen!'
'Dank je!' zei Thorin.

III. Een korte rustpoos

Ze zongen niet en vertelden ook geen verhalen die dag, hoewel het beter weer werd; en ook de volgende dag en ook de dag daarna niet. Ze voelden nu dat het gevaar aan weerskanten niet ver weg was. Zij overnachtten onder de sterren en hun paarden kregen meer te eten dan zij, want er was volop gras, maar er zat niet veel in hun zakken, ook niet met dat wat zij van de trollen hadden genomen. Op een morgen doorwaadden ze een rivier op een brede, ondiepe plek, vervuld van het lawaai van stenen en schuim. De andere oever was steil en glibberig. Toen zij de top ervan bereikten, hun pony's leidend, zagen ze dat zij de grote bergen heel dicht genaderd waren. Zij schenen nu nog maar een dag gaans van de voet van de dichtstbijzijnde verwijderd te zijn. Hij zag er donker en naargeestig uit, hoewel er plekken zonlicht op de bruine hellingen lagen, en achter zijn rondingen glinsterden de toppen van sneeuwkappen.
'Is dat *De* Berg?' vroeg Bilbo op plechtige toon, terwijl hij er met grote ogen naar keek. Hij had nog nooit eerder zoiets enorms gezien.
'Natuurlijk niet!' zei Balin. 'Dat is maar het begin van de Nevelbergen, en wij moeten er op de een of andere manier door, overheen of onderdoor zien te komen voordat wij Wilderland erachter kunnen bereiken. En het is ook van de andere kant nog een behoorlijk eind naar de Eenzame Berg in het Oosten waar Smaug op onze schat ligt.'
'O!' zei Bilbo en op dat ogenblik voelde hij zich vermoeider dan ooit. Hij moest weer denken aan zijn luie stoel voor de haard in de geliefde zitkamer van zijn hobbithol, en aan de ketel die zong. En niet voor de laatste keer!

Nu ging Gandalf voorop. 'We mogen de weg niet mislopen, anders zijn we er geweest,' zei hij. 'We hebben in de eerste plaats eten nodig, *en* rust in redelijke veiligheid – ook is het absoluut noodzakelijk om de Nevelbergen langs het goede pad in te trekken, anders raak je erin verdwaald en moet je teruggaan en weer helemaal opnieuw beginnen als je tenminste nog terugkomt.'

Ze vroegen hem waar hij heen ging, en hij antwoordde: 'Jullie zijn nu vlak bij de rand van de Wildernis aangekomen, zoals sommigen van jullie wellicht weten. Ergens voor ons, verscholen, ligt het mooie dal Rivendel, waar Elrond woont in het Laatste Huiselijke Huis. Ik heb mijn vrienden een boodschap meegegeven, en wij worden verwacht.'

Dat klonk prettig en geruststellend, maar ze waren er nog niet, en het was niet zo gemakkelijk als het klinkt om het Laatste Huiselijke Huis ten westen van de Bergen te vinden. Er schenen geen bomen en geen dalen en ook geen heuvels te zijn die het terrein dat voor hen lag, onderbraken – slechts één grote helling, die langzaam omhoogliep naar de voet van de dichtstbijzijnde berg: een wijd landschap met de kleur van heide en verbrokkelende rotsblokken, met plekken en stroken grasgroen en mosgroen die misschien op de aanwezigheid van water duidden.

De ochtend ging voorbij, de middag kwam; maar op die hele stille vlakte was geen teken van een woning te bekennen. Zij begonnen ongerust te worden, want zij zagen nu dat het huis vrijwel overal tussen hen en de bergen verscholen kon liggen. Zij kwamen bij onvermoede dalen, nauw met steile wanden die plotseling voor hun voeten lagen, en ze keken verbaasd in de diepte en zagen bomen en stromend water beneden hen op de bodem. Er waren geulen waar zij bijna overheen konden springen, maar heel diep en met watervallen erin. Er waren donkere ravijnen waar je niet overheen kon springen of in kon afdalen. Er waren moerassen, sommige groen en prettig om te zien, waar kleurige, hoge bloemen in groeiden, maar een pony die daar met een last op zijn rug in liep, zou er nooit meer uitkomen.

Het was werkelijk een veel breder stuk land tussen de voorde en de bergen dan je zou hebben vermoed. Bilbo was verbaasd. Het enige pad was aangegeven met witte stenen waarvan sommige klein waren en andere half bedekt met mos of heide. Al met al kwamen zij heel langzaam op het pad vooruit, ook met Gandalf als gids, die de weg hier heel goed scheen te kennen.

Zijn hoofd en baard schommelden van de ene kant naar de andere terwijl hij naar de stenen zocht, en zij volgden zijn voorbeeld, maar schenen nog niets dichter bij het einde van hun speurtocht toen de dag ten einde begon te lopen. De tijd voor de middagmaaltijd was allang voorbij en het scheen dat het met het avondeten net zo zou gaan. Er fladderden motten rond en het licht werd heel flauw, want de maan was niet opgekomen. Bilbo's pony begon over wortels en stenen te struikelen. Zij kwamen zo plotseling aan de rand van een steile afgrond, dat Gandalfs paard bijna van de helling afgleed.

'Hier is het eindelijk!' riep hij uit en de anderen kwamen om hem heen staan en keken over de rand. Heel ver omlaag zagen zij een vallei. Zij konden de stem van voortsnellend water over een rotsachtige bedding in de diepte horen; de geur van bomen hing in de lucht en er scheen een licht aan de kant van het dal over het water. Bilbo vergat nooit de manier waarop zij in de schemer het steile zigzaggende pad naar het geheime dal van Rivendel af glibberden en gleden. De lucht werd warmer naarmate zij lager kwamen, en de geur van de pijnbomen maakte hem slaperig, zodat hij af en toe knikkebolde en bijna van zijn pony viel, of zijn neus tegen de nek van het dier stootte. Zij monterden weer op toen zij verder omlaaggingen. De bomen veranderden in beuken en eiken, en er was een behaaglijk gevoel in de schemering. Het laatste groen was bijna uit het gras vervaagd toen zij eindelijk bij een open plek kwamen, niet ver boven de oevers van de stroom.

Hmm! Het ruikt naar elfen! dacht Bilbo en hij keek omhoog naar de sterren. Ze fonkelden helder en blauw. En op datzelfde ogenblik schalde er een lied als een lach door de bomen:

O! Wat ben je aan 't doen en
Waar ga je henen?
Je pony's zijn moe en
Stroom snelt tussen stenen!
O tral-lal-derei
hier in de vallei.

O! Waar wil je belanden?
En wat ben je aan 't zoeken
De houtvuren branden,
Je ruikt pannenkoeken!
O zingen wij olijk
het dal is zo vrolijk,
ha! ha!

O! Waar ga je heen met
Je wapperende baarden?
Van ons weet geen het
Wat toch meneer Balings
En Balin en Dwalin
hier naar de vallei voert
in juni
ha! ha!

O! Zul je hier blijven,
Of ga je weer zwerven!
Je pony's zijn stijf en
De dag is nu stervend.
Weggaan zou sneu zijn,
Blijven zou leuk zijn
En zitten luistren
tot 't einde van 't duister
naar ons lied
ha! ha!

Zo lachten en zongen zij tussen de bomen; en ik durf te wedden dat jij het vrij onzinnig vindt. Niet dat het hun iets zou kunnen schelen: ze zouden nog veel harder lachen als jij het hun zei. Het waren natuurlijk elfen. Weldra ving Bilbo af en toe een glimp van hen op toen de duisternis dieper werd. Hij hield van elfen, hoewel hij ze zelden ontmoette, maar hij was ook een beetje bang van ze. Dwergen kunnen niet goed met hen overweg. Zelfs fatsoenlijke dwergen, zoals Thorin en zijn vrienden, vinden hen dwaas (wat een heel dwaze gedachte is), of ergeren zich aan hen. Want sommige elfen plagen hen en lachen hen uit, en wel voornamelijk om hun baarden.
'Wel, wel!' zei een stem. 'Kijk eens even! Bilbo de hobbit op een pony, lieve help! Is dat niet verrukkelijk?'
'Verbazingwekkend bijzonder mooi!'
Toen hieven ze weer een nieuw lied aan, even belachelijk als het lied dat ik volledig heb neergeschreven. Ten slotte trad er één, een grote jonge elf, uit de bomen tevoorschijn en maakte een buiging voor Gandalf en Thorin.
'Welkom in het dal!' zei hij.
'Dank u,' zei Thorin enigszins bars, maar Gandalf was al van zijn paard af gesprongen en stond vrolijk met de elfen te praten.
'Jullie zijn een eindje van de weg afgedwaald,' zei de elf, 'als jullie tenminste op weg zijn naar het enige pad over het water en naar het huis daarachter. Wij zullen jullie op de goede weg zetten, maar je kunt het beste te voet gaan tot je de brug over bent. Blijven jullie nog wat, of willen jullie meteen verder? Ze zijn daar bezig met het avondeten te bereiden,' zei hij. 'Ik kan de houtvuren waarop gekookt wordt ruiken.'
Moe als hij was zou Bilbo graag nog een tijdje zijn gebleven. Het gezang van elfen is iets dat je niet mag mislopen in juni onder een sterrenhemel, als je van dat soort dingen houdt. En ook had hij graag wat willen praten met deze lieden, die zijn naam en alles van

hem schenen te weten, hoewel hij hen nooit eerder had gezien. Hij zou hun mening over hun avontuur wel eens hebben willen horen. Elfen weten een hoop, zijn vooral sterk in nieuwtjes, en weten wat er onder de mensen van het land gebeurt, even snel als water stroomt of sneller nog.
Maar de dwergen waren er allen voor om zo vlug mogelijk te eten en wilden niet blijven. En zij gingen allen verder, hun pony's leidend tot ze naar een goed pad werden gebracht en vandaar eindelijk tot aan de rand van de rivier. Deze stroomde snel en luidruchtig, zoals bergstromen dat doen op een zomeravond wanneer de zon de hele dag op de sneeuw op de bergtoppen heeft geschenen. Er was slechts een smalle stenen brug zonder leuning, zo smal dat een pony er net over kon lopen en daar moesten zij overheen, langzaam en voorzichtig, één voor één, elk met zijn pony aan de teugel. De elfen hadden heldere lantaarns naar de oever meegebracht en zongen een vrolijk lied toen het gezelschap erover trok.
'Dompel je baard niet in het schuim, vadertje!' riepen zij tegen Thorin, die bijna op zijn handen en knieën liep. 'Hij is al lang genoeg zonder dat je hem nog eens hoeft te begieten.'
'Pas op dat Bilbo niet alle koeken opeet,' riepen zij. 'Hij is nu al te dik om door sleutelgaten te kruipen!'
'Ssst. Ssst, goede lieden! En goedenacht,' zei Gandalf, die de rij sloot. 'Valleien hebben oren en sommige elfen hebben al te uitbundige tongen. Goedenacht!'
En zo kwamen zij ten slotte bij het Laatste Huiselijke Huis en zagen dat de deuren wijd open waren gegooid.
Misschien is het vreemd, maar dingen die je graag hebt en dagen die je met genoegen doorbrengt zijn gauw verteld, en niet zo bijzonder om naar te luisteren, terwijl dingen die onprettig, schokkend of zelfs afgrijselijk zijn goede verhalen opleveren, en in elk geval volop stof om te vertellen. Ze verbleven lang in dat goede huis, minstens veertien dagen, en het viel hun zwaar om te vertrekken. Bilbo zou er met genoegen voor altijd zijn gebleven – ook als een wens hem zonder moeite regelrecht naar zijn hobbithol had kunnen terugbrengen. Toch valt er weinig over hun verblijf te vertellen. De heer des huizes was een elfenvriend – een van de lieden van wier voorvaderen sprake was in de vreemde verhalen vóór het begin van de Geschiedenis, de oorlogen van de boze aardmannen en de elfen en de eerste mensen in het Noorden. In de tijd van ons verhaal waren er nog altijd enkele lieden die zowel elfen als helden van het Noorden als voorvaderen hadden, en Elrond, de heer des huizes, was hun leider.

Hij was even nobel en mooi om te zien als een elfenvorst, even sterk als een krijgsman, wijs als een tovenaar, eerbiedwaardig als een dwergenkoning en vriendelijk als de zomer. Hij komt in een groot aantal verhalen voor, maar in het verhaal van Bilbo's grote avontuur speelt hij slechts een kleine, hoewel belangrijke rol, zoals je zult zien, als we ooit aan het einde ervan komen. Zijn huis was volmaakt, of je nu het meest van eten, slapen, werken, verhalen, zingen, of gewoon maar van peinzen hield, of een aangename combinatie van dit alles. Boze dingen drongen niet tot die vallei door.
Ik wou dat ik de tijd had om je slechts enkele van de verhalen, of een paar van de liederen te vertellen, die zij in dat huis hoorden. Allen, ook de pony's, herstelden zich en sterkten er in een paar dagen aan. Hun kleren werden hersteld en ook hun wonden, hun opgewektheid en hun hoop. Hun zakken werden gevuld met eten en voorraden die licht waren om te dragen, maar voedzaam genoeg om hen over de bergpassen te voeren. Hun plannen werden verbeterd door de beste raadgevingen. Zo verliep de tijd tot midzomeravond, en bij het ochtendkrieken moesten zij hun reis vervolgen.
Elrond wist alles van elk soort runen af. Die dag bekeek hij de zwaarden die zij uit het hol van de trollen hadden meegebracht en zei: 'Deze zijn niet door trollen gemaakt. Het zijn oude zwaarden, heel oude zwaarden van de Hoge elfen van het Westen, mijn verwanten. Ze werden in Gondolin gemaakt voor de oorlog tegen de aardmannen. Zij moeten afkomstig zijn van een drakenschat of aardmannenbuit, want draken en aardmannen hebben die stad vele eeuwen geleden verwoest. Deze, Thorin, heet volgens de runen Orcrist, de Aardmannenkliever in de oude taal van Gondolin; het was een beroemd zwaard. Dit, Gandalf, was Glamdring, Vijandhamer, dat de koning van Gondolin eens voerde. Wees er zuinig op!'
'Hoe zouden de trollen eraan zijn gekomen?' zei Thorin, terwijl hij zijn zwaard met hernieuwde belangstelling bekeek.
'Dat zou ik niet kunnen zeggen,' zei Elrond, 'maar ik vermoed dat jouw trollen andere plunderaars hebben geplunderd, of de overblijfselen van vroegere plunderingen in een of andere grot in de bergen in het noorden hebben aangetroffen. Ik heb gehoord dat er nog altijd vergeten schatten te vinden zijn in de verlaten grotten van de mijnen van Moria sedert de oorlog tussen dwergen en aardmannen.'
Thorin dacht over deze woorden na. 'Ik zal dit zwaard in ere houden,' zei hij. 'Moge het weldra opnieuw aardmannen klieven.'
'Een wens die waarschijnlijk in de bergen gauw in vervulling zal gaan!' zei Elrond. 'Maar laat mij nu uw kaart zien!'

Hij pakte hem, staarde er lang naar en schudde het hoofd, want hoewel de dwergen en hun liefde voor goud zijn goedkeuring niet helemaal konden wegdragen, haatte hij draken en hun wrede slechtheid, en hij herinnerde zich met smart de verwoesting van de stad Dal en haar vrolijke klokken, en de geblakerde oevers van de vrolijke rivier de Running. De maan scheen met een brede zilveren sikkel. Hij hield de kaart omhoog en het witte licht scheen erdoor.
'Wat is dit?' zei hij. 'Er staan hier maanletters naast de gewone runen en die zeggen: "Vijf voet hoog de deur en drie kunnen naast elkaar lopen".'
'Wat zijn maanletters?' vroeg de hobbit opgewonden. Hij was zoals gezegd dol op kaarten, en hij hield ook van runen en letters en een mooi handschrift, hoewel het, als hij zelf schreef, een beetje iel en kriebelig was.
'Maanletters zijn runen, maar je kunt ze niet zien,' zei Elrond, 'niet wanneer je er recht naar kijkt. Ze zijn alleen zichtbaar wanneer de maan erachter schijnt, en bovendien, bij de vernuftiger soort moet de maan dezelfde vorm hebben en het hetzelfde jaargetij zijn als waarin ze werden geschreven. De dwergen hebben ze uitgevonden en met zilveren pennen geschreven zoals je vrienden kunnen beamen. Deze moeten geschreven zijn op een midzomeravond met een sikkelvormige maan, heel lang geleden.'
'Wat zeggen ze?' vroegen Gandalf en Thorin tegelijk, een beetje geërgerd misschien dat Elrond dit eerder had ontdekt, hoewel er daarvoor eigenlijk geen gelegenheid was geweest, en een andere zich in wie weet hoe lang niet zou hebben voorgedaan.
'Ga bij de grijze steen staan wanneer de lijster slaat,' las Elrond, 'en de ondergaande zon zal met het laatste licht van Durinsdag op het sleutelgat schijnen.'
'Durin! Durin!' zei Thorin. 'Hij was de vader van de voorvaderen van het oudste dwergenras, de Langbaarden, en mijn eerste voorvader; ik ben zijn erfgenaam.'
'En wat is Durinsdag dan?' vroeg Elrond.
'De eerste dag van het Nieuwe Jaar van de dwergen,' zei Thorin, 'is, zoals ieder weet, de eerste dag van de laatste maan van de herfst op de drempel van de winter. Wij noemen het nog altijd Durinsdag wanneer de laatste maan van de herfst en de zon tegelijk aan de hemel staan. Maar dit zal ons niet veel helpen, vrees ik, want wij missen in deze tijd de vaardigheid om te schatten wanneer een dergelijk tijdstip zich weer voordoet.'
'Dat valt nog te bezien,' zei Gandalf. 'Staat er nog meer op?'
'Niet dat bij deze maan te zien is,' zei Elrond en hij gaf de kaart aan

Thorin terug; en toen gingen zij naar het water om de elfen op een midzomeravond te zien dansen en te horen zingen.

De volgende morgen was een midzomerochtend zo mooi en fris als je maar kon dromen: een blauwe hemel, geen wolkje te zien en de zon die op het water danste. Nu reden zij weg met afscheidsliederen en goede wensen, in hun harten bereid tot meer avonturen en met kennis van de weg die zij moesten volgen over de Nevelbergen naar het land daarachter.

IV. Over heuvel en onder heuvel

Er waren vele paden die naar die bergen leidden, en vele passen die erdoor voerden. Maar de meeste van die paden waren bedrieglijk en misleidend en leidden nergens heen, of tot een slecht einde; en het merendeel van de passen werd onveilig gemaakt door boze wezens en vreselijke gevaren. De dwergen en de hobbit, geholpen door de wijze raad van Elrond en de kennis en het geheugen van Gandalf, namen de juiste weg naar de juiste pas.

Dagenlang nadat zij uit het dal waren geklommen en het Laatste Huiselijke Huis mijlenver achter zich hadden gelaten, stegen zij nog almaar hoger, hoger en hoger. Het was een moeilijk pad en een gevaarlijk pad, een slingerende weg, eenzaam en lang. Nu konden zij, wanneer ze omkeken, de landen die ze hadden verlaten, ver beneden hen uitgespreid zien liggen. Heel ver weg in het westen, waar alles er blauw en vaag uitzag, wist Bilbo, lag zijn eigen land van veilige, gerieflijke zaken en zijn kleine hobbithol. Hij huiverde. Het begon hierboven bitter koud te worden en de wind gierde om de rotsen. Af en toe kwamen er ook rotsblokken van de berghellingen af bolderen, die door de middagzon op de sneeuw los waren geraakt, en rolden tussen hen door (wat een geluk was) of vlogen over hun hoofden (wat beangstigend was). De nachten waren troosteloos en kil en zij durfden niet hardop te zingen of te praten, want de echo's waren onheilspellend en de stilte scheen niet graag te worden verbroken – behalve door het geluid van water en het huilen van de wind en het breken van steen.

Beneden loopt de zomer ten einde, dacht Bilbo, en er wordt gehooid en gepicknickt. Ze zullen oogsten en zwarte bessen plukken nog voordat wij aan de andere kant gaan afdalen als we in dit tempo verdergaan. En de anderen hadden al even naargeestige gedachten hoewel zij, toen zij afscheid hadden genomen van Elrond met de goede hoop van een midzomerochtend, zich luchthartig hadden uitgelaten over hun tocht door de bergen en een snelle rit door de landen daarachter. Zij hadden gedacht dat zij misschien al wel bij de allereerste nieuwe maan van de Herfst bij de geheime deur in de Eenzame Berg zouden komen, 'en misschien zal het dan wel Durinsdag zijn,' hadden zij gezegd. Alleen Gandalf had zijn hoofd geschud en gezwegen. Dwergen waren al vele jaren die kant niet uit geweest, maar Gandalf wel en hij wist hoe het kwaad en het gevaar waren toegenomen en in de Wildernis gedijden sinds de draken de mensen uit de landen hadden verdreven en de aardmannen zich in het geheim hadden verspreid na de Slag om de Mijnen van Moria. Zelfs de mooie plannen van wijze tovenaars als Gandalf en van goede vrienden als Elrond, lopen soms mis wanneer je op gevaarlijke avonturen over de Rand van de Wildernis uit bent; en Gandalf was een te wijze tovenaar om dat niet te weten.

Hij wist dat er iets onverwachts zou kunnen gebeuren en durfde nauwelijks te hopen dat zij zonder afgrijselijk avontuur over die grote hoge bergen met eenzame toppen en dalen, waar geen koning heerste, heen zouden komen. En dat gebeurde ook niet. Alles ging goed, tot zij op een dag in een onweersbui terechtkwamen – erger dan een onweersbui, een onweersveldslag. Je weet hoe ontzettend een werkelijk zwaar onweer op het platteland en in het dal van een rivier kan zijn; vooral wanneer twee zware onweersbuien elkaar tegemoetkomen en botsen. Nog erger zijn de donder en bliksem 's nachts in de bergen, wanneer de buien uit het Oosten en Westen komen aandrijven en elkaar beoorlogen. De bliksem versplintert op de toppen en rotsen trillen en zware donderslagen splijten de lucht en rollen verder in iedere grot en holte; en de duisternis wordt vervuld van een oorverdovend lawaai en plotselinge lichtflitsen.

Bilbo had zoiets nog nooit gezien of zich voorgesteld. Zij bevonden zich hoog op een smalle plek met een afschuwelijke afgrond naar een vage vallei aan hun ene kant. Daar schuilden zij onder een overhangende rots voor de nacht, en hij lag onder een deken en rilde van top tot teen. Toen hij tijdens de bliksemflitsen naar buiten gluurde, zag hij dat aan de andere kant van het dal de steenreuzen naar buiten waren gekomen en elkaar spelenderwijs rotsblokken toegooiden en opvingen en in de duisternis naar omlaag smeten waar zij heel ver in de diepte tegen de bomen aan kwakten, of die met een klap versplinterden. Toen stak de wind op en begon het te regenen en de wind geselde de regen en de hagel naar alle kanten, zodat een overhangende rots geen enkele bescherming bood. Weldra waren zij doorweekt en hun pony's stonden met hangende hoofden en de staarten tussen de benen en een paar hinnikten van angst. Zij konden de reuzen langs alle berghellingen horen grinniken en schreeuwen.

'Dit zit helemaal niet goed,' zei Thorin. 'Als we er niet af worden geblazen of door de bliksem worden getroffen, zullen we door de

een of andere reus worden opgepakt en hoog de lucht in worden geschopt als een voetbal.'
'Nou, als jij een betere plek weet, breng ons er dan maar heen!' zei Gandalf, die zich erg geprikkeld voelde en zelf allesbehalve ingenomen was met de reuzen.
Het einde van hun twistgesprek was dat zij Fíli en Kíli eropuit stuurden om een betere schuilplaats te zoeken. Zij hadden bijzonder scherpe ogen en omdat zij zo'n vijftig jaar jonger waren dan de andere dwergen, kregen zij meestal dit soort karweitjes (aangezien iedereen inzag dat het helemaal geen zin zou hebben om Bilbo te sturen). 'Er is niets beters dan zoeken als je iets wilt vinden,' zei Thorin tegen de jonge dwergen. 'Gewoonlijk vind je wel iets als je zoekt, hoewel het niet altijd precies datgene is wat je wilt hebben.' Dat bleek ook nu weer.
Weldra kwamen Fíli en Kíli terugkruipen, zich vasthoudend aan de rotsen in de wind. 'Wij hebben een droge grot gevonden,' zeiden ze, 'niet ver hiervandaan, om de volgende hoek; en de pony's en alles kunnen erin.'
'Hebben jullie hem *grondig* onderzocht?' vroeg de tovenaar, die wist dat grotten in de bergen zelden onbewoond waren.
'Ja, ja!' zeiden ze, hoewel iedereen wist dat ze er nooit lang over gedaan konden hebben; daarvoor waren ze te snel teruggekomen. 'Zo groot is hij nu ook weer niet, en hij is ook niet erg diep.'
Dat is natuurlijk het gevaarlijke van grotten; je weet soms niet hoe diep ze zijn, of waar een gang achterin naartoe kan leiden, of wat je binnen te wachten staat. Maar op dit ogenblik scheen het nieuws van Kíli en Fíli goed genoeg. Zij stonden dus allen op en maakten zich gereed om te gaan. De wind huilde en de donder gromde nog, en het was een heel karwei om zichzelf en de pony's voort te slepen. Toch was het niet erg ver om te gaan, en weldra kwamen ze bij een grote rots die op het pad uitstak. Als je achteruit stapte, zag je een lage boog in de bergwand. Er was net genoeg ruimte om de pony's er met enig wrikken door te krijgen nadat ze afgeladen en afgezadeld waren. Toen zij onder de boog door gingen, deed het hun goed de wind en de regen buiten te horen in plaats van overal om hen heen, en zich veilig te voelen voor de reuzen met hun rotsblokken. Maar de tovenaar nam geen enkel risico. Hij deed zijn toverstaf oplichten – zoals hij die dag die zo lang geleden leek in Bilbo's eetkamer had gedaan, als je het je nog herinnert – en onderzocht bij het licht ervan alle hoeken van de grot.
Hij scheen behoorlijk groot te zijn, maar niet te groot en geheimzinnig. Hij had een droge vloer en een paar gemakkelijke hoekjes.

Aan de ene kant was ruimte voor de pony's; en daar stonden zij (bijzonder blij met de verandering) te dampen en in hun voederzakken te kauwen. Oín en Gloín wilden bij de ingang een vuur stoken om hun kleren te drogen, maar Gandalf wilde er niet van horen. Dus spreidden zij hun natte goed op de grond uit en haalden droge kleren uit hun bagage; toen schikten zij hun dekens, pakten hun pijpen en bliezen rookkringen, die Gandalf in verschillende kleuren deed veranderen en tot hun vermaak onder het plafond liet dansen. Zij praatten en praatten en vergaten het onweer en bespraken wat elk van hen met zijn deel van de schat zou doen (als ze die kregen, wat op dat ogenblik niet onmogelijk leek); en zo sukkelden zij één voor één in slaap. En dat was de laatste keer dat zij de pony's, pakken, bagage, werktuigen en andere dingen die zij hadden meegenomen, gebruikten.

En die nacht bleek ook dat het achteraf maar goed was geweest dat ze de kleine Bilbo hadden meegenomen. Want op de een of andere manier duurde het heel lang voor hij de slaap kon vatten; en toen hij sliep, had hij heel enge dromen. Hij droomde dat een spleet achter in de muur van de grot groter en groter werd en zich al wijder en wijder opende; en hij was heel bang, maar kon niet roepen of iets anders doen dan liggen kijken. Toen droomde hij dat de vloer van de grot inzakte, en hij aan het glijden was – begon te vallen, omlaag, de hemel weet waarheen. Op dat ogenblik werd hij met een afschuwelijke schok wakker en merkte dat zijn droom ten dele waar was. Achter in de grot had zich een spleet geopend en was al een brede gang zichtbaar. Hij kon de staarten van de laatste pony's er nog net in zien verdwijnen. Natuurlijk slaakte hij een heel harde gil, zo hard als een hobbit maar kan, wat verwonderlijk is, hun grootte in aanmerking genomen.

En de aardmannen sprongen eruit, grote aardmannen, grote afzichtelijke aardmannen, hopen aardmannen, voordat je *rotsen en blokken* kon zeggen. Er waren er minstens zes tegen één dwerg, en twee voor Bilbo; en ze werden allemaal vastgegrepen en door de spleet gedragen voor je *tondel en vuursteen* kon zeggen. Maar Gandalf niet. Daar had Bilbo's gil voor gezorgd. Die had hem in een fractie van een seconde wakker doen schrikken en toen de aardmannen kwamen om hem te grijpen, was er ineens een vreselijke vuurstraal, als weerlicht, in de grot, een geur als van buskruit, en verscheidenen van hen vielen dood neer.

De spleet sloot zich met een klik en Bilbo en de dwergen zaten aan de verkeerde kant ervan! Waar was Gandalf? Daar hadden zij noch de aardmannen een flauw idee van, maar de aardmannen wachtten

niet om dat uit te zoeken. Zij pakten Bilbo en de dwergen beet en joegen hen voort. Er heerste een pikzwarte duisternis, waarin alleen aardmannen die gewend zijn in het hart van de bergen te leven, kunnen zien. De gangen daar kruisten elkaar en kronkelden zich in alle richtingen, maar de aardmannen kenden de weg even goed als jij de weg naar het dichtstbijzijnde postkantoor; en de weg voerde naar beneden en verder naar beneden, en het was er afschuwelijk benauwd. De aardmannen waren heel ruw en knepen hen genadeloos, en giechelden en lachten met hun rare steenharde stemmen; en Bilbo voelde zich nog veel ongelukkiger dan toen de trol hem bij zijn tenen had opgepakt. Hij wenste aan één stuk door dat hij weer in zijn gezellige vrolijke hobbithol was. En niet voor de laatste keer.
Nu lichtte er een klein rood schijnsel voor hen op. De aardmannen begonnen te zingen, of krassen, op de maat van hun platvoeten die op de stenen kletsten terwijl ze hun gevangenen schudden.

Klak! Knars! De zwarte barst!
Pak, grijp! Pik, knijp!
Langs het pad naar Aardmanstad
Ga jij, mijn knaap!

Knal, knak! Zwiep, klap!
Hamer en tang, galmende gang!
Bons, bons, diep ondergronds!
Ho, ho, mijn knaap!

Zwiep, zwap! Zweep klap!
Sleur en sla! Jammer en blaat!
Werk je gek, geen gelijntrek,
Wijl aardman drinkt en aardman klinkt,
Rond en rond, diep onder grond,
Omlaag, mijn knaap!

Het klonk werkelijk angstaanjagend. De muren weerkaatsten het *klak, knars* en het *knal, knak*, en het gemene gelach van hun *Ho, ho, mijn knaap*. De bedoeling van het lied was maar al te duidelijk, want nu haalden de aardmannen hun zwepen tevoorschijn en sloegen hen met een *klets, klats* en lieten hen zo hard mogelijk voor zich uit lopen; en verscheidenen van de dwergen waren al luidkeels aan het jammeren en blaten toen ze halsoverkop een grote grot in strompelden.
Deze werd verlicht door een groot vuur in het midden en door fak-

kels aan de muren, en hij was vol met aardmannen. Ze lachten allemaal en stampten en klapten in de handen toen de dwergen (met de kleine Bilbo achteraan, en het dichtst bij de zwepen) naar binnen kwamen rennen, terwijl de aardmannendrijvers erachter met hun zwepen zwiepten en knalden. De pony's waren er al en stonden in een hoek tegen elkaar aan; en daar lagen ook alle pakken opengebroken, en werden door aardmannen doorzocht, besnuffeld door aardmannen, betast door aardmannen en betwist door aardmannen.

Dat was, vrees ik, het laatste dat zij van die voortreffelijke pony's zagen, waaronder ook een aardig, sterk, klein wit dier dat Elrond aan Gandalf had geleend, omdat diens paard niet geschikt was voor de bergpaden. Want aardmannen eten paarden, pony's en ezels (en nog veel ergere dingen) en ze hebben altijd honger. Maar op dit ogenblik dachten de gevangenen alleen aan zichzelf. De aardmannen boeiden hun handen achter hun rug en ketenden hen in een rij aan elkaar en sleurden hen naar de achterkant van de grot terwijl de kleine Bilbo helemaal achter aan de rij werd meegetrokken.

Daar, in de schaduwen op een grote platte steen, zat een geweldige aardman met een enorm groot hoofd en om hem heen stonden gewapende aardmannen die de bijlen en kromzwaarden droegen die zij gebruiken. Aardmannen zijn wreed, boosaardig en laaghartig. Ze maken geen mooie dingen, maar wel veel praktische voorwerpen. Ze kunnen gangen en schachten graven als de kundigste dwergen, wanneer ze de moeite nemen, hoewel ze meestal smerig en slordig zijn. Hamers, bijlen, zwaarden, dolken, houwelen, tangen, en ook folterwerktuigen maken zij bijzonder goed, of laten ze naar eigen ontwerp door anderen vervaardigen, gevangenen en slaven die moeten werken tot zij sterven bij gebrek aan licht en lucht. Het is niet onmogelijk dat zij enkele van de machines hebben uitgevonden die de wereld sindsdien hebben bezocht, vooral de ingenieuze werktuigen om grote aantallen mensen in één keer mee te doden, want van wielen, motoren en ontploffingen hebben zij altijd bijzonder veel gehouden en ook van niet méér met hun eigen handen arbeiden dan strikt nodig was; maar in die tijd en in die wilde streken was hun vooruitgang (zoals dat heet) nog niet zover voortgeschreden.

Zij hadden geen uitgesproken hekel aan dwergen, niet meer in ieder geval dan zij aan iedereen en alles een hekel hadden, vooral de ordentelijken en de welvarenden; er waren zelfs streken waar slechte dwergen bondgenootschappen met hen hadden gesloten. Maar ze koesterden vooral wrok jegens Thorins volk vanwege de oorlog waarover je al hebt gehoord, maar die in dit verhaal niet voorkomt. En in elk geval kan het aardmannen niet schelen wie zij pakken, zolang het maar gewiekst en in het geheim gebeurt en de gevangenen zich niet kunnen verdedigen.

'Wie zijn die ellendige lieden?' vroeg de Grote Aardman.

'Dwergen, en dit ook nog!' zei een van de drijvers terwijl hij aan Bilbo's ketting rukte zodat hij voorover op zijn knieën viel.

'We troffen hen aan terwijl ze in ons Voorportaal schuilden.'

'Wat was jullie bedoeling?' vroeg de Grote Aardman, terwijl hij zich tot Thorin wendde. 'Niets goeds in de zin durf ik wedden! De privé-aangelegenheden van mijn mensen aan 't bespioneren, zeker! Het zou me niet verbazen als het dieven zijn! Moordenaars en vrienden van elfen waarschijnlijk. Kom! Wat heb je te zeggen?'

'Thorin, de dwerg, uw dienaar!' zei hij – het was zomaar een beleefd niemendalletje. 'Van de dingen die u vermoedt en zich voorstelt, hadden wij helemaal geen idee. Wij waren voor een onweersbui aan het schuilen in wat ons een geschikte en leegstaande grot toescheen; het allerlaatste waar wij aan dachten, was om aardmannen ook maar de geringste overlast te bezorgen.' Dat was inderdaad waar.

'Hmm,' zei de Grote Aardman. 'Dat zeg je nu wel, maar mag ik je vragen wat jullie eigenlijk in de bergen uitvoerden en waar jullie vandaan komen en waar jullie heen gaan? Eigenlijk wil ik alles van jullie weten. Niet dat het je veel zal helpen, Thorin Eikenschild, ik weet al te veel van je volk af; maar spreek de waarheid of ik zal je iets bijzonder onaangenaams bereiden!'

'Wij waren op weg om onze familie te bezoeken, onze neven en nichten, en neven en nichten in de eerste, tweede en derde graad, en de andere afstammelingen van onze grootvaders die aan de oostzijde van deze werkelijk gastvrije bergen wonen,' zei Thorin die zo gauw niet wist wat hij moest zeggen, nu de feitelijke waarheid niet gezegd kon worden.

'Hij is een leugenaar, o waarlijk geweldige!' zei een van de drijvers. 'Verscheidenen van onze mannen werden in de grot door de bliksem getroffen toen wij deze schepselen uitnodigden om beneden te komen; en zij zijn morsdood. En ook hiervoor heeft hij geen verklaring gegeven!' Hij liet het zwaard zien dat Thorin had gedragen, het zwaard, dat uit de legerstede van de trol afkomstig was.

De Grote Aardman jankte op een afschuwelijke manier van woede toen hij ernaar keek en al zijn soldaten knarsetandden, sloegen schilden tegen elkaar en stampten. Ze herkenden het zwaard meteen. Het had destijds honderden aardmannen gedood, toen de mooie elfen van Gondolin hen in de bergen hadden opgejaagd of voor hun muren streden. Zij hadden het Orcrist, Aardmannenklieve, genoemd, maar de aardmannen noemden het gewoon Bijter. Zij haatten het, maar haatten degene die het droeg nog meer.

'Moordenaars en elfenvrienden!' schreeuwde de Grote Aardman. 'Splijt ze! Sla ze! Bijt ze! Vermorzel ze! Voer ze weg naar donkere holen vol slangen en laat hun het licht nooit weer zien!' Hij was zo door het dolle heen, dat hij van zijn zetel afsprong en met open mond op Thorin toesnelde.

Op datzelfde ogenblik gingen alle lichten in de grot uit en het grote vuur schoot, poef! als een toren van blauw gloeiende rook naar het plafond, dat stekende witte vonken tussen de aardmannen verspreidde.

Het gegil en gejammer, gegrien en gedrein; het gekras, gegrom, gejank en gevloek; het gegil en geschreeuw dat erop volgde, waren onbeschrijflijk. Een paar honderd wilde katten en wolven die langzaam en gemeenschappelijk levend werden geroosterd, waren er niets bij. De vonken brandden gaten in de aardmannen, en de rook die nu van het dak neerdaalde, maakte de atmosfeer zo dicht dat zelfs hun ogen er niets in konden onderscheiden. Weldra tuimelden zij over elkaar heen en rolden in klissen over de vloer, bijtend, schoppend en vechtend alsof ze allemaal gek waren geworden.

Plotseling lichtte een zwaard in zijn eigen licht op. Bilbo zag het dwars door de Grote Aardman heen gaan toen hij in zijn razernij met stomheid geslagen stond. Hij stortte dood neer en de aardmansoldaten vluchtten gillend voor het zwaard de duisternis in.

Het zwaard ging terug in de schede. 'Volg mij snel!' zei een stem, snijdend maar kalm; en voor Bilbo begreep wat er aan de hand was, stapte hij weer voort, zo vlug hij kon, aan het einde van de rij, door nog meer donkere gangen naar omlaag terwijl het gegil uit de zaal van de aardmannen achter hem verflauwde. Een bleek licht leidde hen voort.

'Vlugger, vlugger,' zei de stem. 'De fakkels zullen weldra weer worden ontstoken.'

'Even wachten,' zei Dori, die achteraan liep, naast Bilbo, en een fatsoenlijke dwerg was. Hij liet de hobbit zo goed en zo kwaad als dat ging met zijn gebonden handen op zijn schouders klauteren en toen begonnen ze allemaal te hollen, onder het gerinkel van kettingen, en menige struikelpartij, aangezien zij zich niet met hun handen in evenwicht konden houden. Het duurde een hele tijd voor zij stilhielden en tegen die tijd moesten ze helemaal in het hart van de berg zijn afgedaald.

Toen deed Gandalf zijn toverstaf oplichten. Natuurlijk was het Gandalf; maar net op dat ogenblik hadden ze het te druk om te vragen hoe hij daar gekomen was. Hij haalde zijn zwaard weer tevoorschijn en opnieuw lichtte het vanzelf in het donker op. Het brandde met een woede, die het deed gloeien alsof er aardmannen in de buurt waren; nu was het helder als een blauwe vlam die er genoegen in schepte dat hij de grote heerser van de grot had gedood. Het had er niet de minste moeite mee om de ketenen van de aardmannen door te snijden en alle gevangenen zo vlug mogelijk te bevrijden. De naam van het zwaard was Glamdring, de Vijandhamer, zoals je je zult herinneren. De aardmannen noemden het gewoon Slachter en haatten het zo mogelijk nog erger dan Bijter. Orcrist was ook gered, want Gandalf had het aan een van de ontstelde schildwachten ontrukt. Gandalf dacht aan de meeste dingen; en hoewel hij niet alles kon, kon hij toch een hoop doen voor vrienden die in nood waren.
'Zijn we er allemaal?' vroeg hij terwijl hij het zwaard met een buiging aan Thorin teruggaf. 'Laat eens kijken: één – dat is Thorin; twee, drie, vier, vijf, zes, zeven, acht, negen, tien, elf; waar zijn Fíli en Kíli? O daar zijn ze! twaalf, dertien – en hier is meneer Balings: veertien! Nou, nou; het had erger kunnen zijn, maar aan de andere kant ook een stuk beter. Geen pony's en geen eten en we weten niet precies waar we zijn en horden boze aardmannen die ons op de hielen zitten! Verder maar weer!'
En ze gingen verder. Gandalf had groot gelijk; ver achter hen in de gangen waar zij door waren gevlucht, begonnen ze aardmannengeluiden en afschuwelijke kreten te horen. Die spoorden hen nog meer aan, en omdat de arme Bilbo onmogelijk half zo vlug kon gaan – want dwergen kunnen enorm hard vooruitkomen als het moet, dat verzeker ik je – droegen zij hem om beurten op de rug.
Maar aardmannen kunnen nog harder lopen dan dwergen en deze aardmannen kenden de weg beter (zij hadden de wegen zelf aangelegd) en waren buiten zichzelf van woede, zodat zij ondanks hun uiterste inspanning de kreten en het gejuich al dichter- en dichterbij hoorden komen. Weldra konden zij zelfs het geklepper van de voeten van de aardmannen horen, heel veel voeten die vlak om de hoek achter hen schenen. Het schijnsel van rode fakkels was achter hen te zien in de tunnel die ze doorgingen en ze begonnen doodmoe te worden.
'O, waarom ben ik toch uit mijn hobbithol weggegaan!' zei de arme meneer Balings, terwijl hij op Bomburs rug op en neer hobbelde.
'O, waarom heb ik een vermaledijde kleine hobbit op een schatgra-

versavontuur mee laten gaan!' zei de arme Bombur, die dik was en voortstrompelde terwijl het zweet van de hitte en angst langs zijn neus droop.
Op dat ogenblik ging Gandalf achteraan lopen, en Thorin ook. Zij sloegen een scherpe hoek om. 'Omkeren!' riep hij uit. 'Trek je zwaard, Thorin!'
Het was het enige dat erop zat, en de aardmannen vonden het niet leuk. Zij kwamen gillend de hoek omstormen en daar schenen Aardmannenkliever en Vijandhamer koud en fel in hun verbaasde ogen. De voorsten lieten hun fakkels vallen en slaakten één gil voordat zij werden gedood. Degenen die volgden, gilden nog harder en sprongen achteruit en gooiden degenen die achter hen liepen omver.
'Bijter en Slachter,' riepen en gilden zij; en weldra waren zij in verwarring en de meesten van hen renden de weg die ze gekomen waren terug.
Het duurde heel lang voordat een van hen die hoek durfde omslaan. Tegen die tijd waren de dwergen weer verdergegaan, heel heel ver door de donkere tunnels van het aardmannenrijk. Toen de aardmannen daarachter kwamen, doofden zij hun fakkels en trokken zachte schoenen aan en kozen hun allersnelste lopers met de scherpste ogen en oren. Die renden verder, vlug als wezels in het donker, en met nauwelijks meer gerucht dan vleermuizen.
Daardoor kwam het dat de dwergen noch Bilbo of zelfs Gandalf hen hoorden aankomen. En hen ook niet zagen. Maar zij werden wel gezien door de aardmannen die geluidloos achter hen aan kwamen rennen, want Gandalf liet zijn toverstaf een flauw licht uitstralen om de dwergen op hun weg te helpen.
Ineens werd Dori, die nu weer achteraan liep en Bilbo droeg, van achteren in het donker vastgegrepen, en de hobbit viel van zijn schouders de duisternis in, stootte met zijn hoofd tegen een harde rots en herinnerde zich niets meer.

V. Raadsels in het donker

Toen Bilbo de ogen opende, vroeg hij zich af of ze wel open waren, want het was even donker als toen ze dicht waren. Er was niemand ergens bij hem in de buurt. Je kunt je zijn angst voorstellen! Hij kon niets horen, niets zien en hij kon niets voelen, behalve de stenen van de vloer.

Hij stond heel langzaam op en kroop tastend op handen en voeten rond tot hij de wand van de tunnel aanraakte; maar boven noch onder kon hij iets vinden; helemaal niets, geen teken van aardmannen, geen teken van dwergen. Zijn hoofd duizelde en hij was allerminst zeker van de richting waarin zij gingen toen hij was gevallen. Hij sloeg er zo goed mogelijk een slag naar en kroop een heel eind verder, tot zijn hand plotseling iets aanraakte dat aanvoelde als een kleine ring van koud metaal die op de bodem van de tunnel lag. Het was een keerpunt in zijn carrière, maar dat wist hij niet. Hij stak de ring bijna zonder erbij na te denken in zijn zak; op dat ogenblik scheen hij van geen enkel bijzonder nut te zijn. Hij liep niet veel verder, maar ging op de koude vloer zitten en gaf zich lange tijd aan volslagen ellende over. Hij dacht aan zichzelf zoals hij spek met eieren bakte in zijn eigen keuken thuis – want hij kon aan zijn binnenste voelen dat het hoog tijd was voor een of andere maaltijd, maar dat maakte hem nóg ellendiger.

Hij kon niet bedenken wat hij moest doen; en hij kon ook niet bedenken wat er was gebeurd, of waarom hij was achtergelaten; of waarom, als hij was achtergelaten, de aardmannen hem niet hadden gepakt; of zelfs waarom zijn hoofd zo'n pijn deed. De waarheid was dat hij lange tijd doodstil, onzichtbaar en bewusteloos, in een heel donkere hoek had gelegen.

Na een tijdje zocht hij naar zijn pijp. Die was gelukkig niet gebroken. Toen zocht hij naar zijn tabakszak en er zat nog wat tabak in, en dat was ook een geluk. Toen zocht hij naar lucifers, maar kon er geen vinden en dat sloeg zijn hoop weer helemaal de bodem in. Misschien was het toch maar goed, besefte hij toen hij bij zijn positieven kwam. De hemel weet welke ramp hem door het aansteken van lucifers en de geur van tabak uit die donkere holen op die verschrikkelijke plek zou zijn overkomen. Toch voelde hij zich op dat ogenblik erg terneergeslagen. Maar toen hij op al zijn zakken sloeg en overal naar lucifers zocht, kwam zijn hand op het gevest van zijn kleine zwaard – de kleine dolk die hij van de trollen had afgepakt en die hij helemaal vergeten was; en de aardmannen schenen er gelukkig ook geen erg in te hebben gehad omdat hij hem in zijn broekzak droeg.

Nu haalde hij hem tevoorschijn. Hij glansde flets en flauw voor zijn ogen. Zo, dus dit is ook een elfenzwaard, dacht hij; en er zijn geen aardmannen in de buurt, maar ook niet ver genoeg weg.

Toch voelde hij zich op de een of andere manier gerustgesteld. Het was toch geweldig om een zwaard te hebben dat in Gondolin voor de oorlog tegen de aardmannen was gesmeed en waarvan in zoveel liederen gewag was gemaakt; en ook had hij opgemerkt dat dergelijke wapens grote indruk maakten op aardmannen die er plotseling mee in aanraking kwamen.

Teruggaan? dacht hij. Dat helpt niet! Zijwaarts gaan? Onmogelijk! Voorwaarts gaan? Er is maar één mogelijkheid! We gaan verder! En dus stond hij op en sjokte verder terwijl hij zijn kleine zwaard voor zich uithield en met één hand de wand betastte en zijn hart van rikketik ging.

Bilbo zat nu werkelijk in de penarie, zoals dat heet. Maar je moet niet vergeten dat het voor hem niet zo erg was als het voor mij of voor jou geweest zou zijn. Hobbits zijn ietwat anders dan gewone mensen; en hoewel hun holen prettige, vrolijke en goed geventileerde woonruimten zijn en hemelsbreed van de tunnels van de aardmannen verschillen, zijn ze toch meer gewend om in tunnels te wonen dan wij en verliezen niet gauw hun gevoel voor richting onder de grond – tenminste niet wanneer ze eenmaal hersteld zijn van een klap tegen het hoofd. Ook kunnen zij zich heel stil bewegen, zich gemakkelijk verschuilen en zich opmerkelijk goed van valpartijen en kwetsuren herstellen, en zij bezitten een schat aan wijsheid en wijze gezegden waarvan de meeste mensen nooit hebben gehoord, of die ze langgeleden zijn vergeten.

Ik zou in elk geval niet graag in meneer Balings' schoenen hebben gestaan. Er scheen geen eind aan de tunnel te komen. Het enige dat hij wist, was dat deze nog steeds vrij geleidelijk omlaagging en dezelfde richting aanhield, ondanks een paar bochten en hoeken. Af en toe waren er zijgangen, zoals hij bij het schijnsel van zijn zwaard kon zien of met zijn hand aan de wand kon voelen. Hier nam hij

geen notitie van, behalve dat hij er hard langsliep uit angst dat er aardmannen of halfverbeelde duistere wezens uit zouden komen. Hij ging steeds verder en dieper; maar nog altijd hoorde hij geen ander geluid dan af en toe dat van een vleermuis die langs zijn oren zwiepte, waarvan hij eerst schrok tot het te vaak gebeurde om hem nog bezorgd te maken. Ik weet niet hoelang hij zo zijn weg vervolgde en met weerzin verder liep omdat hij niet durfde stilhouden, al verder en verder tot hij geen pap meer kon zeggen. Het leek helemaal naar morgen en naar de dagen daarachter.
Plotseling, volkomen onverwachts, stapte hij met een plons in water. Oef! Het was ijzig koud. Het bracht hem met een ruk tot stilstand. Hij wist niet of het alleen maar een plas op het pad was of de rand van een onderaardse stroom die de gang kruiste, of de oever van een diep onderaards meer. Het zwaard glansde nauwelijks nog. Hij bleef staan en als hij goed luisterde, kon hij druppels horen, die tiktaktiktak van een onzichtbaar dak in het water daaronder droppelden, maar er scheen geen enkel ander soort geluid te zijn.
Dus moet het een plas of een meer zijn, en geen onderaardse rivier, dacht hij. Maar toch durfde hij er niet in het donker in te waden. Hij kon niet zwemmen en hij moest ook aan enge slijmerige wezens denken, met grote uitpuilende blinde ogen, die door het water kronkelen. Er wonen vreemde schepselen in de plassen en meren in het inwendige van bergen; vissen wier voorvaderen, de hemel mag weten hoeveel jaren geleden, naar binnen waren komen zwemmen, en er nooit meer uit waren gezwommen, terwijl hun ogen almaar groter en groter waren geworden doordat ze probeerden in de zwartheid te zien; en er zijn ook andere wezens, nog slijmeriger dan vissen. Zelfs in de gangen en grotten die de aardmannen voor zichzelf hebben gemaakt, zijn andere levende wezens die onbekend zijn aan hen die er vanbuiten ingeglipt zijn om zich in het duister te verschuilen. En de oorsprong van sommige van die grotten gaat zelfs terug tot de eeuwen van vóór de aardmannen, die ze alleen maar verbreedden en verbonden met gangen terwijl de oorspronkelijke eigenaren er nog steeds zijn, in verborgen hoeken sluipend en rondsnuffelend.
Heel diep hier bij het donkere water woonde de oude Gollem, een klein slijmerig schepsel. Ik weet niet waar hij vandaan kwam en ook niet wie of wat hij was. Hij was Gollem – even donker als de duisternis, behalve de twee grote ronde fletse ogen in zijn magere gezicht. Hij had een kleine boot, en hij roeide heel stilletjes op het meer rond, want het was een meer, breed, diep en ijzig koud. Hij peddelde met grote voeten die over de rand bungelden, maar ver-

oorzaakte geen enkele rimpeling. Hij niet. Met zijn lichte zwakke ogen zocht hij naar blinde vissen, die hij met zijn lange vingers snel als een gedachte greep. Hij hield ook van vlees. Aardman vond hij lekker wanneer hij eraan kon komen, maar hij zorgde ervoor dat ze hem nooit ontdekten. Hij wurgde ze eenvoudig van achteren als ze alleen ergens in de buurt van het water naar beneden kwamen terwijl hij rondsloop. Dat deden ze maar heel zelden, want ze hadden het idee dat er zich hier beneden in het hart van de berg iets onprettigs ophield. Zij waren langgeleden bij het meer gekomen toen ze gangen naar beneden groeven, en hadden toen ontdekt dat zij niet verder konden; dus daar eindigde hun weg in die richting en er was geen reden om die weg te gaan – tenzij de Grote Aardman hen stuurde. Soms kreeg hij ineens trek in vis uit het meer, en soms kwam noch aardman noch vis terug.
Feitelijk woonde Gollem op een glibberig rotseiland midden in het meer. Hij sloeg Bilbo nu uit de verte gade met zijn lichte ogen die als telescopen waren. Bilbo kon hem niet zien, maar hij verwonderde zich heel erg over Bilbo, want hij kon zien dat hij helemaal geen aardman was.
Gollem stapte in zijn boot en schoot van het eiland weg terwijl Bilbo helemaal in de lorum aan de rand zat, aan het einde van zijn weg en radeloos. Plotseling kwam Gollem eraan en fluisterde sissend:
'Zegen ons en spetter ons, m'n liefje! Ik veronderstel dat het een uitgelezen maal is; het zal in ieder geval een ssmakelijk hapsje voor ons zijn, *gollem*.' En wanneer hij *gollem* zei, maakte hij een afschuwelijk slikkend geluid in zijn keel. Zo was hij aan zijn naam gekomen, hoewel hij zichzelf altijd 'mijn liefje' noemde.
De hobbit sprong bijna uit zijn vel toen hij het sissen hoorde, en plotseling zag hij de fletse ogen naar hem uitpuilen.
'Wie ben je?' vroeg hij, terwijl hij zijn dolk voor zich uit hield.
'Wat iss hij, m'n liefje?' fluisterde Gollem (die altijd tegen zichzelf sprak omdat hij nooit iemand anders had om mee te praten). Dat was hij komen uitzoeken, want op dat ogenblik had hij niet echt honger; hij was alleen maar nieuwsgierig; anders zou hij eerst hebben gegrepen en daarna pas hebben gefluisterd.
'Ik ben meneer Bilbo Balings. Ik ben de dwergen kwijtgeraakt en ik ben de tovenaar kwijt en ik weet niet waar ik ben; en ik wil het niet weten, als ik maar weg kan.'
'Wat heeft hij in zijn handen?' vroeg Gollem naar het zwaard kijkend, dat hem niet erg aanstond.
'Een zwaard, een zwaard dat afkomstig is uit Gondolin!'
'Ssss,' zei Gollem en hij werd heel beleefd. 'Misschien zits je hier en

klets je er een beetje mee, m'n liefje. Misschien houdt het van raadsels, misschien wel, ja?' Hij wilde zich graag vriendelijk voordoen – op dit ogenblik in ieder geval, totdat hij meer over het zwaard en de hobbit te weten was gekomen: of hij echt helemaal alleen was, of hij lekker was om te eten, en of Gollem werkelijk honger had. Raadsels waren het enige dat hij kon bedenken. Ze opgeven en ze soms raden, dat was het enige spel geweest dat hij ooit met andere vreemde schepselen had gespeeld als ze in hun holen zaten, lang, heel langgeleden, voordat hij al zijn vrienden was kwijtgeraakt en was verdreven, alleen, en al dieper in het donker onder de bergen was gekropen.
'Goed dan,' zei Bilbo, die maar al te graag wilde instemmen tot hij meer omtrent het schepsel aan de weet was gekomen: of hij helemaal alleen was, of hij fel of hongerig was en of hij een vriend van de aardmannen was.
'Vraag jij maar eerst,' zei hij omdat hij geen tijd had gehad om een raadsel te bedenken.
Dus siste Gollem:

Wat heeft wortels die niemand ziet,
Is hoger dan bomen,
Rijst op in 't verschiet,
Zonder hoger te komen?

'Makkelijk!' zei Bilbo. 'Een berg, denk ik.'
'Kan het gemakkelijk raden? Het moet een wedstrijd met ons doen, m'n liefje. Als liefje vraagt en het geeft geen antwoord, eetsen we het op, m'n liefje. Als het ons vraagt en wij niet antwoorden dan doen wij wat het wil, hè? Wij wijzen het de weg naar buiten, ja!'
'Goed!' zei Bilbo, die niet durfde tegenspreken en zijn hoofd pijnigde om raadsels te bedenken die hem voor consumptie zouden behoeden.

Dertig witte paarden op een heuvel rood,
Eerst kauwen ze,
Dan stampen ze,
Dan staan ze als de dood.

Dat was het enige dat hij kon bedenken – het idee te worden opgegeten, nam hem nogal in beslag. Het was ook een vrij oud raadsel en Gollem kende het antwoord evengoed als jij.
'Ouwe mop, ouwe mop,' siste hij. 'Tanden! Tanden, mijn liefje, maar wij heeft er maar zes!' Toen gaf hij zijn tweede op:

Stemloos krijt hij,
Vliegt vleugelloos rond,
Tandeloos bijt hij,
Mompelt zonder mond.

'Wacht even!' riep Bilbo uit, die nog steeds pijnlijk aan eten dacht. Gelukkig had hij er eens een gehoord die hier nogal op leek, en terwijl hij weer bij zijn positieven kwam, vond hij het antwoord:
'Wind, wind natuurlijk,' zei hij en hij was zo blij dat hij er op staande voet een bedacht. Dit zal het nare ondergrondse schepsel in verwarring brengen, dacht hij.

Een oog in een blauw gezicht
Zag een oog in een groen gezicht
'Dat oog lijkt op dit oog'
Zei het eerste oog,
'Maar laag
Niet hoog.'

'Sss, sss, sss,' zei Gollem. Hij was heel lang onder de grond geweest en begon dit soort dingen te vergeten. Maar net toen Bilbo begon te hopen dat de ellendeling niet zou kunnen antwoorden, haalde Gollem zich herinneringen van eeuwen en eeuwen en eeuwen geleden in de geest terug toen hij met zijn grootmoeder in een hol in een aardwal bij een rivier woonde. 'Sss, sss, m'n liefje,' zei hij. 'Zon op de boterbloempjes betekent het.'
Maar deze gewone bovengrondse huis-, tuin- en keukenraadsels waren vermoeiend voor hem. En ook herinnerden zij hem aan de tijd toen hij minder eenzaam en gluiperig en eng was geweest, en dat bracht hem uit zijn humeur. Bovendien maakten ze hem hongerig zodat hij deze keer iets moeilijkers en onaangenamers probeerde:

Je ziet noch voelt het, 't heeft geen gewicht,
Je hoort noch ruikt het, en het ligt
Achter sterren en heuveltop
En vult lege holen op.
Het komt eerst en volgt op slag,
Eindigt leven, doodt gelach.

Gollem trof het niet dat Bilbo iets dergelijks al eens eerder had gehoord; en het antwoord was in elk geval overal om hem heen. 'Het donker!' zei hij, zonder dat hij ook maar op zijn hoofd hoefde te krabben of te prakkiseren.

Zonder deksel, scharnieren of slot bevat
Dit doosje niettemin een gouden schat.

vroeg hij om tijd te winnen tot hij een echt moeilijke opgave kon bedenken. Dit was eigenlijk een geweldig bekend raadsel, hoewel hij het niet met de gebruikelijke woorden had gevraagd.
Maar Gollem bleek er een enorme dobber aan te hebben. Hij siste tegen zichzelf en nog steeds antwoordde hij niet; hij fluisterde en sputterde.
Na een tijdje werd Bilbo ongeduldig. 'Nou, wat is het?' vroeg hij. 'Het antwoord is niet een ketel die overkookt, zoals je schijnt te denken, te oordelen naar het geluid dat je maakt.'
'Geef ons een kans; laat het ons een kans geven, mijn liefje – sss – sss.'
'En,' zei Bilbo, nadat hij hem een lange kans had gegeven, 'wat is het nou?'
Maar ineens herinnerde Gollem zich hoe hij langgeleden nesten had uitgehaald en onder aan de berm van de rivier zat en zijn grootmoeder leerde, zijn grootmoeder lesgaf in het eieren uitzuigen: 'Eiersen!' siste hij. 'Eiersen is het!' Toen vroeg hij:

Levend van lucht ontbloot,
Koud als de dood,
Nooit dorstig, altijd drinkend,
In maliën, nooit rink'lend.

Hij dacht op zijn beurt ook dat dit een vreselijk gemakkelijke was, omdat hij altijd aan het antwoord dacht. Maar hij kon zich op dit ogenblik niets beters herinneren, zozeer had de eiervraag hem van de wijs gebracht. Maar in ieder geval bleek het een lastige voor de arme Bilbo, die nooit iets met water te maken had als hij het kon voorkomen. Ik neem aan dat je het antwoord natuurlijk weet, of het in een oogwenk kunt vinden, aangezien je behaaglijk thuis zit en niet het gevaar loopt opgegeten te worden, wat niet bevorderlijk is om rustig na te denken. Bilbo zat daar maar en schraapte een paar keer zijn keel, maar er kwam geen antwoord.
Na een tijdje begon Gollem van genoegen in zichzelf te sissen. 'Iss 't lekker, m'n liefje? Iss het sappig? Iss het... heerlijk peuzelbaar?' Hij begon Bilbo in het donker aan te staren.

'Nog eventjes,' zei de hobbit huiverend. 'Ik heb jou daarnet behoorlijk veel tijd gegeven.'
'Het moet zich haassten, haassten!' zei Gollem die uit zijn boot op de oever begon te klauteren om Bilbo te grijpen. Maar toen hij zijn lange webachtige voet in het water stak, sprong er verschrikt een vis uit op en viel op Bilbo's tenen.
'Oei!' riep hij. 'Het is koud en klammig!' – en op die manier raadde hij het. 'Vis! Vis!' riep hij uit. 'Het is vis!'
Gollem was vreselijk teleurgesteld, maar Bilbo gaf zo vlug mogelijk weer een raadsel op, zodat Gollem in zijn boot terug moest stappen om na te denken.
'Geen-been lag op één-been, twee-been zat bijna op drie-been en vier-been kreeg wat.'
Het was niet echt het juiste ogenblik voor dit raadsel, maar Bilbo had haast. Misschien zou Gollem enige moeite hebben gehad om het te raden als hij het een andere keer had gevraagd. Maar nu ze het net over vis hadden gehad, was 'geen-been' niet zo erg moeilijk, en de rest kwam daarna vanzelf. 'Vis op een tafeltje, een mens die op een kruk aan tafel zit, de kat krijgt de graten,' is natuurlijk het antwoord, en Gollem had het algauw gevonden. Toen vond hij dat de tijd was aangebroken om iets vreselijk moeilijks te vragen. En hier volgt wat hij zei:

Dit verslindt al dat men kan noemen:
Dieren, beesten, bomen, bloemen;
Knaagt ijzer, bijt staal en
Kan de hardste stenen malen;
Velt koning, verwoest stad.
En slaat hoge bergen plat.

De arme Bilbo probeerde zich in het donker alle verschrikkelijke namen te herinneren van alle reuzen en weerwolven waarvan hij ooit in verhalen had gehoord, maar niet één van hen had al deze dingen gedaan. Hij kreeg het gevoel dat het antwoord heel anders was en dat hij het behoorde te weten, maar hij kon er niet op komen. Hij begon bang te worden, en dat is niet bevorderlijk voor het denkvermogen. Gollem begon zijn boot uit te komen. Hij liet zich met een plons te water en peddelde naar de oever; Bilbo kon zijn ogen op hem af zien komen. Zijn tong scheen aan zijn gehemelte te kleven en hij wilde roepen: 'Geef me meer tijd! Geef me tijd!' maar het enige dat er met een plotselinge piepstem uitkwam, was:
'Tijd! Tijd!'

Bilbo was louter door toeval gered. Want dat was natuurlijk het antwoord.
Gollem was opnieuw teleurgesteld; en nu begon hij nijdig te worden en ook genoeg van het spelletje te krijgen. Het had hem werkelijk heel hongerig gemaakt. Deze keer ging hij niet terug naar de boot. Hij ging in het donker naast Bilbo zitten. Dat maakte dat de hobbit zich bijzonder slecht op zijn gemak voelde en bracht hem in de war.
'Het moet onss een vraag sstellen, m'n liefje, sja, sja, sja. Nog één vraag meer om te raden, sja, sja,' zei Gollem.
Maar Bilbo kon eenvoudig geen enkele vraag bedenken nu dit nare natte koude creatuur naast hem zat en hem aanraakte en porde. Hij krabde zich en kneep zich, maar toch kon hij niets bedenken.
'Vraag ons! Vraag ons!' zei Gollem.
Bilbo kneep zich en sloeg zich; hij omklemde zijn kleine zwaard; hij voelde zelfs met zijn andere hand in zijn zak. Daar vond hij de ring die hij in de gang had opgeraapt en was vergeten.
'Wat heb ik in mijn zak?' vroeg hij hardop. Hij sprak in zichzelf, maar Gollem dacht dat het een raadsel was en raakte erg van streek.
'Niet eerlijk! Niet eerlijk!' zei hij sissend. 'Het isss niet eerlijk m'n liefje, of wel soms, om te vragen wat het in zijn ssmerige zaksjes heeft?'
Bilbo, die zag wat er was gebeurd en niets beters te vragen had, bleef bij zijn vraag. 'Wat heb ik in m'n zak?' vroeg hij luider.
'S-s-s-s-s,' siste Gollem. 'Het moet ons drie keer laten raden, m'n liefje, drie keer.'
'Vooruit maar! Raad maar op!' zei Bilbo.
'Handen!' zei Gollem.
'Mis,' zei Bilbo, die zijn hand er gelukkig net weer uit had gehaald. 'Nog eens.'
'S-s-s-s-s,' zei Gollem, erger in de war dan ooit. Hij dacht aan alle dingen die hij in zijn eigen zak had: visgraten, aardmannentanden, natte schelpen, een stukje vleermuisvleugel, een scherpe steen om zijn tanden op te wetten en andere enge dingen. Hij probeerde zich te herinneren wat andere lieden in hun zakken hadden.
'Mes!' zei hij ten slotte.
'Mis!' zei Bilbo, die het zijne een tijdje geleden was verloren. 'Laatste keer!'
Nu was Gollem er veel erger aan toe dan toen Bilbo hem de eiervraag had gesteld. Hij siste en sputterde en wiegde voorover en achterover en kletste zijn voeten op de grond en wrong en kronkelde zich, maar hij durfde zijn laatste kans niet te verknoeien.

'Vooruit,' zei Bilbo. 'Ik wacht!' Hij probeerde zich stoutmoedig en opgewekt voor te doen, maar hij was er helemaal niet zeker van hoe het spelletje zou eindigen en of Gollem goed zou raden of niet.
'De tijd is om,' zei hij.
'Touw, of niets!' schreeuwde Gollem, wat niet helemaal eerlijk was – om in een keer twee antwoorden te geven.
'Allebei mis,' riep Bilbo uit, heel erg opgelucht; en hij sprong meteen overeind, ging ruggelings tegen de dichtstbijzijnde wand staan, en stak zijn kleine zwaard naar voren. Hij wist natuurlijk dat het raadselspel heilig was en oer- en oeroud, en dat zelfs boze schepselen bang waren om te steggelen als zij het speelden. Maar hij voelde dat hij dit slijmerige schepsel voor geen cent kon vertrouwen. Hij zou elk excuus aangrijpen om er onderuit te komen. En per slot van rekening was die laatste vraag geen echt raadsel geweest volgens de aloude regels.
Maar in ieder geval viel Gollem hem niet meteen aan. Hij kon het zwaard in Bilbo's hand zien. Hij bleef stil zitten, huiverend en fluisterend. Ten slotte kon Bilbo niet langer wachten.
'En?' zei hij. 'Hoe staat het met je belofte? Ik wil weg. Jij moet me de weg wijzen.'
'Hebben wij dat gezegd, m'n liefje? Die nare kleine Balings de weg naar buiten wijzen? Maar wat heeft-ie dan in zijn zaksjes, hè? Geen touw, m'n liefje, maar niet niks. O nee! Gollem!'
'Geen gezeur,' zei Bilbo. 'Beloofd is beloofd.'
'Nijdig is het, ongeduldig, m'n liefje,' siste Gollem. 'Maar het moet wachten, ja wachten. We kunnen niet zo haastig de gangen in gaan. We moeten eerst een paar dingen gaan halen, ja, dingen om ons te helpen.'
'Nou schiet dan op!' zei Bilbo, opgelucht bij het idee dat Gollem wegging. Hij dacht dat het alleen maar een uitvlucht was en dat hij niet van plan was terug te komen. Waar had Gollem het over? Wat voor nuttigs kon hij daar op het donkere meer verborgen hebben? Maar hij had het mis. Gollem was wel degelijk van plan om terug te komen. Hij was nu boos en hongerig. En hij was een naar, kwaadaardig schepsel, en hij had al een plan.
Niet ver weg was zijn eiland, waarvan Bilbo niets af wist en daar, in die schuilplaats, bewaarde hij een paar armzalige snuisterijen en één heel mooi ding, bijzonder mooi, heel wonderbaarlijk. Hij bezat een ring, een gouden ring, een kostbare ring.
'Mijn verjaarsgeschenk!' mompelde hij bij zichzelf, zoals hij vaak had gedaan in de eindeloze donkere dagen. 'Dat willen we nu hebben, ja, dat willen we hebben.'

Hij wilde hem hebben omdat het een ring van macht was, en als je die ring aan je vinger liet glijden, werd je onzichtbaar, alleen in het volle zonlicht was je nog te zien en dan alleen nog maar je schaduw, en die was dan zwak en vaag.
'Mijn verjaarsgeschenk! Ik heb hem op mijn verjaardag gekregen, m'n liefje.' Dat had hij altijd tegen zichzelf gezegd. Maar wie weet hoe Gollem aan dat geschenk was gekomen, eeuwen geleden in de oude tijd toen dergelijke ringen nog te vinden waren in de wereld. Misschien zou de Meester die hen regeerde het zelfs niet hebben kunnen zeggen. Gollem placht hem eerst te dragen, tot hij er genoeg van kreeg; en toen bewaarde hij hem in een zakje op zijn huid tot het hem irriteerde; en nu verborg hij hem gewoonlijk in een holte in de rots op zijn eiland, maar ging er steeds naar terug om ernaar te kijken. En ook deed hij hem soms nog aan, wanneer hij het niet kon verdragen er nog langer gescheiden van te zijn, of wanneer hij heel erge honger had en genoeg had van vis. Dan placht hij door donkere gangen te kruipen op zoek naar verdwaalde aardmannen. En dan waagde hij zich soms zelfs op plaatsen waar de fakkels ontstoken waren die zijn ogen deden knipperen en branden; want hij was toch veilig. O ja, volkomen veilig. Niemand kon hem zien, niemand kon hem in de gaten krijgen voordat hij zijn vingers om hun keel had. Nog een paar uur geleden had hij hem gedragen en een klein aardmanduiveltje gevangen. Wat had-ie gepiept! Hij had nog een paar botten over om op te knagen, maar hij had zin in iets malsers.
'Volkomen veilig, ja,' fluisterde hij bij zichzelf. 'Het zal ons niet zien, hè liefje? Nee, het zal ons niet zien en zijn ellendige kleine zwaard zal nutteloos zijn, jawel, helemaal nutteloos.'
Dat spookte door zijn boze hersentjes toen hij zich plotseling naast Bilbo in het water liet glijden en naar zijn boot terug peddelde en in de duisternis verdween. Bilbo dacht dat hij hem nooit meer zou horen. Toch bleef hij een tijdje wachten, want hij had er geen idee van hoe hij alleen de weg naar buiten moest vinden.
Plotseling hoorde hij een kreet. Die gaf hem de bibberatie. Gollem vloekte en klaagde ergens in het donker, niet zo ver weg, naar het geluid te oordelen. Hij was op zijn eiland, dan hier, dan daar rondgrabbelend, vergeefs zoekend en speurend.
'Waar iss het? Waar iss het?' hoorde Bilbo hem jammeren.
'Weg iss 't, m'n liefje, weg, weg! Vervloek en verdelg ons, mijn liefje is weg!'
'Wat is er aan de hand?' riep Bilbo. 'Wat ben je kwijt?'
'Het moet ons niet vragen!' gilde Gollem. 'Gaat 't niets aan, nee, gollem. Het is kwijt, gollem, gollem, gollem!'

'Ja en ik ook,' riep Bilbo uit, 'en ik wil onkwijt worden. En ik heb het spel gewonnen en je hebt het beloofd. Kom dus hier! Kom en laat me eruit, en ga daarna maar weer verder met je gezoek!' Hoewel Gollem doodongelukkig klonk, had Bilbo in zijn hart weinig medelijden met hem en hij vermoedde dat iets dat Gollem zo graag wilde hebben nauwelijks iets goeds kon zijn. 'Schiet op!' schreeuwde hij.

'Nee, nog niet, m'n liefje,' antwoordde Gollem. 'We moeten ernaar zoeken, het is zoek, gollem!'

'Maar je hebt mijn laatste vraag niet geraden en je hebt het beloofd,' zei Bilbo.

'Niet geraden!' zei Gollem. Toen, plotseling, klonk er een scherp gesis uit het donker. 'Wat heeft het in zijn zakskes? Zeg eens op! Het moet het eerst zeggen.'

Voor zover Bilbo wist, was er eigenlijk geen reden waarom hij het niet zou zeggen. Gollems geest was vlugger tot een vermoeden gekomen dan hij natuurlijk, want Gollem had eeuwenlang over dit ene ding gepiekerd en was altijd bang dat het gestolen zou worden. Maar Bilbo was boos over het oponthoud. Per slot van rekening had hij het spel op een vrij eerlijke manier en ten koste van een groot risico gewonnen. 'Antwoorden moesten worden geraden, niet gegeven,' zei hij.

'Maar het was geen eerlijke vraag,' zei Gollem. 'Geen raadsel, liefje, nee hoor.'

'Nou goed, als het een kwestie van gewone vragen is,' zei Bilbo, 'dan heb ik er eerst een gesteld. Wat ben je kwijt, zeg op.'

'Wat heeft het in zijn zakskes?' Het geluid siste luider en scherper, en toen hij die kant uitkeek, zag Bilbo tot zijn ontsteltenis twee kleine lichtpuntjes naar hem gluren. Naarmate de achterdocht bij Gollem groeide, begon het licht van zijn ogen met een fletse vlam te branden.

'Wat ben je kwijtgeraakt,' drong Bilbo aan.

Maar nu was het licht in Gollems ogen een groen vuur geworden en het kwam snel naderbij. Gollem zat weer in zijn boot en peddelde wild terug naar de donkere oever; en de woede om het verlies en de achterdocht in zijn hart waren zo groot dat geen enkel zwaard hem nog angst inboezemde.

Bilbo had er geen idee van wat het ellendige schepsel zo woedend had gemaakt, maar hij zag dat alles verloren was en dat Gollem in elk geval van plan was hem te vermoorden. Hij keerde zich net op tijd om en rende blindelings terug de donkere gang door waarlangs hij gekomen was en bleef dicht bij de wand en betastte die met zijn linkerhand.

'Wat heeft het in zijn zakskes?' hoorde hij hard achter zich sissen toen Gollem met een plons uit zijn boot sprong. 'Wat heb ik eigenlijk?' vroeg hij zich af, terwijl hij hijgend voortstrompelde. Hij stak zijn linkerhand in zijn zak. De ring voelde heel koud aan toen hij rustig om zijn grijpende wijsvinger gleed.
Het gesis was nu vlak achter hem. Hij draaide zich om en zag Gollems ogen als kleine groene lampen de helling opkomen. Doodsbang probeerde hij harder te rennen, maar plotseling stootte hij zijn tenen tegen een oneffenheid in de grond, en hij viel plat neer met zijn kleine zwaard onder hem. In een oogwenk was Gollem bij hem. Maar voordat Bilbo iets kon doen – op adem komen, opstaan of zijn zwaard trekken – was Gollem al voorbij zonder ook maar de minste aandacht aan hem te schenken, vloekend en fluisterend terwijl hij rende.
Wat kon dit betekenen? Gollem kon in het donker zien. Bilbo kon zelfs van achteren het licht van zijn ogen flets zien schijnen. Hij stond pijnlijk op en stak het zwaard, dat nu weer flauw glansde, terug in de schede, en toen volgde hij heel voorzichtig. Er scheen niets anders op te zitten. Het had geen zin om weer terug te kruipen naar Gollems water. Misschien zou Gollem hem, als hij hem volgde, ongewild naar de uitgang leiden. 'Vervloekt! Vervloekt! Vervloekt!' siste Gollem. 'Vervloekt die Balings. Het is weg! Wat heeft 't in zijn zakskes? O wij raden, wij raden het, m'n liefje. Hij heeft het gevonden, ja dat moet wel. Mijn verjaarsgeschenk.'
Bilbo spitste zijn oren. Hij begon eindelijk zelf te gissen. Hij haastte zich een beetje en ging zo dicht als hij durfde achter Gollem aan lopen die nog steeds rende, zonder om te kijken, maar zijn hoofd van de ene kant naar de andere draaide, naar Bilbo uit het vage schijnsel op de muren kon opmaken.
'Mijn verjaarsgeschenk! Vervloekt! Hoe hebben wij het verloren, m'n liefje? Ja, dat is het. Toen we vorige keer deze weg zijn gegaan, toen we die smerige jonge gluiperd de nek hebben omgedraaid. Dat is het. Vervloekt! Het is van ons afgegleden, na al die eeuwen en eeuwen! Het is weg, gollem.'
Plotseling ging Gollem zitten en begon te huilen, een fluitend en gorgelend geluid dat afschuwelijk was om te horen. Bilbo bleef staan en drukte zich tegen de wand van de tunnel. Na een tijdje hield Gollem op met huilen en begon te spreken. Hij scheen met zichzelf te redeneren.
'Het heeft geen zin om daar terug te gaan om te zoeken, nee. Wij herinneren ons niet alle plaatsen waar we geweest zijn. En het heeft

geen zin. De Balings heeft het in zijn zakskes; die smerige pookneus heeft het gevonden, wat wij ons brommen.
We gissen, liefje, gissen alleen maar. We kunnen het niet weten voordat we het ellendige schepsel vinden en dooddrukken. Maar het weet niet wat het geschenk kan doen, nietwaar? Het zal het gewoon in zijn zakskes houden. Het weet het niet en het kan niet ver gaan. Het is verdwaald, het nare nieuwsgierige schepsel. Het kent de weg naar buiten niet. Dat heeft het gezegd.
Dat heeft het gezegd, jazeker; maar het is gewiekst. Het zegt niet wat het bedoelt. Het wil niet zeggen wat het in zijn zakskes heeft. Het weet 't. Het kent een weg naar binnen, het moet ook een weg naar buiten weten, ja. Het is op weg naar de achterdeur. Naar de achterdeur, dat is het.
Maar dan zullen de aardmansen het pakken. Het kan niet langs die weg naar buiten, liefje.
Sss, sss, gollem. Aardmansen! Ja, maar als het 't geschenk heeft, ons dierbare geschenk, dan zullen aardmansen het krijgen, gollem. Zij zullen het vinden, zullen ontdekken wat het doet. We zullen nooit meer veilig zijn, nooit meer, gollem! Een van de aardmansen zal het aandoen en niemand zal hem zien. Hij zal er zijn, maar niet gezien worden. Zelfs onze scherpe oogsen zullen hem niet zien, en hij zal sluipie-kruipie komen en ons vangen, gollem, gollem!
Laten we dan maar ophouden met praten, m'n liefje, en ons haasten. Als de Balings die kant uit is gegaan, moeten we vlug gaan kijken. Vooruit. Niet ver nu. Opschieten!'
Gollem stond met een sprong op en begon heel hard weg te schuifelen. Bilbo haastte zich achter hem aan, nog steeds behoedzaam, en zijn grootste angst nu was dat hij weer zou struikelen en een luidruchtige val zou maken. Zijn hoofd duizelde van hoop en verbazing. Het scheen dat de ring die hij had een toverring was: hij maakte je onzichtbaar! Natuurlijk had hij in oude verhalen van dergelijke dingen gehoord, maar het was moeilijk te geloven dat hij er werkelijk bij toeval een gevonden had. Maar toch was het zo: Gollem, met zijn scherpe ogen, was hem gepasseerd, nog geen meter van hem af.
Zij liepen verder. Gollem klepperend vooraan, sissend en vloekend; Bilbo erachter, zo zacht als een hobbit maar kan. Weldra kwamen zij op plaatsen waar, zoals Bilbo op de heenweg had opgemerkt, aan weerskanten zijgangen op uit kwamen. Gollem begon ze onmiddellijk te tellen.
'Eén links, ja. Eén rechts, ja. Twee rechts, ja, ja. Twee links, ja, ja.' Enzovoort.

Naarmate het er meer werden, deed hij het kalmer aan, en hij begon beverig en huilerig te worden, want hij liet het water al verder en verder achter zich en begon bang te worden. Misschien waren er wel aardmannen in de buurt, en hij had zijn ring verloren. Ten slotte bleef hij bij een lage opening staan, aan de linkerkant op de weg omhoog.

'Zeven rechts, ja. Zes links, ja!' fluisterde hij. 'Dit is 'm. Dit is de weg naar de achterdeur, ja. Hier is de gang!'

Hij gluurde naar binnen en deinsde terug. 'Maar wij durfsen niet verder, liefje, nee dat durfsen wij niet. Aardmansen daar. Hopen aardmansen. We ruiksen ze. Sss!

Wat zullen we doen? Vervloek ze en verpletter ze! We moeten hier wachten, liefje, een tijdje wachten en zien wat er gebeurt.'

Zo kwamen zij geen stap verder. Gollem had Bilbo ten slotte toch de uitgang gewezen, maar Bilbo kon er niet door! Daar zat Gollem midden in de opening ineengedoken en zijn ogen glansden koud in zijn hoofd terwijl hij het tussen zijn knieën heen en weer zwaaide.

Bilbo sloop nog stiller dan een muis van de wand vandaan; maar Gollem verstijfde meteen, en snoof terwijl zijn ogen groen werden. Hij siste zacht, maar dreigend. Hij kon de hobbit niet zien, maar nu was hij op zijn hoede en hij had andere zintuigen die de duisternis had gescherpt: zijn gehoor en reuk. Hij scheen helemaal neer te hurken met zijn platte handen op de grond en zijn hoofd uitgestoken, de neus bijna op de stenen. Hoewel hij in het schijnsel van zijn eigen ogen slechts een zwarte schaduw was, kon Bilbo zien of voelen dat hij zo gespannen was als een boogpees, klaar om weg te schieten.

Bilbo hield bijna op met ademen en verstijfde zelfs. Hij was wanhopig. Hij moest weg uit deze afschuwelijke duisternis zolang hij er de kracht nog toe had. Hij moest vechten. Hij moest het smerige schepsel doorsteken, de ogen uitrukken, doden. Het was van plan hem te doden. Nee, geen eerlijk gevecht. Hij was nu onzichtbaar. Gollem had geen zwaard. Gollem had niet echt gedreigd hem te doden, of het tot dusverre geprobeerd. En hij was ellendig, eenzaam, verloren. Hij kreeg een plotselinge opwelling van begrip, medelijden vermengd met afschuw: een visioen van eindeloze saaie dagen zonder licht of hoop op een beter lot, harde steen, koude vis, sluipen en fluisteren. Al deze gedachten flitsten in een seconde door zijn geest. Hij beefde. En toen plotseling, in een nieuwe flits, alsof hij door nieuwe kracht en besluitvaardigheid werd bevlogen, sprong hij.

Geen grote sprong voor een menselijk wezen, maar een sprong in

het duister. Hij sprong recht over Gollems hoofd, zeven voet voorwaarts en drie in de lucht; en werkelijk, als hij het geweten had, hij had op een haar na zijn schedel gespleten tegen een lage boog in de gang.
Gollem liet zich achterovervallen en greep toen de hobbit over hem heen schoot, maar te laat; zijn handen grepen in de ijle lucht en Bilbo, die recht op zijn stevige benen terechtkwam, repte zich door de nieuwe tunnel. Hij draaide zich niet om om te kijken wat Gollem deed. Eerst klonk er gesis en gevloek bijna vlak achter hem, maar toen hield het op. Ineens klonk er een bloedstollende kreet, vol haat en wanhoop. Gollem was verslagen. Hij durfde niet verder te gaan. Hij had verloren: zijn prooi, en ook het enige waar hij ooit om had gegeven, zijn liefje. Bilbo's hart klopte bijna in zijn keel, maar toch hield hij vol. Nu klonk de stem, flauw als een echo, maar dreigend, achter hem:
'Dief! Dief! Dief! Balings! Wij haatsen het! Wij haatsen het, wij haatsen het voor altijd!'
Toen viel er een stilte. Maar die kwam Bilbo ook dreigend voor. Als er aardmannen zo dichtbij zijn dat hij ze kon ruiken, dacht hij, dan zullen ze zijn geschreeuw en gevloek hebben gehoord. Voorzichtig nu, of deze weg zal je naar nog ergere dingen voeren.
De gang was laag en ruw uitgehakt. Hij was niet al te moeilijk voor de hobbit behalve wanneer hij, ondanks alle voorzichtigheid, zijn arme tenen weer stootte – en verscheidene keren nog wel – aan nare uitstekende stenen in de vloer. Een beetje laag voor aardmannen, tenminste voor de groten, dacht Bilbo, die niet wist dat zelfs de groten, de orks uit de bergen, er met grote snelheid door lopen, laag voorovergebogen met de handen bijna op de grond. Weldra begon de gang die omlaag had geglooid, weer omhoog te gaan en na een tijdje liep hij heel steil naar boven. Dat verminderde Bilbo's snelheid. Maar ten slotte kwam er een einde aan de helling, de gang beschreef een bocht en dook weer naar beneden en daar, aan het einde van een soort glooiing zag hij, om een hoek, een lichtschijnsel filteren. Geen rood licht, als van vuur of een lantaarn, maar een soort bleek licht van buiten. Toen begon Bilbo te rennen.
Zo vlug als zijn benen hem konden dragen, sloeg hij de laatste hoek om en stond plotseling op een open plek waar het licht, na al die tijd in het donker, verblindend fel scheen. In werkelijkheid was het alleen maar zonlicht dat ontsnapte door een opening waar een grote deur, een stenen deur, open was blijven staan.
Bilbo knipperde met zijn ogen en toen ineens zag hij de aardmannen: aardmannen in volle wapenrusting met getrokken zwaarden,

die vlak aan de binnenkant van de deur zaten en die met wijd open ogen gadesloegen en de gang die erop uitkwam, bewaakten. Ze waren op hun hoede, waakzaam, op alle eventualiteiten voorbereid.
Zij zagen hem eerder dan hij hen zag. Ja, ze zagen hem. Of het toeval was of een laatste speling van de ring voordat deze zich een nieuwe meester koos: hij zat niet om zijn vinger. Met kreten van verrukking stormden de aardmannen op hem af.
Een pijnlijke steek van angst en verlies, als een echo van Gollems ellende, overmeesterde Bilbo; hij vergat zelfs zijn zwaard te trekken en stak de handen in zijn zakken. En daar zat de ring nog altijd, in zijn linkerzak en gleed om zijn vinger. De aardmannen bleven plotseling staan. Ze konden geen teken meer van hem zien. Hij was verdwenen. Ze gilden twee keer zo hard als eerst, maar niet meer zo opgetogen.
'Waar is-ie?' riepen ze uit.
'Ga terug de gang in!' riepen enkelen.
'Deze kant!' riepen sommigen. 'Die kant!' schreeuwden anderen.
'Hou de deur in de gaten!' brulde de aanvoerder.
Fluiten snerpten, wapens kletterden, zwaarden rinkelden, aardmannen vloekten en scholden en renden van de ene kant naar de andere, tuimelden over elkaar heen en begonnen bijzonder boos te worden. Er was een vreselijke herrie, verwarring en beroering.
Bilbo was vreselijk bang, maar hij was zo verstandig om te begrijpen wat er gebeurd was en achter een grote ton te kruipen waarin drank zat voor de aardmannenwachters en op die manier uit de weg te zijn en te voorkomen dat men tegen hem zou opbotsen, hem zou doodtrappen of dat hij door een tastende hand zou worden gegrepen.
'Ik moet de deur zien te bereiken, ik moet de deur zien te bereiken!' zei hij almaar bij zichzelf, maar het duurde lang voor hij het waagde een poging te ondernemen. Toen was het net een afschuwelijk blindemannetjesspel. Het wemelde er van de aardmannen die heen en weer renden, en de arme kleine hobbit dook van de ene kant naar de andere en werd ondersteboven gelopen door een aardman die maar niet kon begrijpen waar hij tegenaan was gebotst, kroop op handen en voeten weg, glipte net op tijd tussen de benen van de kapitein door, stond op en rende naar de deur.
Die stond nog steeds op een kier, maar een aardman had hem bijna dichtgeduwd. Bilbo deed zijn uiterste best, maar er was geen beweging in te krijgen. Hij probeerde zich door de spleet te wringen. Hij wrong en wrong en bleef steken! Het was afschuwelijk. Zijn knopen waren tussen de rand van de deur en de deurstijl vastgeraakt.

Hij kon buiten de openlucht zien; er waren enkele treden die omlaag liepen naar een smalle vallei tussen hoge bergen; de zon kwam achter een wolk tevoorschijn en scheen helder tegen de buitenkant van de deur – maar hij kon er niet door komen.
Plotseling schreeuwde een van de aardmannen binnen: 'Er is een schaduw bij de deur! Er is buiten iets!'
Bilbo's hart schoot in zijn keel. Hij gaf een vreselijke ruk. Knopen sprongen overal in het rond. Hij was erdoor, met een gescheurde jas en vest, en sprong de treden af als een geit terwijl de verbijsterde aardmannen zijn mooie koperen knopen nog op de drempel stonden op te rapen.
Natuurlijk kwamen ze hem weldra achterna, toeterend en roepend en joegen hem tussen de bomen na. Maar ze houden niet van de zon: die maakt hun benen slap en hun hoofden duizelig. Zij konden Bilbo met de ring aan niet vinden terwijl hij tussen de schaduwen van de bomen door sloop, snel en zacht rennend, en ervoor zorgde uit de zon te blijven; dus gingen zij spoedig terug, mopperend en vloekend, om de deur te bewaken. Bilbo was ontsnapt.

VI. Van de regen in de drup

Bilbo was aan de aardmannen ontsnapt, maar hij wist niet waar hij was. Hij had zijn kap, mantel, eten, pony, knopen en zijn vrienden verloren. Hij doolde verder en verder, tot de zon naar het westen begon te zinken – *achter de bergen.* Hun schaduwen vielen over Bilbo's pad en hij keek achterom. Toen keek hij naar voren en kon alleen maar bergkammen en hellingen zien, die naar het laagland glooiden en af en toe zag hij tussen de bomen vlakten.
'Lieve help!' riep hij uit. 'Ik schijn helemaal aan de andere kant van de Nevelbergen beland te zijn, vlak aan de rand van het Land Daarachter! Waar, o waar kunnen Gandalf en de dwergen gebleven zijn? Ik hoop alleen maar dat ze niet nog steeds daarginds zijn in de macht van de aardmannen!'
Hij zwierf verder, het kleine hoge dal uit, over de rand, en de daarachter gelegen hellingen af, maar de hele tijd kwam een hoogst verontrustende gedachte steeds sterker in hem op. Hij vroeg zich af of hij, nu hij de toverring bezat, niet naar die vreselijke, vreselijke tunnels terug behoorde te gaan om zijn vrienden te zoeken. Hij was juist tot de slotsom gekomen dat het zijn plicht was, dat hij moest omkeren – en het gaf hem een ellendig gevoel – toen hij stemmen hoorde. Hij bleef staan om te luisteren. Zo te horen waren het geen aardmannen, dus kroop hij voorzichtig naar voren. Hij bevond zich op een steenachtig pad dat naar omlaag slingerde, met een rotsachtige wand aan de linkerzijde; aan de andere kant liep het terrein naar beneden en er waren kleine open plekken onder het niveau van het pad waar bosjes en lage bomen overheen hingen. Op een van deze beschaduwde plekjes onder het struikgewas klonken stemmen van menselijke wezens. Hij kroop nog dichterbij, en plotseling zag hij tussen twee grote ronde stenen een hoofd met een rode kap uitsteken: het was Balin die op de uitkijk stond. Hij had in de handen willen klappen en het uitschreeuwen van blijdschap, maar hield zich in. Hij had de ring nog steeds aan omdat hij bang was dat hij iets onverwachts en onaangenaams zou tegenkomen, en hij zag dat Balin hem recht aankeek zonder hem te zien.
Ik zal ze allemaal eens verrassen, dacht hij toen hij in de bosjes aan de

rand van de open plek kroop. Gandalf was met de dwergen aan het praten. Zij bespraken alles wat er in de tunnels met hen was gebeurd en vroegen zich af en beraadslaagden wat hun nu te doen stond. De dwergen waren aan het mopperen en Gandalf zei dat zij onmogelijk verder konden gaan en meneer Balings in de handen van de aardmannen laten zonder te proberen erachter te komen of hij nog leefde of dood was, en zonder een poging te doen om hem te redden.
'Per slot van rekening is hij mijn vriend,' zei de tovenaar, 'en geen slecht kereltje. Ik voel me verantwoordelijk voor hem. Ik wou dat jullie hem niet waren kwijtgeraakt.'
De dwergen wilden weten waarom ze hem eigenlijk hadden meegenomen, waarom hij niet bij zijn vrienden kon blijven en met hen was meegegaan, en waarom de tovenaar niet een verstandiger iemand had uitgezocht. 'Tot nu toe is hij ons meer tot last dan van nut geweest,' zei een van hen. 'Als we nu terug moeten gaan naar die afschuwelijke tunnels om hem te zoeken, laat hem dan maar.'
Gandalf antwoordde boos: 'Ik heb hem meegenomen, en ik neem geen dingen mee die niet van nut zijn. Of jullie helpen mij hem te zoeken, of ik laat jullie hier achter, dan moet je zelf maar zien hoe je uit de nesten komt. Als wij hem weer terug kunnen vinden, zullen jullie mij dankbaar zijn eer alles over is. Waarom heb je hem in 's hemelsnaam laten vallen, Dori?'
'Jij zou hem ook hebben laten vallen,' zei Dori, 'als een aardman je plotseling in het donker bij je benen had gepakt, je had doen struikelen en je in de rug had geschopt!'
'Waarom heb je hem dan niet weer opgeraapt?'
'Hemeltje, hoe kun je dat vragen! Terwijl aardmannen in het donker aan het vechten en bijten waren, iedereen over lichamen viel en op elkaar insloeg! Jij hebt mijn hoofd er bijna met Glamdring afgehakt en Thorin stak hier en gunder en overal met Orcrist. Plotseling gaf jij een van je verblindende flitsen en zagen we de aardmannen jammerend terugrennen. Jij riep: "Laat iedereen me volgen!" en iedereen had je moeten volgen. Wij dachten dat iedereen dat ook gedaan had. Er was geen tijd om hoofden te tellen, zoals je heel goed weet, voordat we langs de poortwachters heen waren gestormd, de benedenpoort uit en halsoverkop hierheen. En daar zitten we nu – zonder de inbreker, verdraaid nog aan toe!'
'En hier is de inbreker!' zei Bilbo, terwijl hij in hun midden stapte en de ring afdeed.
Allemachtig, wat schrokken ze! Toen schreeuwden ze het uit van verbazing en blijdschap. Gandalf was even verbaasd maar waarschijnlijk blijer dan de anderen. Hij riep Balin en vertelde hem wat

hij dacht van een uitkijk die lieden op die manier zonder enige waarschuwing in hun midden liet komen. Het is een feit dat Bilbo's reputatie bij de dwergen hierna aanzienlijk steeg. Zo zij er, ondanks Gandalfs woorden, nog aan mochten hebben getwijfeld dat hij een eersteklas inbreker was, nu betwijfelden zij dat niet langer. Balin was het meest verbaasd van allemaal; maar iedereen zei dat het een knap staaltje was.

Bilbo was zo blij met die lof dat hij maar wat in zijn vuistje lachte en helemaal niets over de ring zei, en toen ze hem vroegen hoe hij het 'm had gelapt, zei hij: 'O, gewoon voortgeslopen, weet je – heel voorzichtig en stilletjes.'

'Nou, dat is dan de eerste keer dat er een muis voorzichtig en rustig onder m'n neus door is gekropen zonder dat ik hem heb gezien,' zei Balin, 'en ik neem mijn kap voor je af.' En hij voegde de daad bij het woord.

'Balin, tot uw dienst,' zei hij.

'Meneer Balings, uw dienaar,' zei Bilbo.

En toen wilden zij alles horen over zijn avonturen nadat zij hem waren kwijtgeraakt, en hij ging zitten en vertelde hun alles – alles behalve over de vondst van de ring (nu nog niet, dacht hij). Zij stelden bijzonder veel belang in de raadselwedstrijd, en huiverden zeer waarderend bij zijn beschrijving van Gollem.

'En toen hij daar zo naast me zat, kon ik geen enkele andere vraag bedenken,' besloot Bilbo, 'en dus vroeg ik wat ik in mijn zak had. En hij kon het niet in drie keer raden. Dus zei ik: "En hoe zit het met je belofte? Wijs me de weg naar buiten!" Maar hij kwam op me af om me te doden en ik begon te rennen en struikelde en hij miste me in het donker. Toen volgde ik hem, omdat ik hem in zichzelf had horen praten. Hij dacht dat ik werkelijk de weg naar buiten wist en daarom ging hij eropaf. En toen ging hij voor de ingang zitten, en ik kon er niet langs. Dus sprong ik over hem heen en ontsnapte en rende naar de deur.'

'En de schildwachten dan?' vroegen ze. 'Waren er geen?'

'O ja, een heleboel, maar ik heb ze ontweken. Ik raakte klem tussen de deur die maar op een kiertje openstond en ben bijna al m'n knopen kwijtgeraakt,' zei hij terwijl hij treurig naar zijn gescheurde kleren keek. 'Maar ik heb me er toch door gewrongen – en hier ben ik dan.'

De dwergen keken hem met een nieuwe eerbied aan toen hij vertelde dat hij de schildwachten had ontweken, over Gollem was heen gesprongen en zich erdoor geperst had, alsof dit helemaal niet erg moeilijk of heel beangstigend was geweest.

'Nou, wat heb ik jullie gezegd?' vroeg Gandalf lachend. 'Meneer Balings is flinker dan hij eruitziet.' Hij keek Bilbo vreemd vanonder zijn borstelige wenkbrauwen aan toen hij dit zei, en de hobbit vroeg zich af of hij vermoedens koesterde omtrent het gedeelte van zijn verhaal dat hij had weggelaten.
Toen wilde hij zelf het een en ander vragen, want hoewel Gandalf het de dwergen nu allemaal had uitgelegd, had Bilbo het niet gehoord. Hij wilde weten hoe de tovenaar weer tevoorschijn was gekomen, en waar ze nu met z'n allen waren.
Om de waarheid te zeggen had de tovenaar er nooit bezwaar tegen om zijn knapheid meer dan eens te verklaren, en dus vertelde hij Bilbo nu dat zowel hij als Elrond op de hoogte waren geweest van de aanwezigheid van boze aardmannen in dat deel van de bergen. Maar hun hoofdpoort kwam vroeger op een andere pas uit, een die gemakkelijker toegankelijk was, zodat zij vaker mensen onverhoeds bij hun poorten konden overvallen. Blijkbaar gebruikte men die weg niet langer, en de aardmannen hadden waarschijnlijk nog pas kortgeleden hun nieuwe ingang boven aan de pas geopend, waar de dwergen in waren gegaan, omdat die tot op heden volkomen veilig was geweest.
'Ik moet zien of ik niet een of andere fatsoenlijke reus kan vinden om hem weer te blokkeren,' zei Gandalf, 'anders zal het binnenkort helemaal niet meer mogelijk zijn om de bergen over te komen.'
Zodra Gandalf Bilbo's kreet had gehoord, had hij beseft wat er was gebeurd. Bij de vuurstraal die de aardmannen die hem grepen doodde, was hij de spleet binnengeglipt, net toen die dicht was geklikt. Hij was de drijvers en de gevangenen tot vlak bij de grote zaal gevolgd en was daar gaan zitten om in de schaduwen de best mogelijke tovenarij uit te denken.
'En het was een bijzonder netelig karwei,' zei hij. 'Op het kantje af.'
Maar natuurlijk had Gandalf een speciale studie gemaakt van tovenarij met vuur en licht (zelfs de hobbit was het magische vuurwerk op de midzomernachtfeesten van de Oude Toek nooit vergeten, zoals je je zult herinneren). De rest kennen we allemaal – behalve dat Gandalf alles van de achterdeur af wist, zoals de aardmannen de benedenpoort noemden, waar Bilbo zijn knopen was kwijtgeraakt. En in feite was iedereen ermee op de hoogte die in dit deel van de bergen bekend was, maar alleen een tovenaar kon het hoofd koel houden in de tunnels en hen in de goede richting leiden.
'Ze hebben die poort eeuwen geleden gemaakt,' zei hij, 'gedeeltelijk als nooduitgang, gedeeltelijk als een weg naar buiten naar de achterliggende landen, waar zij nog altijd in het donker komen en grote schade aanrichten. Zij bewaken hem voortdurend en nie-

mand is er ooit in geslaagd hem te blokkeren. Zij zullen hem na dit voorval wel twee keer zo goed bewaken,' zei hij lachend.
Alle anderen lachten ook. Weliswaar hadden zij veel verloren, maar zij hadden de Grote Aardman gedood en nog vele anderen bovendien, en zij waren allen ontsnapt, zodat je kon zeggen dat zij het er tot dusver het beste van hadden afgebracht.
Maar de tovenaar riep hen weer tot de orde. 'We moeten meteen verdergaan, nu we een beetje zijn uitgerust,' zei hij. 'Ze zullen met honderden achter ons aan komen wanneer de nacht valt; en de schaduwen beginnen al te lengen. Zij kunnen onze voetstappen nog uren en uren ruiken nadat wij voorbij zijn gekomen. Wij moeten mijlen verder zijn voor de schemering invalt. Er zal een schijfje maan zijn als het weer mooi blijft, en dat is een geluk. Niet dat zij zich veel van de maan aantrekken, maar het zal ons wat bijlichten op onze weg.'
'O ja!' zei hij, als antwoord op verdere vragen van de hobbit. 'Je raakt in de war met de tijd in de aardmannentunnels. Vandaag is het donderdag en toen wij gevangen werden genomen, was het maandagavond of dinsdagmorgen. We hebben mijlen en mijlen afgelegd en zijn dwars door het hart van de bergen getrokken en bevinden ons nu aan de andere kant – een kortere weg binnendoor wat je noemt. Maar wij zijn niet op het punt uitgekomen waar onze pas ons zou hebben gebracht; wij zitten te ver naar het noorden en hebben moeilijk terrein voor ons. En ook zitten we nog vrij hoog. Laten we verdergaan!'
'Ik ben uitgehongerd,' gromde Bilbo, die plotseling besefte dat hij sinds de vorige avond niets had gegeten. Denk je eens in wat dat voor een hobbit betekent! Zijn maag rammelde en zijn benen waren slap, nu de opwinding voorbij was.
'Ik kan er niets aan doen,' zei Gandalf, 'tenzij je terug wilt gaan om de aardmannen beleefd te vragen of je je pony en je bagage terug mag hebben.'
'Nee, dank je,' zei Bilbo.
'Goed dan, we moeten de buikriem maar aanhalen en verdergaan – anders zullen we een ander tot maaltijd dienen en dat zal nog veel erger zijn dan zelf niets te eten te hebben.'
Toen ze verdergingen, keek Bilbo links en rechts of er iets eetbaars was, maar de bosbessen bloeiden nog maar pas en natuurlijk waren er geen noten en niet eens hagendoornbessen. Hij knabbelde op een stukje zuring en dronk uit een kleine bergstroom die het pad kruiste en at drie wilde aardbeien die hij op de oever vond, maar het hielp niet veel.

Ze gingen al verder en verder. Het oneffen pad verdween. De bosjes en het lange gras tussen de keien, de stukken kortgevreten gras, de tijm, de salie en de marjolein en de gele zonnerozen verdwenen alle en zij bevonden zich boven aan een brede steile steenhelling, de restanten van een aardverschuiving. Toen ze deze afdaalden, rolden vuil en kleine kiezels aan hun voeten naar omlaag en weldra denderden grotere stukken gebarsten steen naar beneden en sleurden al glijdend en rollend andere stukken met zich mee; toen raakten hele rotsblokken los en stortten in stofwolken met een donderend geweld naar beneden. Het duurde niet lang of de hele helling boven en beneden hen scheen te bewegen en zij gleden mee, allemaal op een kluitje in een vreselijke verwarring van geglij, geratel, barstende rotsen en stenen. De bomen, onderaan, waren hun redding. Zij gleden de rand van een woud van pijnbomen in dat hier recht op de berghelling stond en opklom uit de diepere en donkerder bomen in de dalen beneden. Sommigen kregen de boomstammen te pakken en gingen aan de lagere takken hangen en anderen (zoals de kleine hobbit) gingen achter een boom staan om zich te beveiligen tegen het rollend geweld van de rotsblokken. Weldra was het gevaar geweken: de lawine was tot stilstand gekomen en het laatste flauwe geraas klonk toen de grootste van de losgeraakte stenen springend en wentelend tussen de varens en de stammen van de pijnbomen in de diepte verdween.

'Nou, daardoor zijn we een eind opgeschoten,' zei Gandalf, 'en zelfs aardmannen die ons spoor volgen, zullen een hele dobber hebben om hier snel naar beneden te komen.'

'Dat zou ik denken,' gromde Bombur, 'maar ze zullen het niet moeilijk vinden om stenen op onze hoofden te gooien.' De dwergen (en Bilbo) voelden zich allerminst op hun gemak en wreven hun gekneusde en gehavende benen en voeten.

'Onzin! We zullen hier meteen afslaan zodat we uit de baan van de aardverschuiving raken. Maar we moeten ons haasten. Kijk het licht eens!'

De zon was allang achter de bergen verdwenen. De schaduwen om hen heen werden al donkerder, hoewel ze het avondlicht ver weg tussen de bomen door en over de zwarte toppen van de bomen die in de diepte groeiden nog over de vlakten konden zien schijnen. Ze strompelden nu zo snel ze konden voort langs de zacht glooiende hellingen van een dennenbos, langs een schuin pad dat geleidelijk zuidwaarts liep. Af en toe baanden zij zich een weg door een zee van varens waarvan de grote bladeren boven het hoofd van de hobbit uit kwamen; dan weer liepen ze geruisloos over een vloer van dennennaalden, maar voortdurend werd de duisternis in het bos zwaarder en de stilte dieper. Er was die avond geen wind, die ook maar een zuchtje in de takken van de bomen veroorzaakte.

'Moeten we nog verdergaan?' vroeg Bilbo toen het zo donker was dat hij Thorins baard nog maar net naast zich kon zien schommelen, en zo stil dat de ademhaling van de dwergen hem luid in de oren klonk. 'Mijn tenen zijn allemaal gekneusd en gebroken en mijn benen doen pijn en mijn maag rammelt als een lege zak.'
'Nog een eindje verder,' zei Gandalf.
Na wat wel eeuwen schenen, kwamen zij plotseling bij een opening waar geen bomen groeiden. De maan was al opgekomen en scheen op de open plek. Op de een of andere manier vonden ze het geen van allen een prettige plaats, hoewel er niets mee aan de hand scheen.
Ineens hoorden zij onder aan de heuvel een gehuil, een lang huiveringwekkend gehuil. Het werd beantwoord door een ander gehuil van rechts en heel wat dichterbij; en toen door nog één niet zo ver naar links. Het waren wolven die tegen de maan huilden, wolven die zich verzamelden!
Er woonden geen wolven in de buurt van meneer Balings' hol thuis, maar hij kende dat geluid. Men had het hem vaak genoeg in verhalen beschreven. Een van zijn oudere neven (van Toekszijde), die veel had gereisd, placht ze na te bootsen om hem bang te maken. Om het buiten in het bos bij maanlicht te horen was te veel voor Bilbo. Zelfs toverringen halen niet veel uit tegen wolven – vooral niet tegen de boosaardige troepen die in de schaduw van de door aardmannen geteisterde bergen woonden, over de Rand van de Wildernis, aan de grenzen van het onbekende. Dat soort wolven heeft een scherpere reuk dan aardmannen en hoeft je niet te kunnen zien om je te pakken.
'Wat moeten we doen, wat moeten we doen?' riep hij uit. 'Aan aardmannen ontsnappen om door wolven gepakt te worden!' zei hij, en het werd een spreekwoord, hoewel wij tegenwoordig onder dezelfde onbehaaglijke omstandigheden zeggen: 'Van de regen in de drup.'
'De bomen in, vlug!' riep Gandalf, en zij renden naar de bomen aan de rand van de open plek, en zochten naar exemplaren die vrij lage takken hadden of dun genoeg waren om in te klimmen. Ze zochten ze zo vlug ze konden uit, dat kun je je wel indenken, en ze klommen zo hoog als ze de takken konden vertrouwen. Je zou gelachen hebben (van een veilige afstand) als je de dwergen boven in de

bomen met hun neerbungelende baarden had kunnen zien zitten, als oude mannen die gek waren geworden en jongensspelletjes speelden. Fíli en Kíli zaten boven in een hoge lariks, als een enorme kerstboom. Dori, Nori, Ori, Oín en Gloín zaten wat gemakkelijker in een enorme dennenboom met regelmatige takken die om en om uitstaken als de spaken van een wiel. Bifur, Bofur, Bombur en Thorin zaten in een andere boom; Dwalin en Balin waren in een hoge slanke dennenboom met weinig takken geklommen en probeerden een plaatsje te vinden tussen het groen van de bovenste takken. Gandalf, die een stuk groter was dan de anderen, had een boom gevonden waar zij niet in konden klimmen; een grote den die vlak aan de rand van de open plek stond. Hij ging helemaal schuil in zijn takken, maar je kon zijn ogen in het maanlicht zien glanzen als hij naar buiten keek.

En Bilbo? Hij kon geen enkele boom in komen en rende van stam tot stam, als een konijn dat zijn hol kwijt is met een hond op de hielen.

'Je hebt de inbreker weer achtergelaten!' zei Nori tegen Dori, toen hij naar beneden keek.

'Ik kan niet altijd inbrekers op mijn rug nemen,' zei Dori, 'tunnels door en bomen in! Wat denk je wel dat ik ben? Een kruier?'

'Hij zal worden opgegeten als we niets doen,' zei Thorin, want van alle kanten klonk nu gehuil en het kwam steeds dichter bij. 'Dori!' riep hij uit, want Dori zat het laagste in de gemakkelijkste boom, 'vlug, help meneer Balings eens een handje!'

Ondanks zijn gemopper was Dori werkelijk een behoorlijke dwerg. De arme Bilbo kon zijn hand niet eens bereiken toen hij naar de laagste tak was afgedaald en zijn arm zover mogelijk omlaag liet bungelen. Daarom klom Dori zelfs uit de boom en liet Bilbo omhoog klauteren en op zijn schouders staan.

Op datzelfde ogenblik kwamen de wolven huilend de open plek binnen rennen. Ineens werden zij aangestaard door honderden ogen. Maar toch liet Dori Bilbo niet in de steek. Hij wachtte tot hij van zijn schouders in de takken was geklommen en toen pas sprong hij zelf de takken in. En net op tijd! Een wolf beet naar zijn jas toen hij zich optrok en kreeg hem bijna te pakken. Een minuut later stond er een hele troep om de boom heen te blaffen en tegen de stam op te springen, met vurige ogen en tongen die uit hun bek hingen.

Maar zelfs de wilde wargs (want zo werden de boze wolven aan de andere kant van de Rand van de Wildernis genoemd) kunnen niet in bomen klimmen. Voor een tijdje waren zij veilig. Gelukkig was

het warm en stond er geen wind. Bomen zijn nooit erg gerieflijk om lang in te zitten; maar in de kou en de wind, terwijl beneden wolven overal in het rond het op je hebben voorzien, kunnen het volmaakt waardeloze schuilplaatsen zijn.
Deze open plek in de kring van bomen was blijkbaar een verzamelplaats van de wolven. Er kwamen er steeds meer bij. Zij lieten wachters achter aan de voet van de boom waar Dori en Bilbo in zaten en gingen toen rondsnuffelen tot ze de lucht hadden van iedere boom waar iemand in zat. Die bewaakten zij eveneens, terwijl alle andere (honderden en honderden scheen het) in een grote kring op de open plek zaten; en in het midden van de kring zat een grote grijze wolf. Hij sprak hun toe in de afgrijselijke taal van de wargs. Gandalf verstond die, Bilbo niet, maar hij klonk afschuwelijk in zijn oren alsof zij alleen maar over boze en slechte dingen spraken. Af en toe gaven alle wargs hun leider tegelijk antwoord en hun afschuwelijke herrie maakte dat de hobbit bijna uit zijn pijnboom viel.
Ik zal je vertellen wat Gandalf hoorde, hoewel Bilbo het niet verstond. De wargs en de aardmannen hielpen elkaar vaak bij hun boze daden. Aardmannen wagen zich gewoonlijk niet erg ver van hun bergen, tenzij zij worden verjaagd en op zoek zijn naar nieuwe woonsteden, of ten strijde trekken (hetgeen gelukkig in heel lang niet is gebeurd). Maar in die dagen plachten zij af en toe op roof uit te gaan, vooral om aan eten te komen en aan slaven om voor hen te werken. Dan kregen zij vaak de hulp van de wargs en deelden de buit met hen. Soms reden zij op wolven, zoals mensen op paarden rijden. Het scheen nu dat er juist voor die nacht een grote aardmannenoverval was beraamd. De wargs waren de aardmannen tegemoetgekomen, maar de aardmannen waren laat. De reden was ongetwijfeld de dood van de Grote Aardman, en alle opwinding die was veroorzaakt door de dwergen, Bilbo en de tovenaar, die zij waarschijnlijk nog achternazaten.
Ondanks de gevaren van dit verre land waren stoutmoedige mensen er de laatste tijd van het Zuiden naar teruggekeerd, en hadden bomen geveld en huizen voor zichzelf gebouwd in de aangenamere bossen in de dalen en langs de rivieroevers. Zij waren met velen en zij waren dapper en goed bewapend, en zelfs de wargs durfden hen niet aan te vallen als zij met velen samen waren, of in het heldere daglicht. Maar nu hadden zij, met behulp van de aardmannen, het plan gesmeed om enkele van de dorpen die het dichtst bij de bergen lagen, bij nacht te overvallen. Als hun plan zou zijn uitgevoerd, zouden er de volgende dag geen meer over zijn geweest; iedereen

zou zijn gedood, behalve de paar die de aardmannen de wolven zouden hebben onthouden en als gevangenen naar hun grotten zouden hebben teruggevoerd. Dit was allemaal afschuwelijk om aan te horen, niet alleen vanwege die dappere woudmensen en hun vrouwen en kinderen, maar ook vanwege het gevaar dat Gandalf en zijn vrienden nu bedreigde. De wargs waren boos en verbaasd hen daar op hun vergaderplaats aan te treffen. Zij dachten dat het vrienden van de woudmensen waren die gekomen waren om hen te bespioneren en het nieuws van hun plannen naar de dalen te brengen; dan zouden de aardmannen en de wolven een verschrikkelijke slag hebben moeten leveren in plaats van gevangenen te maken en mensen te verslinden die plotseling uit hun slaap wakker waren geschrokken. Daarom waren de wargs niet van plan weg te gaan en de lieden in de bomen te laten ontsnappen, in ieder geval niet voor de ochtend. En lang daarvoor, zeiden ze, zouden aardmankrijgers uit de bergen komen; en aardmannen kunnen in bomen klimmen of ze in ieder geval omhakken.

Nu kun je begrijpen waarom Gandalf, toen hij hun gegrom en geblaf hoorde, erg bang begon te worden, al was hij dan een tovenaar, en van mening was dat zij in het nauw zaten en nog helemaal niet waren ontsnapt. Maar toch was hij niet van plan het hun gemakkelijk te maken, al kon hij niet veel uitrichten zoals hij daar in een hoge boom zat met wolven in een kring op de grond. Hij verzamelde de grote dennenappels van de takken van zijn boom. Toen stak hij er één met een helder blauw vuur aan en gooide hem sissend in de kring van wolven. Hij kwam op de rug van een wolf terecht en onmiddellijk vatte zijn haveloze pels vlam, en hij sprong afschuwelijk jankend in het rond. Toen kwam er nóg één en nóg één, met blauwe vlammen, een met rode en een andere met groene. Zij spatten in het midden van de kring op de grond uit elkaar en gingen in gekleurde vonken en rook op. Een bijzonder grote trof de wolvenaanvoerder op de neus en hij sprong tien voet de lucht in en rende toen almaar de kring rond terwijl hij in zijn woede en angst naar de andere wolven beet en gromde.

De dwergen en Bilbo schreeuwden en juichten. De woede van de wolven was vreselijk om te zien, en de herrie die zij maakten, vervulde het hele woud. Wolven zijn te allen tijde bang van vuur, maar dit was een afschuwelijk angstaanjagend vuur. Als een vonk in hun vacht terechtkwam, bleef die klitten en brandde in hun vlees, en als ze zich niet vlug op hun rug wentelden, stonden ze weldra in lichterlaaie. Het duurde niet lang of alle wolven op de open plek lagen op hun rug te rollen om de vonken in hun vacht te doven terwijl de andere die brandden, jankend rondrenden en andere aanstaken, tot hun eigen vrienden hen wegjoegen en ze, huilend en jammerend de hellingen afrenden, op zoek naar water.

'Wat is al die opschudding in het bos vanavond?' vroeg de Heer van de Adelaars. Hij zat, zwart in het maanlicht, op de top van een eenzame rotspunt aan de oostelijke rand van de bergen. 'Ik hoor wolvenstemmen! Zijn de aardmannen soms kwaad aan het bedrijven in de bossen?'
Hij wiekte de lucht in en onmiddellijk sprongen twee van zijn wachters aan weerskanten van de rotsen op om hem te volgen. Zij cirkelden in de lucht en keken neer op de kring van wargs, een heel kleine stip ver omlaag. Maar adelaars hebben scherpe ogen en kunnen kleine dingen op een grote afstand zien. De Heer van de Adelaars van de Nevelbergen had ogen die zonder te knipperen in de zon konden kijken en zelfs in het maanlicht een mijl beneden hem een konijn op de grond konden zien lopen. Hoewel hij de wezens in de bomen niet kon zien, zag hij de opschudding onder de wolven en de kleine vuurflitsen en kon hij zacht van ver beneden het gejank en geblaf horen. Ook zag hij het schijnsel van de maan op de speren en helmen van de aardmannen toen de lange rijen boze lieden langs de hellingen van de heuvels van hun poort afdaalden en zich slingerend een weg door het bos baanden.
Adelaars zijn geen vriendelijke vogels. Sommige zijn laf en wreed. Maar die van het oeroude ras van de noordelijke bergen waren de grootste van alle vogels. Zij waren trots, sterk en edelmoedig. Zij hielden niet van aardmannen en vreesden hen niet. Wanneer zij aandacht aan hen schonken (hetgeen zelden gebeurde, want zij aten deze schepselen niet) scheerden zij over hen heen en joegen hen krijsend terug naar hun grotten en maakten een eind aan het kwaad dat zij bedreven. De aardmannen haatten de adelaars en vreesden hen, maar konden hun hoge woonsteden niet bereiken of hen uit de bergen verdrijven. Deze avond was de Heer van de Adelaars nieuwsgierig om te weten wat er aan de hand was en daarom liet hij vele andere adelaars bij zich komen en zij vlogen weg van de bergen en langzaam, in steeds grotere kringen cirkelend, daalden zij lager en lager naar de kring van wolven en de verzamelplaats van de aardmannen.
En dat was maar goed ook! Afschuwelijke dingen hadden zich daarbeneden afgespeeld. De wolven die vlam hadden gevat en het bos in waren gevlucht, hadden het op verschillende plaatsen in brand gestoken. Het was hoog zomer en aan de oostkant van de bergen had het al enige tijd niet meer geregend. Vergelende varens,

gevallen takken, hoog opgetaste dennennaalden en hier en daar dode bomen gingen weldra in vlammen op. Overal om de open plek van de wargs stond alles in vuur en vlam. Maar de wolfwachters gingen niet bij de bomen weg. Razend en boos sprongen en huilden zij rondom de stammen en vervloekten de dwergen in hun afgrijselijke taal met tongen die uit de bek hingen en ogen die even rood en fel schenen als de vlammen.
Toen plotseling kwamen de aardmannen gillend aanrennen. Zij dachten dat er een gevecht met de woudmensen aan de gang was, maar zagen algauw wat er werkelijk gebeurd was. Sommigen van hen gingen zitten lachen. Anderen zwaaiden met hun speren en sloegen met de schachten tegen hun schilden. Aardmannen vrezen het vuur niet en al spoedig hadden zij een plan dat zij hoogst vermakelijk schenen te vinden. Sommigen verzamelden alle wolven in een troep. Anderen stapelden varens en kreupelhout om de boomstammen op. Anderen renden rond en stampten en sloegen totdat bijna alle vlammen gedoofd waren – maar het vuur dat het dichtst bij de bomen was waarin de dwergen zaten, doofden zij niet. Dat vuur wakkerden zij aan met bladeren en dode takken en varens. Weldra hadden zij een cirkel van rook en vlammen om de dwergen gelegd, een kring die zij niet verder buitenwaarts lieten gaan; maar hij werd langzaam nauwer, tot het lopende vuur aan de brandstof onder aan de bomen lekte. Er kwam rook in Bilbo's ogen, en hij kon de hitte van de vlammen voelen. En door de rook kon hij de aardmannen almaar in een kring rond zien dansen, als mensen rondom een midzomervreugdevuur. Buiten de kring van dansende krijgers met speren en bijlen stonden de wolven op eerbiedige afstand toe te kijken en af te wachten.
Hij kon horen dat de aardmannen een afschuwelijk lied aanhieven:

Vijftien vogeltjes in vijf sparren
hun veren in vurige wind aan 't warren!
Maar vreemde vogels, ze hadden geen zwingen!
Wat moeten we doen met die grappige dingen?
Levend roosteren, of langzaam stoven
en warm opdienen, zo uit de oven?

Toen zwegen zij en schreeuwden: 'Vlieg weg dan, kleine vogels. Vlieg weg als je kunt. Kom naar beneden, kleine vogels, als je niet in je nesten geroosterd wilt worden! Zing, zing, kleine vogels. Waarom zingen jullie niet?'
'Ga weg, kleine jongens!' riep Gandalf op zijn beurt. 'Het is geen

tijd om vogelnestjes uit te halen. En kleine jongens die met vuur spelen, worden gestraft.' Hij zei dit om hen boos te maken en om hun te laten zien dat hij niet bang van ze was – hoewel hij dat natuurlijk wel was, ook al was hij een tovenaar. Maar zij schonken er geen aandacht aan en zongen verder.

Brand, brand, boom en plant!
Schrompel en schroei! Een fakkel bloeit
en maakt de nacht op slag een pracht,
Joehee!

Bak en toost ze, braad en rooster ze!
Tot baarden as zijn, ogen glas zijn,
tot haar stinkt en huid barst,
vet smelt, botten zwart
blakeren; zo vlucht
onder de lucht
der dwergen zucht!
En maakt op slag de nacht een pracht,
Joehee,
Joehee, hee, hee!
Joehee!

En bij dit Joehee! kwamen de vlammen onder Gandalfs boom. Het volgende ogenblik sloegen ze op de andere bomen over. De schors vatte vlam, de onderste takken kraakten.
Toen klom Gandalf naar de top van zijn boom. De plotselinge glans schoot als een bliksemstraal uit zijn toverstaf toen hij zich opmaakte om uit de hoogte pardoes tussen de speren van de aardmannen te springen. Dat zou zijn einde hebben betekend, hoewel hij waarschijnlijk velen van hen zou hebben gedood als hij als een bliksemschicht naar beneden zou zijn geschoten. Maar hij kwam niet aan springen toe.
Want op datzelfde ogenblik kwam de Heer van de Adelaars omlaag duiken, greep hem in zijn klauwen en was gevlogen.

De aardmannen hieven een gehuil van woede en verbazing aan. Luid riep de Heer van de Adelaars tegen wie Gandalf nu had gesproken. En terug wiekten de grote vogels die bij hem waren en ze kwamen als grote zwarte schaduwen naar omlaag scheren. De wolven jammerden en knarsetandden; de aardmannen schreeuwden en stampten van woede en wierpen hun zware speren vergeefs de lucht

in. Boven hun hoofden scheerden de adelaars; het donkere geruis van hun wiekende vleugels deed hen ter aarde storten of verdreef hen; hun klauwen reten de gezichten van de aardmannen open. Andere vogels vlogen naar de boomtoppen en grepen de dwergen die nu zo ver zij durfden omhoog klauterden.
De arme kleine Bilbo werd bijna weer achtergelaten! Hij slaagde er nog net in Dori's benen te pakken te krijgen toen Dori als laatste van allemaal werd weggevoerd; en samen stegen zij omhoog boven het tumult en de brand, terwijl Bilbo in de lucht heen en weer zwaaide en zijn armen bijna braken.
Nu verspreidden de aardmannen en de wolven zich ver beneden hen her en der in de bossen. Enkele adelaars cirkelden en scheerden nog boven het slagveld. De vlammen rondom de bomen sprongen plotseling tot naar de hoogste takken op. Zij verbrandden in een knisterend vuur. Er volgde een uitbarsting van vonken en rook. Bilbo was net op tijd ontsnapt!
Weldra zagen zij het licht van het vuur flauw beneden zich, een rode schittering op de zwarte grond; en ze waren heel hoog in de lucht, steeds hoger stijgend in krachtige wiekende cirkels. Bilbo vergat die vlucht nooit of te nimmer, zoals hij aan Dori's enkels hing. Hij kreunde: 'M'n armen, m'n armen, m'n armen,' en Dori steunde: 'Mijn arme benen, mijn arme benen!'
Bilbo had nu eenmaal last van hoogtevrees. Hij kreeg het al te kwaad als hij over de rand van een lage rots keek, en hij had nooit van ladders gehouden, laat staan van bomen (omdat hij nog nooit eerder voor wolven had hoeven te vluchten). Dus je kunt je indenken hoe het hem nu duizelde toen hij tussen zijn bungelende tenen naar omlaag keek en het donkere landschap beneden zich zag liggen, hier en daar met maanlicht op een rotshelling of een stroom in de vlakte.
De bleke toppen van de bergen kwamen dichterbij: door de maan verlichte rotspieken die uit zwarte schaduwen omhoogstaken. Al was het zomer, het scheen erg koud. Hij sloot de ogen en vroeg zich af of hij het nog langer zou kunnen uithouden. Toen stelde hij zich voor wat er zou gebeuren als hij dat niet kon. Hij voelde zich misselijk.
De vlucht eindigde voor hem net op tijd: net voordat zijn armen het begaven. Hij liet Dori's enkels met een zucht los en viel op de ruwe bodem van een adelaarsnest. Daar bleef hij sprakeloos liggen en zijn gedachten waren een mengeling van verbazing dat hij van het vuur was gered, en angst dat hij van die smalle plek in de diepe schaduwen aan weerskanten zou vallen. Hij voelde zich werkelijk

bijzonder vreemd in zijn hoofd na de afschuwelijke avonturen van de afgelopen drie dagen waarin hij bijna niets te eten had gehad en hoorde zichzelf hardop zeggen: 'Nu weet ik hoe een stuk spek zich voelt wanneer het plotseling uit de pan aan een vork wordt geprikt en op de plank wordt teruggezet.'

'Nee, dat weet je niet!' hoorde hij Dori antwoorden. 'Want het spek weet dat het vroeg of laat toch weer in de pan terechtkomt, maar het is te hopen dat dat met ons niet zal gebeuren. En bovendien zijn adelaars geen vorken.'

'O nee, ze lijken helemaal niet op vorken,' zei Bilbo, die rechtop ging zitten en angstvallig naar de adelaar keek, die vlakbij zat. Hij vroeg zich af wat voor nonsens hij nog meer had uitgekraamd en of de adelaar hem onbeleefd zou vinden. Je mag niet onbeleefd zijn tegen een adelaar als je zo klein bent als een hobbit en 's nachts in zijn nest zit!

De adelaar scherpte zijn snavel slechts aan een steen en streek zijn veren glad en nam geen notitie.

Weldra kwam er een tweede adelaar aanvliegen. 'De Heer van de Adelaars verzoekt je je gevangenen naar de Grote Richel te brengen,' riep hij en hij was weer weg. De andere pakte Dori in zijn klauwen en vloog met hem weg de nacht in en liet Bilbo helemaal alleen achter. Hij had nog net de kracht om zich af te vragen wat de boodschapper met 'gevangenen' had bedoeld en zich voor te stellen dat hij bij wijze van maaltijd als een konijn zou worden verslonden, toen hij zelf aan de beurt kwam.

De adelaar kwam terug, greep hem met de klauwen bij zijn jasje en scheerde weg. Deze keer vloog hij maar een klein eind. Weldra werd Bilbo, rillend van angst, op een brede rotsrand op de berghelling neergezet. Er was geen andere manier om naar beneden te komen dan door te vliegen en geen andere om eraf te komen dan door over een afgrond te springen. En daar trof hij alle anderen aan, met hun rug tegen de bergwand gezeten. De Heer van de Adelaars was daar ook en hij was met Gandalf in gesprek.

Het kwam Bilbo voor dat hij achteraf toch niet zou worden opgegeten. De tovenaar en de Heer van de Adelaars schenen elkaar oppervlakkig te kennen en zelfs op goede voet te verkeren. In feite had Gandalf, die vaak in de bergen was geweest, de adelaars eens een goede dienst bewezen en hun heer van een pijlwond genezen. Dus je ziet dat 'gevangenen' alleen had betekend 'gevangenen die van de aardmannen waren gered' en niet 'gevangenen van de adelaars'. Toen Bilbo naar het gesprek van Gandalf luisterde, besefte hij eindelijk dat zij werkelijk uit die afschuwelijke bergen zouden ontsnappen. Hij besprak plannen met de Grote Adelaar om de dwergen en hemzelf en Bilbo heel ver weg te voeren en ze een heel eind op hun weg op de vlakten in de diepte neer te zetten.

De Heer van de Adelaars weigerde hen ergens heen te brengen waar mensen woonden. 'Zij zouden met hun grote bogen van taxushout op ons schieten,' zei hij, 'want zij zouden denken dat wij het op hun schapen hadden voorzien. Nee, we zijn blij als we de aardmannen een hak kunnen zetten en blij u een wederdienst te kunnen bewijzen, maar wij willen ons leven niet voor dwergen in de zuidelijke vlakten in de waagschaal stellen.'

'Goed dan,' zei Gandalf. 'Breng ons waar en zover u wilt. Wij zijn u al diepe dank verschuldigd. Maar ondertussen zijn wij bijna uitgehongerd.'

'Ik ben bijna dood van de honger,' zei Bilbo met een zwak klein stemmetje dat niemand hoorde.

'Daar is misschien wel iets aan te doen,' zei de Heer van de Adelaars.

Later zou je misschien een helder vuur op de rotsrichel hebben gezien en daaromheen de gestalten van de dwergen die aan het kokkerellen waren en een heerlijke braadgeur veroorzaakten. De adelaars hadden droge takken naar boven gebracht om een vuur mee te maken, en zij hadden konijnen, hazen en een klein schaap gebracht. De dwergen slaagden erin alle toebereidselen te maken. Bilbo was te zwak om te helpen en in elk geval was hij niet erg goed in het villen van konijnen of vlees snijden, aangezien hij gewend was om het panklaar van de slager thuis te krijgen. En ook Gandalf rustte wat nadat hij had geholpen het vuur aan te maken, aangezien Oín en Gloín hun tondeldozen verloren hadden. (Dwergen moeten tot de dag van vandaag niets van lucifers hebben.)

Zo eindigden de avonturen in de Nevelbergen. Weldra voelde Bilbo's buik weer lekker dik en behaaglijk aan en hij geloofde dat hij nu tevreden kon slapen, hoewel hij eigenlijk liever brood met dik boter zou hebben gehad dan stukjes geroosterd vlees aan stokjes. Hij sliep ineengerold op de harde rots vaster dan hij ooit in zijn eigen hol op zijn veren bed had gedaan. Maar de hele nacht droomde hij van zijn eigen kleine hol thuis en dwaalde in zijn slaap door al zijn kamers op zoek naar iets waarvan hij zich niet kon herinneren hoe het eruitzag.

VII. Vreemd onderdak

De volgende morgen werd Bilbo met de vroege zon in de ogen wakker. Hij sprong op om te kijken hoe laat het was en het theewater op te zetten – maar merkte dat hij helemaal niet thuis was. Dus ging hij weer zitten en verlangde vergeefs naar een was- en borstelbeurt. Hij kreeg geen van beide en evenmin thee of geroosterd brood of spek voor zijn ontbijt; alleen maar koud schapenvlees en konijn. En daarna moest hij zich gereedmaken om weer op weg te gaan.

Deze keer mocht hij op de rug van een adelaar klimmen en zich tussen de vleugels vasthouden. De lucht stroomde over hem heen en hij sloot zijn ogen. De dwergen riepen afscheidsgroeten en beloofden de Heer van de Adelaars een wederdienst te bewijzen als zij dat ooit konden, toen vijftien grote vogels van de berghelling opvlogen. De zon stond nog dicht bij de oostelijke rand van de wereld. De ochtend was koel en er hingen nevels in de dalen en holten en ze slierten hier en daar om de toppen en pieken van de heuvels. Bilbo deed een oog open om te kijken en zag dat de vogels al heel hoog waren en de wereld ver weg was, en de bergen achter hen uit het gezicht waren verdwenen. Hij sloot de ogen weer en hield zich nog steviger vast.

'Niet knijpen!' zei zijn adelaar. 'Je hoeft niet bang te zijn als een konijn, ook al lijk je erop. Het is een mooie ochtend met weinig wind. Wat is er heerlijker dan vliegen?'

Bilbo had willen zeggen: 'Een warm bad en daarna een laat ontbijt op het grasveld'; maar hij vond het beter om niets te zeggen en zijn greep wat te verslappen.

Na een behoorlijke tijd moeten de adelaars het punt hebben gezien waar zij heen wilden, zelfs van hun grote hoogte, want zij begonnen in grote kringen te dalen. Dit duurde heel lang en ten slotte opende de hobbit zijn ogen weer. De aarde was nu veel dichterbij en onder hen waren bomen die eruitzagen als eiken en iepen en uitgestrekte graslanden en een rivier die door dit alles stroomde. Maar uit de grond, midden in de loop van de rivier, die er in een lus omheen liep, stak een grote rots, bijna een heuvel van steen, als een

laatste uitloper van de verre bergen, of een enorm blok dat door een reus onder de reuzen mijlenver de vlakte in was geslingerd.
Snel scheerden de adelaars nu één voor één naar de top van deze rots en zetten hun passagiers af.
'Vaarwel,' riepen zij, 'waarheen je ook gaat, tot je nesten je aan het einde van je reis ontvangen!' Dat is de gebruikelijke beleefdheidsgroet onder adelaars.
'Moge de wind onder jullie vleugels je dragen waar de zon zweeft en de maan omloopt,' antwoordde Gandalf, die het juiste antwoord kende.
En zo scheidden zij. En hoewel de Heer van de Adelaars in latere tijd de koning van alle vogels werd en een gouden kroon droeg, en zijn vijftien opperhoofden gouden kragen (vervaardigd van het goud dat de dwergen hun gaven), zag Bilbo hen nooit weer – behalve heel hoog en in de verte in de slag van de Vijf Legers. Maar aangezien die aan het einde van dit verhaal komt, zullen wij er nu verder niets over zeggen.
Er was een platte ruimte boven op de heuvel van steen en een uitgesleten pad met veel treden die omlaag naar de rivier leidden, waarover een voorde van enorme platte stenen naar het grasland aan de overkant van de stroom voerde. Er was een kleine grot (een betrouwbare met een vloer van kiezel) aan de voet van de trap en bij het einde van de steenachtige voorde. Hier verzamelde het gezelschap zich en besprak wat hun te doen stond.
'Het was altijd mijn bedoeling om jullie allemaal (zo mogelijk) veilig over de bergen heen te loodsen,' zei de tovenaar, 'en nu ben ik daar door wijs beleid en met geluk in geslaagd. Wij zijn nu werkelijk een heel stuk verder dan ik ooit van plan was geweest om met jullie mee te gaan, want per slot van rekening is dit niet mijn avontuur. Misschien kom ik nog eens kijken voor het allemaal voorbij is, maar ondertussen wachten mij andere dringende zaken.'
De dwergen kreunden en keken erg terneergeslagen, en Bilbo huilde. Ze hadden de indruk gekregen dat Gandalf de hele reis zou meemaken en er altijd zou zijn om hen uit de moeilijkheden te helpen. 'Ik ga er nog niet meteen vandoor,' zei hij. 'Ik kan nog een paar dagen bij jullie blijven. Waarschijnlijk kan ik jullie uit je huidige moeilijkheden helpen, en ik heb zelf ook enige hulp nodig. We hebben geen eten en geen bagage en geen pony's om op te rijden; en jullie weten niet waar je bent. Nu kan ik jullie dat vertellen. Jullie zijn nog enkele mijlen ten noorden van het pad dat wij hadden moeten volgen als we niet overhaast van het bergpad af waren gegaan. In deze streken wonen heel weinig mensen, tenzij ze zich hier

gevestigd hebben sinds ik de laatste keer hier was, wat alweer enige jaren geleden is. Maar ik ken *iemand*, die hier niet ver vandaan woont. Die Iemand heeft de trappen op de grote rots gemaakt, de Karrots geloof ik dat hij hem noemt. Hij komt hier niet vaak, vooral overdag niet, en het heeft geen zin op hem te wachten. Het zou eigenlijk heel gevaarlijk zijn. Wij moeten hem gaan zoeken; en als alles tijdens onze ontmoeting goed verloopt, denk ik dat ik weg zal gaan en jullie, net als de adelaars, een "vaarwel waarheen je ook gaat" zal wensen.'
Ze smeekten hem hun niet te verlaten. Zij boden hem drakengoud, zilver en juwelen aan, maar hij bleef bij zijn besluit. 'We zullen zien, we zullen zien!' zei hij. 'En ik denk dat ik al een gedeelte van jullie drakengoud verdiend heb – als je het krijgt.'

Daarna hielden ze op met soebatten. Toen trokken zij hun kleren uit en baadden zich in de rivier, die bij de voorde ondiep, helder en rotsachtig was. Toen ze zich in de zon, die nu krachtig en warm scheen, hadden laten drogen, voelden ze zich verfrist hoewel nog wat pijnlijk en enigszins hongerig. Weldra staken ze de voorde over (waarbij ze de hobbit droegen) en begonnen toen aan de tocht door het lange groene gras en langs de breedarmige eiken en hoge iepen.
'En waarom wordt hij de Karrots genoemd?' vroeg Bilbo toen hij naast de tovenaar voortliep.
'Hij heeft hem de Karrots genoemd, omdat karrots zijn woord ervoor is. Hij noemt dergelijke dingen karrotsen en dit is *de* Karrots, omdat hij de enige is die dicht bij zijn woonstee staat en hij hem goed kent.'
'Wie noemt wat? Wie kent wat?'
'De Iemand waarover ik sprak – een bijzonder voornaam iemand. Jullie moeten allemaal heel beleefd zijn wanneer ik je voorstel. Ik zal jullie geleidelijk voorstellen, met tweeën tegelijk, denk ik; en jullie moeten ervoor oppassen dat je hem niet ergert, anders mag de hemel weten wat er zal gebeuren. Hij kan afschuwelijk zijn als hij boos is, hoewel hij erg vriendelijk is als je hem goed aanpakt. Maar toch, ik waarschuw jullie dat hij gemakkelijk boos wordt.'
De dwergen kwamen allemaal om hem heen staan toen ze de tovenaar dit tegen Bilbo hoorden zeggen. 'Is dat degene naar wie je ons nu toebrengt?' vroegen ze. 'Kun je niet iemand met een beter humeur vinden? Zou je het misschien allemaal niet een beetje duidelijker kunnen uitleggen?' Enzovoort.
'Ja, dat is hem, inderdaad! Nee, dat kan ik niet! En ik heb het heel zorgvuldig uitgelegd,' antwoordde de tovenaar boos. 'Als je het dan

met alle geweld moet weten, hij heet Beorn. Hij is heel sterk, en hij is een huidenwisselaar.'

'Wat! Een bontwerker, een man die konijnen wippers noemt, als hij hun huiden niet in eekhoorns verandert?' vroeg Bilbo.

'Lieve hemel, nee, nee, NEE!' zei Gandalf. 'Doe niet zo gek, meneer Balings, en in naam van alle mirakels, praat niet meer van bontwerker zolang je binnen de honderd mijl van zijn huis bent, en ook niet over kleed, cape, mol of andere van dergelijke ongelukkige woorden! Hij is een huidenwisselaar. Hij verandert van huid: soms is hij een enorme zwarte beer, dan weer een grote zwartharige man met grote armen en een grote baard. Veel meer kan ik jullie er niet over vertellen, maar dit behoort genoeg te zijn. Sommigen beweren dat hij een beer is die afstamt van de grote beren van vroeger uit de bergen die daar woonden voor de reuzen kwamen. Anderen beweren dat hij een mens is die afstamt van de eerste mensen die leefden voor Smaug of de andere draken in dit deel van de wereld verschenen en voor de aardmannen uit het noorden de heuvels in trokken. Ik weet het niet, hoewel ik denk dat het laatste het ware verhaal is. Hij is niet iemand aan wie je vragen stelt.

In elk geval verkeert hij onder geen andere betovering dan die van zichzelf. Hij woont in een eikenbos en heeft een groot houten huis; en als mens houdt hij er vee en paarden op na die bijna even wonderbaarlijk zijn als hijzelf. Ze werken voor hem en praten met hem. Hij eet ze niet, en ook jaagt hij niet op wilde dieren en eet die ook niet. Hij heeft hopen bijenkorven met grote felle bijen en leeft voornamelijk van room en honing. Als beer zwerft hij heinde en ver. Ik heb hem eens helemaal alleen 's nachts op de top van de Karrots zien zitten terwijl hij de maan naar de Nevelbergen zag dalen en ik hoorde hem grommen in de taal van de beren: "Eens zal er een dag komen dat zij zullen ondergaan en ik zal teruggaan!" Daarom geloof ik dat hij eens zelf uit de bergen is gekomen!'

Bilbo en de dwergen hadden nu genoeg stof tot nadenken, en stelden geen vragen meer. Zij hadden nog een heel eind te gaan. Ze sjokten heuvel op en heuvel af. Het werd heel warm. Soms rustten zij onder de bomen en dan voelde Bilbo zich zo hongerig dat hij eikels zou hebben gegeten als ze al rijp genoeg waren geweest om op de grond te zijn gevallen.

De middag was al een eind gevorderd voor zij merkten dat er grote plekken met bloemen waren verschenen, soort bij soort, alsof ze waren geplant. Er stond vooral veel klaver, wuivende bedden hanenkamklaver, en paarse klaver en grote bedden witte, zoete, naar honing geurende klaver. Er klonk gezoem, gesuis en gegons in de lucht. Overal waren bezige bijen. En wat voor bijen! Bilbo had nog nooit zoiets gezien.

Als ik door zo'n bij gestoken zou worden, dacht hij, zou ik nog eens zo dik opzwellen als ik al ben.

Ze waren groter dan horzels. De darren waren een stuk groter dan je duim, en de gele ringen op hun diepzwarte lijven glansden als vlammend goud.

'We zijn er bijna,' zei Gandalf. 'We zijn nu aan de rand van zijn bijenvelden.'

Na een tijdje kwamen zij bij een gordel van hoge, heel oude eiken en daarachter groeide een hoge doornhaag waar je niet door kon zien, en evenmin overheen kon klauteren.

'Blijven jullie hier maar wachten,' zei de tovenaar tegen de dwergen. 'Wanneer ik roep of fluit, volg mij dan – jullie zullen wel zien waar ik heen ga – maar alleen in paren, denk erom, en met tussenpozen van ongeveer vijf minuten. Bombur is de dikste en telt voor twee. Kom mee, meneer Balings! Er is hier in de buurt ergens een hek.' En hierop ging hij op weg langs de haag en nam de angstige hobbit met zich mee.

Weldra kwamen zij bij een houten hek, hoog en breed, waarachter zij tuinen en een groepje lage houten gebouwen konden zien liggen, sommige met een rieten dak en gemaakt van ruwe houten blokken; schuren, stallen, loodsen en een lang, laag houten huis. Binnen, aan de zuidkant van de grote haag, stonden lange rijen bijenkorven met klokvormige bovenkanten, gemaakt van stro. Het gegons van de reuzenbijen die af en aan vlogen en naar binnen en buiten kropen, vervulde de lucht.

De tovenaar en de hobbit duwden het zware krakende hek open en liepen over een breed pad naar het huis. Enkele paarden, heel slank en goed verzorgd, kwamen over het gras naar hen toe draven en keken hen aandachtig met heel intelligente gezichten aan en galoppeerden toen weg naar de gebouwen.

'Ze zijn hem de komst van vreemdelingen gaan melden,' zei Gandalf.

Weldra kwamen zij bij een binnenplaats, die aan drie kanten werd ingesloten door de muren van het houten huis en zijn twee lange vleugels. In het midden lag een grote eikenstam met vele gekapte takken ernaast. Daarbij stond een enorme man met een dikke zwarte baard en haardos en grote blote armen en gespierde benen. Hij was gekleed in een wollen tuniek die tot aan zijn knieën reikte,

en leunde op een grote bijl. De paarden stonden naast hem met hun neuzen op zijn schouder.
'Hoei! Daar zijn ze!' zei hij tegen de paarden. 'Ze zien er niet gevaarlijk uit. Jullie mogen gaan!' Hij lachte bulderend, legde de bijl neer en liep naar voren.
'Wie zijn jullie en wat moeten jullie?' vroeg hij bars terwijl hij voor hen stond en hoog boven Gandalf uitrees. Wat Bilbo betrof, hij had gemakkelijk tussen zijn benen door kunnen rennen zonder het hoofd te buigen om het niet tegen de zoom van 's mans bruine tuniek te stoten.
'Ik ben Gandalf,' zei de tovenaar.
'Nooit van gehoord,' gromde de man. 'En wat is dit kereltje?' vroeg hij en hij boog zich voorover om de hobbit met zijn borstelige zwarte wenkbrauwen dreigend aan te kijken.
'Dit is meneer Balings, een hobbit van goede familie en onbesproken gedrag,' zei Gandalf. Bilbo maakte een buiging. Hij had geen hoed om af te nemen en was zich pijnlijk bewust van zijn vele ontbrekende knopen. 'Ik ben een tovenaar,' vervolgde Gandalf. 'Al hebt u niet van mij gehoord, ik heb van u gehoord; maar misschien hebt u van mijn goede neef Radagast gehoord, die bij de zuidelijke grenzen van het Demsterwold woont.'
'Ja, geen slechte kerel voor zover je dat van tovenaars kunt zeggen. Ik zag hem af en toe wel eens,' zei Beorn. 'Welaan, nu weet ik wie u bent of wie u beweert te zijn. Wat wilt u?'
'Om u de waarheid te zeggen, wij hebben onze bagage verloren en zijn bijna de weg kwijtgeraakt en hebben hulp nodig, of in elk geval goede raad. Ik moet zeggen dat we het nogal zwaar te verduren hebben gehad met aardmannen in de bergen.'
'Aardmannen?' zei de grote man, minder grommig. 'Oho, dus jullie hebben moeilijkheden met hén gehad? Waarom zijn jullie in hun buurt gekomen?'
'Dat was niet onze bedoeling. Zij hebben ons bij nacht verrast in een pas die wij door moesten gaan; wij kwamen uit de landen in het Westen naar deze gebieden – het is een lang verhaal.'
'Kom dan liever binnen en vertel me er wat van, als het maar niet de hele dag duurt,' zei de man en hij ging hun voor door een donkere deur die van de binnenplaats toegang gaf tot het huis.
Toen ze hem volgden, kwamen ze in een grote zaal met een haardstee in het midden. Hoewel het zomer was, brandde er een houtvuur en de rook steeg op naar beroete balken op zoek naar een uitweg door een opening in het dak. Zij liepen door deze schemerachtige zaal, die slechts door het vuur en de opening erboven werd ver-

licht, en gingen door een kleinere deur naar een soort veranda die steunde op houten palen die van boomstammen waren gemaakt. Deze lag op het zuiden en was nog warm en vervuld van het licht van de ondergaande zon die er schuin in scheen en de bloementuin die helemaal tot aan de trap kwam, verguldde.

Hier gingen zij op houten banken zitten terwijl Gandalf zijn verhaal begon en Bilbo met zijn benen zat te bengelen en naar de bloemen in de tuin keek en zich afvroeg hoe ze heetten omdat hij de helft ervan nog nooit eerder had gezien.

'Ik ben met één of twee vrienden over de bergen gekomen...' zei de tovenaar.

'Of twee? Ik zie er maar één en bovendien een heel kleintje,' zei Beorn.

'Welnu, om u de waarheid te zeggen wilde ik u niet lastigvallen met een hoop van ons tot ik erachter was gekomen of u het druk had. Ik zal hen roepen als u het goedvindt.'

'Vooruit, roep maar!'

Dus floot Gandalf schril en lang, en weldra kwamen Thorin en Dori langs het tuinpad om het huis heen en bleven diep buigend voor hen staan.

'U bedoelde één of drie, zie ik,' zei Beorn. 'Maar dit zijn geen hobbits, dit zijn dwergen!'

'Thorin Eikenschild, uw dienaar! Dori, uw dienaar!' zeiden de twee dwergen en zij maakten opnieuw een buiging.

'Ik heb uw diensten niet nodig, dank u,' zei Beorn. 'Maar ik neem aan dat u de mijne nodig hebt. Ik ben niet zo gek op dwergen, maar als het waar is dat u Thorin bent – zoon van Thraín, zoon van Thrór, meen ik – en dat uw metgezel eerbiedwaardig is en dat u vijanden bent van de aardmannen en geen slechte bedoelingen hebt in mijn landen – maar wat bent u eigenlijk van plan?'

'Zij zijn op weg om het land van hun voorvaderen ten oosten van het Demsterwold te bezoeken,' merkte Gandalf op, 'en het is helemaal bij toeval dat wij in uw landen zijn. Wij staken de bergen over via de Hoge Pas, die ons op de weg zou hebben gebracht die ten zuiden van uw land loopt toen wij door de slechte aardmannen werden overvallen – zoals ik u net wilde vertellen.'

'Vertel dan verder!' zei Beorn, die nooit erg beleefd was.

'Er was een verschrikkelijk onweer: de steenreuzen waren met rotsblokken aan het gooien en aan het begin van de pas zochten wij onze toevlucht in een grot, de hobbit en enkelen van onze metgezellen...'

'Noemt u twee enkelen?'

'Eigenlijk niet. Eigenlijk waren het er meer dan twee.'
'Waar zijn ze? Gedood, opgegeten, naar huis gegaan?'
'O nee. Ze schijnen niet allemaal gekomen te zijn toen ik floot. Verlegen, vermoed ik. Ziet u, we vrezen dat we met nogal velen zijn om een beroep op uw gastvrijheid te doen.'
'Vooruit, fluit nog maar eens! Het ziet ernaar uit dat ik gasten krijg, en één of twee meer zullen niet veel verschil maken,' gromde Beorn. Gandalf floot opnieuw; maar Nori en Ori waren er al bijna voor hij was opgehouden, want, zoals je je zult herinneren, had Gandalf hun gezegd om de vijf minuten in paren te komen.
'Hallo,' zei Beorn. 'Jullie zijn behoorlijk vlug gekomen – waar hadden jullie je verstopt? Vooruit, mijn duveltjes in een doosje!'
'Nori, uw dienaar, Ori uw...' begonnen zij, maar Beorn viel hun in de rede.
'Dank je! Wanneer ik jullie hulp nodig heb, zal ik er wel om vragen. Ga zitten en schiet op met dit verhaal, anders is het etenstijd voor het uit is.'
'Zodra we sliepen,' vervolgde Gandalf, 'opende zich achter in de grot een spleet; er kwamen aardmannen uit die de hobbit en de dwergen en onze troep pony's grepen -'
'Troep pony's? Wat waren jullie – een rondreizend circus? Of hadden jullie een hoop goederen bij je? Of noemen jullie zes altijd een troep?'
'O nee! Eigenlijk waren er meer dan zes pony's, want wij waren ook met meer dan zes – kijk, daar zijn er nog twee!' Op datzelfde ogenblik verschenen Balin en Dwalin en maakten zo'n diepe buiging dat hun baarden over de stenen vloer veegden. Eerst fronste de grote man het voorhoofd, maar zij deden hun uiterste best om vreselijk beleefd te zijn en bleven almaar knikken en buigen en hun kappen voor hun knieën zwaaien (op echte dwergenmanier), tot hij niet langer dreigend keek, maar in een kakelend gelach uitbarstte; ze zagen er zo komiek uit.
'Troep was juist,' zei hij. 'Een mooie komische troep. Kom binnen, vrolijke vriendjes, en hoe heten jullie? Jullie diensten verlang ik momenteel niet, alleen jullie namen; en ga dan zitten en houd op met dat geknik.'
'Balin en Dwalin,' zeiden ze en ze hadden de moed niet zich beledigd te voelen, en gingen met een plof op de vloer zitten en keken nogal verbaasd.
'Ga maar weer verder!' zei Beorn tegen de tovenaar.
'Waar was ik gebleven? O ja. Ik werd niét gegrepen. Ik doodde een stelletje aardmannen met een flits –'

'Goed,' gromde Beorn. 'Er zit toch wel iets goeds in om een tovenaar te zijn.'
'– en liet mij in de spleet glijden voor die zich sloot. Ik volgde hen naar de grote zaal die vol was met aardmannen. De Grote Aardman was daar met dertig of veertig gewapende schildwachten. Ik dacht bij mezelf: Ook al waren ze niet allemaal aan elkaar geketend, wat kunnen een dozijn tegen zovelen uitrichten?'
'Een dozijn! Dat is de eerste keer dat ik acht een dozijn heb horen noemen. Of hebt u nog meer duveltjes die nog niet uit hun doosjes zijn gekomen?'
'Nou ja, er schijnen er nu nog een paar meer te zijn – Fíli en Kíli, geloof ik,' zei Gandalf toen deze twee nu verschenen en stonden te lachen en te buigen.
'Zo is het genoeg!' zei Beorn. 'Ga zitten en houd je gemak. Ga verder, Gandalf!'
En dus vervolgde Gandalf zijn verhaal tot hij bij het gevecht in het donker kwam, de ontdekking van de benedenpoort en hun ontzetting toen zij merkten dat meneer Balings zoek was geraakt. 'Wij telden de hoofden en merkten dat er geen hobbit was. Wij waren nog maar met ons veertienen.'
'Veertien! Dat is de eerste keer dat ik hoor dat tien min één veertien is. Je bedoelt negen, of je hebt me nog niet alle namen van je gezelschap genoemd.'
'O ja, natuurlijk, u hebt Oín en Gloín nog niet gezien. En wat een geluk, daar komen ze net aan! Ik hoop dat u het hun niet kwalijk zult nemen dat ze u lastigvallen.'
'O, laat ze allemaal maar komen. Schiet op! Kom hier jullie tweeën, en ga zitten. Maar luister eens, Gandalf, nu hebben we alleen nog maar jezelf en tien dwergen en de hobbit die zoek was. Dat zijn er maar elf (plus één die zoek was) en niet veertien, tenzij tovenaars anders tellen dan andere lieden. Maar ga alsjeblieft verder met het verhaal.' Beorn liet het zo min mogelijk blijken, maar hij was er werkelijk veel belang in gaan stellen. Zie je, in vroegere tijden had hij het gedeelte van de berg dat Gandalf beschreef, gekend. Hij knikte en hij bromde toen hij hoorde hoe de hobbit weer op het toneel was verschenen en van hun afdaling van de steenverschuiving en de wolvenkring in de bossen.
Toen Gandalf vertelde dat zij in bomen waren geklommen terwijl de wolven allemaal aan de voet waren, stond hij op, liep heen en weer en mompelde: 'Ik wou dat ik erbij was geweest. Ik zou ze meer dan vuurwerk hebben gegeven!'
'Nu,' zei Gandalf, die heel blij was om te zien dat zijn verhaal een

goede indruk maakte, 'ik heb gedaan wat ik kon. Daar zaten we terwijl de wolven beneden ons waanzinnig werden en het bos op verschillende plaatsen in brand vloog, toen de aardmannen uit de heuvels naar beneden kwamen en ons ontdekten. Ze gilden van verrukking en zongen liederen waarin ze ons bespotten. *Vijftien vogels in vijf sparren...*'
'Lieve hemel!' gromde Beorn. 'Doe nu niet alsof aardmannen niet kunnen tellen, want dat kunnen ze wel. Twaalf is geen vijftien en dat weten ze drommels goed.'
'En ik ook. Bifur en Bofur waren er ook bij. Ik heb ze niet eerder durven voorstellen, maar daar komen ze.'
Bifur en Bofur kwamen binnen. 'En ik ben er ook nog!' hijgde Bombur, die er puffend achteraan kwam. Hij was dik en ook nijdig omdat hij de laatste moest zijn. Hij weigerde vijf minuten te wachten en kwam vlak na de andere twee.
'Welnu, nu zijn jullie *werkelijk* met zijn vijftienen, en aangezien aardmannen kunnen tellen, neem ik aan dat dat alles was wat er in de bomen zat. Misschien kunnen we het verhaal nu zonder verdere onderbrekingen afmaken.' Meneer Balings zag toen in hoe handig Gandalf was geweest. De onderbrekingen hadden Beorn werkelijk meer geïnteresseerd gemaakt in het verhaal, en het verhaal had hem belet de dwergen meteen als verdachte bedelaars weg te sturen. Hij nodigde nooit mensen bij zich thuis als hij het kon verhinderen. Hij had slechts weinig vrienden en die woonden een heel eind weg; en hij inviteerde er nooit meer dan een paar tegelijk bij zich thuis. En nu had hij vijftien vreemdelingen op zijn veranda zitten!
Tegen de tijd dat de tovenaar zijn verhaal had beëindigd en verteld had van de redding door de adelaars en hoe ze allen naar de Karrots waren gevoerd, was de zon achter de toppen van de Nevelbergen gedaald en waren de schaduwen in Beorns tuin lang geworden.
'Een bijzonder goed verhaal!' zei hij. 'Het beste dat ik in lange tijd heb gehoord. Als alle bedelaars zo'n goed verhaal konden vertellen, zouden ze mij misschien vriendelijker vinden. Het kan natuurlijk zijn dat je het allemaal verzint, maar jullie verdienen niettemin een avondmaal voor het verhaal. Laten we iets gaan eten!'
'Ja, graag,' riepen ze in koor. 'Dank u vriendelijk!'

Binnen in de zaal was het nu helemaal donker. Beorn klapte in de handen en vier prachtige witte pony's en een paar grote slanke grijze honden kwamen binnen. Beorn zei iets tegen ze in een rare taal, als diergeluiden die waren vertaald. Ze gingen weer naar buiten en kwamen weldra terug met fakkels in de bek, die zij aan het vuur ontstaken en in lage houders aan de zuilen van de zaal rondom de centrale haardstee staken. De honden konden op hun achterpoten staan als ze dat wilden en met hun voorpoten dingen dragen. Snel haalden zij planken en schragen van de zijmuren en zetten ze bij het vuur op.

Toen hoorden ze bè-bè-bè! en er kwamen sneeuwwitte schapen binnen, die werden voorafgegaan door een grote gitzwarte ram. Eén droeg een wit laken dat aan de randen met dierfiguren was geborduurd; andere droegen op hun brede ruggen dienbladen met nappen en borden en messen en houten lepels, die de honden pakten en op de schragentafels legden. Deze waren heel laag, zo laag dat Bilbo er gemakkelijk aan kon zitten. Daarnaast schoof een pony twee lage bankjes met brede rieten zittingen en korte dikke poten voor Gandalf en Thorin aan, terwijl hij helemaal aan het einde Beorns grote zwarte stoel van dezelfde soort neerzette (waarin hij met zijn lange benen ver onder de tafel uitgestrekt zat). Dit waren alle stoelen die hij in zijn zaal had, en waarschijnlijk waren ze, evenals de tafels, laag ten gerieve van de wonderlijke dieren die hem bedienden. Maar waar zaten de anderen op? Die werden niet vergeten. De andere pony's rolden ronde, tromvormige delen van blokken, die gladgemaakt en gepolijst waren, en zelfs voor Bilbo laag genoeg waren, naar binnen; en zo zaten ze allen weldra om Beorns tafel, en in jaren had de zaal niet zo'n bijeenkomst gekend.

Daar aten zij een avondmaal, of diner, zoals zij niet hadden gehad sinds zij het Laatste Huiselijke Huis in het Westen hadden verlaten en afscheid van Elrond hadden genomen. Het licht van de fakkels en het vuur flakkerde rondom hen, en op tafel stonden twee grote rode kaarsen van bijenwas. De hele tijd dat zij zaten te eten vertelde Beorn met zijn diepe schallende stem verhalen van de wilde landen aan deze kant van de bergen, en vooral van het donkere gevaarlijke woud dat zich ver naar het Noorden en Zuiden uitstrekte, een dagreis van hen vandaan, en hun weg naar het oosten versperde – het verschrikkelijke Demsterwold.

De dwergen luisterden en schudden hun baarden, want zij wisten dat zij zich weldra in dat woud moesten wagen en dat na de bergen dit het ergste gevaar was dat zij moesten doormaken voor zij bij de vesting van de draak kwamen. Toen het avondeten voorbij was, begonnen zij zelf verhalen te vertellen, maar Beorn scheen slaperig te worden en schonk weinig aandacht aan hen. Zij spraken vooral over goud, zilver, juwelen en smeedkunst, maar Beorn scheen om dergelijke dingen niet te geven; er waren geen gouden of zilveren

voorwerpen in zijn huis, en behalve de messen, waren er maar weinig dingen van metaal gemaakt.
Zij zaten lang aan tafel met hun houten drinknappen gevuld met honingwijn. Buiten viel de donkere nacht. De vuren in het midden van de zaal werden met nieuwe blokken onderhouden en de fakkels werden gedoofd, en nog altijd zaten zij in het licht van de dansende vlammen met de pilaren van het huis hoog achter hen oprijzend en bovenaan donker als bomen in het bos. Of het tovenarij was of niet, het scheen Bilbo toe dat hij een geluid hoorde, als wind in de takken, dat uit de daksparren kwam en het gekras van uilen. Weldra begon hij te knikkebollen van de slaap en de stemmen schenen van heel ver te komen tot hij met een schok wakker werd.
De grote deur had gekraakt en was dichtgegooid. Beorn was verdwenen. De dwergen zaten met gekruiste benen op de grond om het vuur en begonnen ineens te zingen. Sommige van de verzen klonken als volgt, maar er waren er nog veel meer, en het gezang ging lange tijd door.

De wind woei dorre heide plat,
maar in het bos bewoog geen blad;
daar heerste schaduw dag en nacht,
daar lag van duistere dingen 't pad.

De wind woei neer uit bergen koud
en brullend kwam hij aangerold;
onder gesteun en houtgekreun
en bladeren vielen in het woud.

De wind joeg voort, van West naar Oost,
toen werd het bos bewegingloos;
met schril gekras over 't moeras
barstten fluitende stemmen los.

De grassen sisten, halmen neer,
rietstengels raatlend – verder weer
over klotsepoel onder hemel koel
waar scheurde 't jagend wolkenheir.

De eenzame kale Berg langszij
woei over 't drakenleger hij;
daar lagen zwart rotsblokken hard
en rook joeg in de lucht voorbij,

verliet de wereld, vluchtte gejacht
over de zeeën van de nacht.
De maan voer uit op stormgeluid,
sterren vonkten in schitterpracht.

Bilbo begon weer te knikkebollen. Plotseling stond Gandalf op. 'Het is tijd om te gaan slapen,' zei hij, 'voor ons, maar niet voor Beorn, denk ik. In deze zaal kunnen we goed en veilig rusten, maar ik waarschuw jullie allemaal niet te vergeten wat Beorn heeft gezegd voor hij ons verliet: jullie moeten niet naar buiten gaan voor de zon op is: het is levensgevaarlijk.'
Bilbo zag dat aan de andere kant van de zaal al bedden waren opgemaakt op een soort verhoging tussen de pilaren en de buitenmuur. Voor hem was er een kleine stromatras met wollen dekens. Hij kroop er blij onder, ook al was het zomer. Het vuur brandde laag en hij viel in slaap. Maar in de nacht werd hij wakker; het vuur was op een paar gloeiende sintels na uitgebrand; de dwergen en Gandalf sliepen allen naar hun ademhaling te horen; een witte plek op de vloer kwam van de hoge maan die door het rookgat in het dak scheen.
Er klonk een grommend geluid buiten en een gerucht alsof er een groot dier langs de deur streek. Bilbo vroeg zich af wat het was, en of het Beorn kon zijn in tovergedaante, en of hij binnen zou komen als een beer en hen zou doden. Hij dook onder de dekens en verborg zijn hoofd en viel eindelijk weer in slaap, ondanks zijn vrees.

Het was klaarlichte dag toen hij wakker werd. Een van de dwergen was in de schaduw waar hij lag over hem heen gevallen en met een bons van de verhoging op de vloer gerold. Het was Bofur en hij was erover aan het mopperen toen Bilbo zijn ogen opende.
'Sta op, luilak,' zei hij, 'anders zal er geen ontbijt voor je over zijn.'
Bilbo sprong overeind. 'Ontbijt!' riep hij uit. 'Waar is het ontbijt?'
'Voor het grootste deel in onze buik,' antwoordden de andere dwergen, die door de zaal liepen, 'maar wat er over is, staat op de veranda. We hebben Beorn sinds zonsopgang gezocht, maar er is nergens een spoor van hem te bekennen, hoewel het ontbijt klaarstond toen we naar buiten gingen.'
'Waar is Gandalf?' vroeg Bilbo, die zo vlug hij kon naar buiten ging om wat te eten.
'O, naar buiten en ergens in de buurt,' zeiden ze. Maar hij zag die hele dag geen teken van de tovenaar tot 's avonds. Vlak voor zonsondergang kwam hij de zaal binnenlopen waar de hobbit en de

dwergen zaten te eten, bediend door Beorns wonderbaarlijke dieren, zoals de hele dag was gebeurd. Van Beorn hadden zij sinds de vorige avond niets gehoord of gezien en zij begonnen zich erover te verbazen.
'Waar is onze gastheer, en waar heb jij de hele dag gezeten?' riepen ze in koor uit.
'Eén vraag tegelijk – maar niet tijdens het eten! Ik heb sinds het ontbijt geen hap gegeten.'
Eindelijk schoof Gandalf zijn bord en beker opzij – hij had twee hele broden verorberd (met massa's boter en honing en geklopte room) en minstens een kwart liter honingwijn gedronken, en haalde zijn pijp tevoorschijn. 'Ik zal de tweede vraag het eerst beantwoorden,' zei hij, 'maar, allemachtig, dit is een schitterende plaats voor rookkringen!' En werkelijk, ze konden een tijd lang niets meer uit hem krijgen, zo druk had hij het met rookkringen tussen de pilaren van de zaal te blazen die hij in alle mogelijke verschillende vormen en kleuren deed veranderen en ten slotte elkaar door het gat in het dak deed najagen. Ze moeten er van buiten heel vreemd hebben uitgezien, zoals ze één voor één naar buiten kwamen schieten: groen, blauw, rood, zilvergrijs, geel, wit; grote, kleine; kleine die door de grote heen gingen en het cijfer acht vormden en als een troep vogels in de verte verdwenen.
'Ik heb berensporen gevolgd,' zei hij ten slotte. 'Ik denk dat hier buiten gisteravond een echte berenvergadering is gehouden. Ik zag algauw dat ze niet allemaal van Beorn kunnen zijn geweest; daarvoor waren er veel te veel, en ook waren ze verschillend van grootte. Ik zou zeggen dat er kleine beren, grote beren, gewone beren en gigantisch grote beren waren, die alle buiten van het donker tot bijna aan zonsopgang toe hebben gedanst. Ze kwamen uit vrijwel iedere richting, behalve uit het westen over de rivier, uit de Bergen. In die richting leidde slechts één stel voetsporen – maar niet ervandaan, allemaal erheen. Ik heb ze tot aan de Karrots gevolgd. Daar verdwenen zij in de rivier, maar het water was te diep en te sterk achter de rots om over te steken. Het is gemakkelijk genoeg, zoals jullie je zult herinneren, om van deze oever, via de voorde naar de Karrots te komen, maar aan de andere kant is een rotswand, die uit een kolkend kanaal oprijst. Ik moest mijlen lopen voor ik een plek vond waar de rivier breed en ondiep genoeg was om door te waden en te zwemmen, en toen weer mijlen terug om de sporen opnieuw te vinden. Tegen die tijd was het te laat geworden om ze nog ver te kunnen volgen. Zij leidden regelrecht naar de naaldbossen aan de oostkant van de Nevelbergen, waar we eergisteravond ons gezellige

feestje met de wargs hadden. En mij dunkt nu dat ik ook jullie eerste vraag heb beantwoord,' besloot Gandalf en hij bleef lange tijd zitten zwijgen.
Bilbo dacht dat hij wist wat de tovenaar bedoelde. 'Wat zullen we doen,' riep hij uit, 'als hij alle wargs en de aardmannen hierheen brengt? Wij zullen allen worden gevangen en gedood! Ik dacht dat je zei dat hij geen vriend van hen was.'
'Dat heb ik ook gezegd. En doe niet zo dwaas! Ga maar liever naar bed, je geest is slaperig.'
De hobbit voelde zich helemaal verpletterd, en omdat er niets anders te doen scheen, ging hij maar naar bed; en terwijl de dwergen nog liederen aan het zingen waren, sukkelde hij in slaap, zich zijn kleine hoofd nog afpijnigend over Beorn, tot hij droomde van honderden zwarte beren die langzame logge rondedansen in het maanlicht op de binnenplaats dansten. Toen werd hij wakker terwijl alle anderen sliepen en hoorde hetzelfde geschuur, geschuifel en gesnuif en gegrom als de vorige nacht.
De volgende ochtend werden ze allen door Beorn zelf gewekt. 'Zo, dus jullie zijn er nog allemaal!' zei hij. Hij pakte de hobbit op en zei lachend: 'Nog niet opgegeten door wargs, aardmannen of boze beren, zie ik,' en porde zijn vingers hoogst oneerbiedig in meneer Balings vest. 'Het kleine konijntje begint weer lekker dik van brood en honing te worden,' zei hij giechelend. 'Vooruit, eet nog wat!'
Zo gingen ze allen met hem ontbijten. Beorn was deze keer heel goedmoedig; hij scheen werkelijk in een uitstekend humeur te zijn en maakte hen allen aan het lachen met zijn grappige verhalen; en ook hoefden zij zich niet lang af te vragen waar hij was geweest of waarom hij zo aardig tegen hen was, want hij vertelde het hun zelf. Hij was de rivier over geweest en terug de bergen in – waaruit je kunt opmaken dat hij zich snel kan voortbewegen, in ieder geval in berengedaante. De verschroeide vergaderplaats van de wolven had hem in elk geval aangetoond dat dit gedeelte van hun verhaal waar was; maar hij had nog meer ontdekt: hij had een warg en een aardman gevangen die in de bossen zwierven. Die hadden hem verteld dat de patrouilles van de aardmannen nog steeds met de wargs achter de dwergen aanzaten, en dat ze gloeiend nijdig waren omdat de Grote Aardman dood was en ook omdat de neus van de leider van de wolven was verbrand en vele van zijn voornaamste dienaren door het vuur van de tovenaar waren gedood. Dit alles vertelden ze hem onder dwang, maar hij vermoedde dat er nog veel ergere dingen ophanden waren en dat er weldra een grote overval van het hele aardmannenleger en hun bondgenoten, de wolven, op de landen

in de schaduw van de bergen zou worden ondernomen, of dat ze zich zouden wreken op de mensen en schepselen die daar wonen, en die naar zij meenden, hun onderdak verleenden.
'Dat was een goed verhaal van jullie,' zei Beorn, 'maar ik vind het nog mooier nu ik zeker weet dat het waar is. Jullie moeten me vergeven dat ik je niet op je woord heb geloofd. Als je aan de rand van het Demsterwold woonde, zou je niemand geloven als je hem niet even goed kende als je broer, of beter nog. Zoals de zaken nu staan, kan ik alleen maar zeggen dat ik zo snel mogelijk naar huis ben gegaan om mij ervan te vergewissen dat jullie veilig waren en je alle mogelijke hulp te bieden. Ik zal na dit alles vriendelijker tegenover dwergen gestemd zijn. De Grote Aardman dood! De Grote Aardman dood!' grinnikte hij fel bij zichzelf.
'Wat hebt u met de aardman en de warg gedaan?' vroeg Bilbo plotseling.
'Kom maar kijken,' zei Beorn en zij volgden hem om het huis heen. Een aardmannenhoofd stond buiten het hek op een staak en een warghuid was aan een boom vlak daarachter gespijkerd. Beorn was een woeste vijand. Maar nu was hij hun vriend en Gandalf vond het verstandig om hem hun hele verhaal en de reden van hun reis te vertellen, opdat hij hen zo veel mogelijk zou helpen.
En hij beloofde het volgende voor hen te doen: hij zou elk van hen een pony geven, en Gandalf een paard, voor hun reis naar het woud, en hij zou hun genoeg eten geven voor een week, zo ingepakt dat het zo gemakkelijk mogelijk te vervoeren zou zijn – noten, bloem, potten gedroogd fruit en rode stenen potten met honing en dubbelgebakken koeken die lange tijd goed zouden blijven en waarvan ze met weinig ver konden komen. De vervaardiging ervan was een van zijn geheimen, maar er zat honing in, zoals in bijna al zijn eten, en ze smaakten lekker hoewel ze dorstig maakten. Water, zei hij, zouden ze aan deze kant van het woud niet hoeven mee te nemen, want er waren stromen en bronnen langs de weg. 'Maar jullie weg door het Demsterwold is donker, gevaarlijk en moeilijk,' zei hij. 'Water is er niet gemakkelijk te vinden, en eten evenmin. Het is nog niet het seizoen voor noten (hoewel het voorbij kan zijn voor je aan de andere kant bent) en noten zijn vrijwel de enige dingen die daar groeien en eetbaar zijn; in het bos zijn wilde dingen duister, vreemd en woest. Ik zal jullie huiden geven om water in te doen en ik zal jullie ook wat pijlen en bogen geven. Maar ik betwijfel sterk of jullie iets in het Demsterwold zullen vinden dat je veilig kunt eten of drinken. Er is daar een stroom, weet ik, zwart en sterk, die het pad kruist. Daarvan mag je niet drinken en er ook niet in

baden, want ik heb gehoord dat hij betoverd is en een grote slaperigheid en vergeetachtigheid veroorzaakt. En ik denk niet dat jullie iets zullen schieten in de duistere schaduwen van die plek, eetbaar of oneetbaar, zonder van het pad af te dwalen. Dat mogen jullie in geen geval doen.
Dat is alle raad die ik jullie kan geven. Wanneer je eenmaal voorbij de rand van het bos bent, kan ik niet veel voor jullie doen; jullie moeten op je geluk en moed en het eten dat ik je meegeef, vertrouwen. Bij de ingang van het bos moet ik jullie vragen mijn paard en pony's terug te sturen. Maar ik wens jullie het allerbeste en mijn huis staat open voor jullie, als jullie ooit weer terugkomen deze kant uit.'

Zij bedankten hem natuurlijk met vele buigingen en met kapgezwaai en menig 'tot uw dienst, o meester van de grote houten zalen!' Maar de moed zonk hun in de schoenen na zijn ernstige woorden en zij voelden allen dat het avontuur veel gevaarlijker was dan zij hadden gedacht terwijl de draak hen al die tijd, ook al overwonnen zij de gevaren van de weg, aan het einde wachtte.
Die hele ochtend waren zij druk in de weer met de voorbereidingen. Kort na de middag aten zij voor de laatste keer met Beorn, en na de maaltijd bestegen zij de rijdieren die hij hun leende en na vele malen goedendag te hebben gezegd, reden zij in snelle draf zijn hek uit.
Zodra zij de hoge hagen aan de oostzijde van zijn omheinde landen hadden verlaten, bogen zij naar het noorden af en gingen in noordwestelijke richting. Op zijn advies koersten zij niet langer naar de hoofdweg door het bos in het zuiden van zijn land. Als ze de pas waren gevolgd, zou hun pad hen langs een stroom benedenwaarts uit de bergen hebben gevoerd, die in de grote rivier mijlen ten zuiden van de Karrots stroomde. Op dit punt was er een diepe voorde die zij hadden kunnen doorwaden als zij hun pony's nog hadden gehad en daarachter leidde een pad naar het begin van het woud en naar de toegang tot de oude bosweg. Maar Beorn had hen gewaarschuwd dat die weg tegenwoordig vaak door de aardmannen werd gebruikt, terwijl de bosweg zelf, naar hij had gehoord, overwoekerd was en aan de oostzijde niet meer werd gebruikt en naar ontoegankelijke moerassen leidde, waar de paden langgeleden verloren waren gegaan. De oostelijke toegang was ook altijd ver ten zuiden van de Eenzame Berg geweest en ze zouden toch nog een lange moeizame mars naar het noorden hebben moeten maken als ze eenmaal aan de andere kant kwamen. Ten noorden van de Karrots kwam de

rand van het Demsterwold dichter bij de oevers van de Grote Rivier en hoewel de Bergen hier ook dichterbij kwamen, had Beorn hun aangeraden deze weg te nemen, want op een plek enkele dagen rijden pal ten noorden van de Karrots bevond zich de toegang tot een weinig bekend pad door het Demsterwold, dat vrijwel regelrecht naar de Eenzame Berg leidde.

'De aardmannen,' had Beorn gezegd, 'zullen de Grote Rivier minstens honderd mijl ten noorden van de Karrots niet durven oversteken of zich in de buurt van mijn huis wagen – het is 's nachts goed bewaakt! – maar ik zou snel voortmaken, want als zij hun overval spoedig uitvoeren, zullen zij de rivier in het zuiden overtrekken en de hele rand van het woud in brand steken om jullie de pas af te snijden, en wargs lopen sneller dan pony's. Toch is het veiliger voor jullie om naar het noorden te gaan, ook al schijnen jullie je dan dichter bij hun forten te wagen, want daar zullen ze jullie juist het minst verwachten en het zal voor hen een langere weg zijn om jullie te vangen. En ga nu zo snel mogelijk!'

Daarom reden zij nu zwijgend voort, galopperend wanneer het terrein grazig en vlak was, met de bergen donker aan hun linkerkant en in de verte de omtrek van de rivier en haar bomen, die al dichterbij kwam. De zon begon net naar het westen te zinken toen ze op weg gingen en tot aan de avond verguldde zij het land rondom hen. Het was moeilijk zich voor te stellen dat ze door aardmannen werden achtervolgd, en toen er vele mijlen tussen hen en Beorns huis waren komen te liggen, begonnen zij weer te praten en te zingen en het donkere bospad dat voor hen lag te vergeten. Maar 's avonds, toen de schemering inviel en de toppen van de bergen in de zonsondergang schitterden, sloegen zij een kamp op en zetten een wachtpost uit, en de meesten van hen sliepen onrustig met dromen waarin het gehuil van jagende wolven en de kreten van aardmannen voorkwamen.

Maar de volgende ochtend brak stralend en mooi aan. Een soort herfstnevel hing wit over de grond en de lucht was kil, maar weldra ging de zon rood in het oosten op en de nevels losten op en terwijl de schaduwen nog lang waren, gingen ze alweer op weg. Zo reden zij nu twee dagen verder en al die tijd zagen zij niets anders dan gras en bloemen en vogels en hier en daar wat bomen en af en toe kleine kudden rode herten, die graasden of in de middag in de schaduw lagen. Soms zag Bilbo de geweien van de herten uit het lange gras steken en eerst dacht hij dat het dode boomtakken waren. Die derde avond waren zij zo verlangend om verder te gaan, want Beorn had gezegd dat zij de ingang van het bos aan het begin van de vierde dag moesten bereiken, dat zij na de schemering nog verder reden, de nacht in onder de maan. Toen het licht begon af te nemen, meende Bilbo rechts of links de schimmige gedaante van een grote beer te zien die in dezelfde richting voortsloop. Maar toen hij het waagde dit tegen Gandalf te zeggen, zei de tovenaar slechts: 'Sst. Schenk er maar geen aandacht aan!'

De volgende dag gingen zij voor de dageraad al op weg, hoewel zij slechts kort geslapen hadden. Zodra het licht werd, zagen zij het bos opdoemen, alsof het op hen afkwam of hen in de verte opwachtte als een zwarte dreigende muur. Het terrein begon langzaam omhoog te lopen en het scheen de hobbit toe dat een stilte hen begon in te sluiten. Er waren geen herten meer en er waren zelfs geen konijnen te zien. Tegen de namiddag hadden zij de rand van het Demsterwold bereikt en rustten bijna vlak onder de grote overhangende takken van de buitenste bomen. Hun stammen waren enorm en knoestig, hun takken verwrongen, hun bladeren donker en lang. Zij waren begroeid met klimop die over de grond sliertte.

'Nu dan, dit is het Demsterwold,' zei Gandalf. 'Het grootste woud van de noordelijke wereld. Ik hoop, dat jullie het mooi vinden. En nu moeten jullie die voortreffelijke pony's die jullie hebben geleend, terugsturen.'

De dwergen waren geneigd hierover te mopperen, maar de tovenaar zei hun dat zij dwazen waren. 'Beorn is niet zo ver weg als jullie schijnen te denken en jullie moeten je belofte maar liever houden, want hij is een kwade vijand. De ogen van meneer Balings zijn scherper dan die van jullie, als jullie niet iedere avond na het vallen van de duisternis een grote beer met ons hebben zien meelopen, of ver weg in het maanlicht ons kamp hebben zien gadeslaan. Niet alleen om jullie te bewaken en te leiden, maar ook om een oog op de pony's te houden. Beorn mag dan jullie vriend zijn, hij houdt van zijn dieren alsof het zijn kinderen waren. Jullie beseffen niet half welk een vriendelijkheid hij jullie heeft betoond door dwergen er zo ver en zo snel op te laten rijden, en ook niet wat er met jullie zou gebeuren als jullie zouden proberen ze mee het woud in te nemen.'

'En het paard dan?' vroeg Thorin. 'Daar zeg je niets over.'

'Inderdaad, omdat ik het niet terugstuur.'

'En jouw belofte dan?'

'Dat is mijn zaak. Ik stuur het paard niet terug; ik berijd het!'

Toen wisten zij dat Gandalf hen aan de rand van het Demsterwold zou verlaten en zij waren de wanhoop nabij. Maar niets dat zij zeiden, kon hem van gedachten doen veranderen.

'Dit is allemaal besproken toen we bij de Karrots aankwamen,' zei hij. 'Het heeft geen zin erover te twisten. Ik heb, zoals ik jullie verteld heb, enkele dringende zaken in het zuiden af te handelen; en ik ben al laat doordat ik me met jullie heb bemoeid. Misschien ontmoeten wij elkaar weer eer alles voorbij is, of misschien ook niet. Dat hangt van jullie geluk af, en van jullie moed en verstand; maar ik stuur meneer Balings met jullie mee. Ik heb jullie al eerder gezegd, dat hij meer in zijn mars heeft dan jullie vermoeden en dat zullen jullie binnenkort wel ontdekken. Dus schep moed, Bilbo, en kijk niet zo bedrukt. Een beetje vrolijk, Thorin en Gezelschap! Per slot van rekening is dit jullie expeditie. Denk eens aan de schat aan het einde, en vergeet het bos en de draak in elk geval tot morgenochtend.'

Toen de volgende ochtend aanbrak, zei hij nog hetzelfde. Dus zat er nu niets anders op dan hun waterzakken bij een heldere bron, die zij vlak bij de ingang van het bos aantroffen, te vullen en de pony's af te laden. Zij verdeelden de pakken zo eerlijk mogelijk, hoewel Bilbo vond dat zijn aandeel vermoeiend zwaar was, en het idee om mijlen en mijlen met dit alles om zijn nek te moeten voortsjokken hem helemaal niet aanstond.

'Maak je maar geen zorgen!' zei Thorin. 'Het zal eerder lichter worden dan je lief is. Ik denk dat het niet zo lang zal duren voordat we allen zullen wensen dat onze pakken zwaarder waren, wanneer we bijna geen eten meer hebben.'

Toen namen ze afscheid van hun pony's, die de thuisreis aanvaardden. Ze draafden vrolijk weg en schenen blij te zijn om de schaduw van het Demsterwold de staart toe te keren. Toen ze weggingen, had Bilbo kunnen zweren dat iets dat op een beer leek, uit de schaduwen van de bomen trad en ze vlug achternaliep.

En nu nam Gandalf ook afscheid. Bilbo zat op de grond en voelde zich diep ongelukkig en wenste dat hij naast de tovenaar op diens grote paard zat. Hij was na het ontbijt (een armzalig ontbijt) een eindje het bos ingelopen en het had daar in de ochtend even donker geschenen als 's nachts en heel geheimzinnig; 'een soort gevoel alsof er iets op de loer ligt,' zei hij bij zichzelf.

'Vaarwel!' zei Gandalf tegen Thorin. 'En vaarwel jullie allemaal, vaarwel! Dwaal niet van het pad af! Als jullie dat wel doen, is het duizend tegen één dat je het ooit nog terug zult vinden en nooit meer uit het Demsterwold komt; en dan denk ik dat noch ik, noch iemand anders, jullie ooit zal weerzien.'

'Moeten we werkelijk verdergaan?' steunde de hobbit.

'Ja, dat moet!' zei de tovenaar. 'Als jullie tenminste aan de andere

kant willen komen. Jullie moeten óf verdergaan, óf jullie queeste opgeven. Maar ik zal niet toestaan dat jullie je nu terugtrekken, meneer Balings. Ik schaam me voor je, dat je er ook maar over denkt. Je moet voor mij op al deze dwergen passen,' zei hij lachend.
'Nee! Nee!' zei Bilbo. 'Dat bedoelde ik niet. Ik bedoelde, is er geen weg omheen?'
'Die is er wel, als je een omweg van zo'n tweehonderd mijl naar het noorden wilt maken, en twee keer zover naar het zuiden. Maar ook dan zou de weg nog niet veilig zijn. Er zijn geen veilige wegen in dit deel van de wereld. Je moet bedenken dat je nu over de Rand van de Wildernis bent en je allerhande vreemde dingen te wachten staan, waarheen je ook gaat. Voordat je in het noorden om het Demsterwold heen zou kunnen trekken, zou je tussen de hellingen van de Grijze Bergen zitten en die krioelen eenvoudig van aardmannen, kwelgeesten en orks die alle beschrijving tarten. En voor je er in het zuiden omheen zou kunnen gaan, zou je in het land van de Geestenbezweerder komen; en zelfs jij, Bilbo, hebt mij niet nodig om je verhalen over die zwarte tovenaar te vertellen. Ik raad je niet aan om je in de nabijheid te wagen van de plaatsen waar zijn donkere toren op uitkijkt! Houd je aan het bospad, bewaar je goede humeur, hoop er maar het beste van en met een enorme hoeveelheid geluk komen jullie er misschien op een dag uit en zie je de Lange Moerassen beneden je liggen en daarachter, hoog in het oosten, de Eenzame Berg waar die goeie oude Smaug woont, hoewel ik hoop dat hij jullie niet verwacht.'
'Je bent werkelijk heel bemoedigend,' gromde Thorin. 'Vaarwel! Als je niet met ons mee wilt komen, ga dan maar heen zonder nog meer te zeggen!'
'Vaarwel dan, en nu is het werkelijk vaarwel!' zei Gandalf en hij wendde zijn paard en reed weg naar het westen. Maar hij kon de verleiding niet weerstaan om het laatste woord te hebben. Voordat hij helemaal uit het gehoor verdwenen was, draaide hij zich om, zette zijn handen aan de mond en riep hun iets toe. Zij hoorden zijn stem heel flauw: 'Vaarwel! Gedraag je netjes, pas goed op jezelf en GA NIET VAN HET PAD AF!'
Toen galoppeerde hij weg en was weldra uit het gezicht verdwenen.
'O vaarwel en ga weg!' bromden de dwergen, des te bozer omdat zij werkelijk van ontzetting waren vervuld omdat zij hem verloren. Nu begon het gevaarlijkste deel van de hele reis. Ze namen ieder een zwaar pak en de waterzak, die hun deel was, op de schouder en keerden het licht dat over de landen buiten lag de rug toe en doken het bos in.

VIII. Vliegen en spinnen

Ze liepen in ganzenpas. De toegang tot het pad was een soort boog die naar een sombere tunnel leidde, gevormd door twee grote bomen die zich naar elkaar overbogen, te oud en door klimop overwoekerd en met korstmos begroeid om meer dan enkele zware bladeren te dragen. Het pad zelf was smal en slingerde zich tussen de stammen door. Weldra was het licht bij de poort nog maar een klein gat in de verte, en de stilte was zo diep dat hun voeten schenen te dreunen terwijl alle bomen zich over hen heen bogen en luisterden.

Toen hun ogen aan de duisternis begonnen te wennen, konden zij aan beide kanten een eindje in een soort donkergroene schemering zien. Af en toe priemde een mager zonnestraaltje, dat het geluk had om door een opening in de bladeren, heel hoog, te vallen, en nog meer geluk dat het niet in de verwarde takken en gevlochten twijgen daar beneden gevangen raakte, dun en helder voor hen neer. Maar dit was zeldzaam, en weldra hield het helemaal op. Er waren zwarte eekhoorns in het bos. Toen Bilbo's scherpe onderzoekende ogen aan de duisternis gewend raakten, zag hij ze af en toe van het pad af schieten en zich achter boomstammen verstoppen. Ook waren er vreemde geluiden – gegrom, geschuifel en geren in het kreupelhout en tussen de bladeren die eindeloos dik op sommige plaatsen op de bodem van het woud lagen opgetast; maar wat de geluiden veroorzaakte, kon hij niet zien. Het griezeligste dat hij zag, waren de spinnenwebben: donkere, dichte spinnenwebben met buitengewoon dikke draden, die zich vaak van boom tot boom uitstrekten, of verward in de lagere takken aan weerskanten van hen hingen. Er waren er geen over het pad gespannen, maar of dit door tovenarij of door iets anders werd vrijgehouden, wist hij niet.

Het duurde niet lang voor ze het woud even hartgrondig begonnen te verafschuwen als ze de tunnels van de aardmannen hadden verafschuwd, en het scheen nog minder hoop op een einde te bieden. Maar zij moesten steeds verder- en verdergaan, lang nadat ze hunkerden naar een stukje zon en hemel en ernaar verlangden de wind op hun gezicht te voelen. De lucht onder het dak van het woud was

roerloos en het was eeuwig stil, donker en benauwd. Zelfs de dwergen, die aan tunnels gewend waren en vaak lange tijd zonder het licht van de zon leefden, voelden het, maar de hobbit die van holen hield om een huis in te maken, maar niet om de zomerdagen in door te brengen, voelde zich alsof hij langzaam werd verstikt.
De nachten waren het ergste. Het werd dan pikkedonker – niet wat jij pikkedonker noemt, maar werkelijk zo zwart als pik: zo donker dat je letterlijk geen hand voor ogen kon zien. Maar misschien is het niet waar om te zeggen dat ze niets konden zien: ze konden ogen zien.
Ze sliepen allemaal dicht tegen elkaar aan en waakten om beurten, en wanneer het Bilbo's beurt was, zag hij schijnsels in de duisternis rondom hem, en soms staarden gele, rode of groene ogenparen hem van dichtbij aan en vervaagden langzaam en verdwenen om weer langzaam op een andere plaats op te lichten. En soms schenen zij neer uit takken vlak boven zijn hoofd en dat was heel angstaanjagend. Maar de ogen die hij het ergste vond, waren afschuwelijke lichtbleke, bolvormige ogen. Insectenogen, dacht hij, geen dierlijke ogen; het enige is, ze zijn veel te groot.
Hoewel het nog niet erg koud was, probeerden ze 's nachts wachtvuren aan te leggen, maar dat gaven ze algauw op. Het scheen honderden en honderden ogen overal om hen heen aan te trekken, hoewel de schepselen, of wat het ook waren, ervoor zorgden hun lichamen niet in het kleine geflakker van de vlammen te laten zien. Nog erger, het trok duizenden donkergrijze en zwarte motten aan, waarvan sommige bijna zo groot waren als een hand, die om hun oren fladderden en zoemden. Daar konden ze niet tegen, en ook niet tegen de enorme vleermuizen, zwart als een hoge hoed; daarom lieten ze de vuren maar en zaten 's nachts in de enorme onheilspellende duisternis te dommelen.
Dit alles duurde, naar het de hobbit voorkwam, eeuwen en eeuwen; en hij had altijd honger, want ze waren heel zuinig met hun voorraden. Maar toch, naarmate de dagen elkaar opvolgden en het woud nog steeds hetzelfde scheen, begonnen ze ongerust te worden. Het eten zou niet voor eeuwig toereikend zijn; in werkelijkheid begon het al te minderen. Ze probeerden op de eekhoorns te schieten en verspilden vele pijlen voordat ze erin slaagden er één op het pad neer te halen. Maar toen zij hem braadden, bleek hij afschuwelijk te smaken en zij schoten geen eekhoorns meer.
Ook hadden ze dorst, want ze hadden niet veel water meer en in al die tijd hadden ze bron noch stroom gezien. Dit was de toestand waarin zij verkeerden toen zij op een dag hun pad versperd zagen

door stromend water. Het stroomde snel en krachtig, maar waar het 't pad kruiste, was het niet erg breed, en het was zwart, of zo scheen het althans, in de duisternis. Het was maar goed dat Beorn hen gewaarschuwd had, anders zouden ze ervan gedronken hebben, ongeacht de kleur, en een paar van hun lege waterzakken aan de oever hebben gevuld. Nu dachten zij alleen hoe zij het konden oversteken zonder nat te worden. Er had een houten brug over gelegen, maar die was verrot en ingestort, en er waren alleen een paar gebroken palen bij de oever van over.
Bilbo knielde aan de rand neer, keek recht vooruit en riep: 'Er ligt een boot aan de andere oever! Waarom kon hij nu niet aan deze kant liggen?'
'Hoe ver weg, denk je?' vroeg Thorin, want ze wisten nu wel dat Bilbo de scherpste ogen van hen allen had.
'Helemaal niet ver. Hoogstens twaalf meter.'
'Twaalf meter! Ik zou hebben gezegd dat het minstens dertig meter was, maar mijn ogen zijn niet meer zo goed als honderd jaar geleden. Maar twaalf meter of een mijl is om het even. We kunnen er niet overheen springen en we mogen niet proberen erdoor te waden of te zwemmen.'
'Kan iemand van jullie een touw gooien?'
'Wat heeft dat voor nut? De boot ligt zeker vast, ook al konden we hem aan de haak slaan, wat ik betwijfel.'
'Ik geloof niet dat hij vastligt,' zei Bilbo, 'hoewel ik het bij dit licht natuurlijk niet met zekerheid kan zeggen, maar het lijkt mij alsof hij alleen maar op de oever is getrokken die net daar waar het pad naar het water afloopt laag is.'
'Dori is de sterkste, maar Fíli is de jongste en heeft de beste ogen,' zei Thorin. 'Kom hier, Fíli en kijk eens of jij de boot kunt zien waar meneer Bilbo het over heeft.'
Fíli meende dat hij hem zag, dus toen hij lange tijd gestaard had om een indruk van de richting te krijgen, brachten de anderen hem een touw. Zij hadden er verscheidene bij zich en aan het einde van het langste bevestigden zij een van de ijzeren haken die zij hadden gebruikt om hun pakken aan de riemen over hun schouders vast te maken. Fíli nam die in de hand, hield hem een ogenblik in evenwicht en wierp hem toen over de stroom heen.
Hij viel met een plons in het water! 'Niet ver genoeg!' zei Bilbo, die in de verte tuurde. 'Nog een paar voet en hij zou op de boot gevallen zijn. Probeer 't nog eens. Ik denk niet dat de betovering sterk genoeg is om je kwaad te doen als je alleen maar een eindje nat touw aanraakt.'

Fíli pakte de haak op toen hij die had teruggehaald, maar toch enigszins aarzelend. Deze keer wierp hij hem met meer kracht.
'Kalm aan,' zei Bilbo, 'je hebt hem deze keer precies in het hout aan de andere kant gegooid. Haal hem zachtjes in.' Fíli palmde het touw langzaam in en na een poosje zei Bilbo: 'Voorzichtig! Hij ligt op de boot, laten we hopen dat de haak pakt.'
Dat deed hij. Het touw ging strak staan, maar Fíli trok tevergeefs. Kíli kwam hem te hulp en daarna ook Oín en Gloín. Ze trokken en trokken en ineens vielen ze allemaal achterover op hun rug. Maar Bilbo stond op de uitkijk, ving het touw en hield de kleine zwarte boot met een stuk hout af toen hij op de stroom kwam aansnellen. 'Help!' schreeuwde hij, en Balin kwam net op tijd om de boot te pakken voor hij op de stroom wegdreef.
'Hij zat toch vastgebonden,' zei hij, toen hij naar de gebroken vanglijn keek die er nog aan bungelde. 'Dat was een goeie ruk, jongens; een geluk dat ons touw het sterkste was.'
'Wie gaat het eerste oversteken?' vroeg Bilbo.
'Dat zal ik doen,' zei Thorin, 'en jij gaat met mij mee, en Fíli en Balin. Meer kunnen er in één keer niet in de boot. Daarna Kíli, Oín, Gloín en Dori; dan Ori en Nori, Bifur en Bofur; en Dwalin en Bombur als laatsten.'
'Ik ben altijd de laatste en dat bevalt me niks,' zei Bombur. 'Vandaag is de beurt aan iemand anders.'
'Dan moet je maar niet zo dik zijn. Maar omdat je dat wel bent, moet jij bij de laatste en lichtste last. Begin nu niet tegen de bevelen te mopperen, anders zal er iets ergs met je gebeuren.'
'Er zijn geen riemen. Hoe ga je de boot naar de andere oever terug roeien?' vroeg de hobbit.
'Geef me nog een stuk touw en nog een haak,' zei Fíli, en toen ze het klaar hadden, wierp hij het in het donker zo hoog en ver als hij kon. Aangezien hij niet weer neerkwam, beseften ze dat hij in de takken moest zijn blijven steken. 'Stap nu maar in,' zei Fíli, 'en een van jullie moet aan het touw trekken dat aan een boom aan de andere kant vastzit. Een van de anderen moet de haak vasthouden die we eerst hebben gebruikt, en wanneer we veilig en wel aan de andere kant zijn, kan hij hem vasthaken en kunnen jullie de boot terugtrekken.'
Op die manier kwamen zij allen weldra veilig aan de andere oever van de betoverde rivier. Dwalin was er net uitgeklauterd met het opgerolde touw over zijn arm en Bombur (nog steeds mopperend) maakte zich gereed om te volgen toen er iets ergs gebeurde. Het geluid van rennende hoeven klonk op het pad voor hen. Uit de duis-

ternis kwam plotseling de gedaante van een vluchtend hert. Het stormde recht op de dwergen af en liep hen ondersteboven en ging toen harder lopen om te springen. Het sprong hoog op en schoot met een machtige sprong over het water. Maar het kwam niet veilig op de andere oever. Thorin was de enige die nog overeind stond en kalm was gebleven. Zodra zij aan land waren gegaan, had hij zijn boog gespannen en een pijl opgezet voor het geval een verscholen bewaker van de boot tevoorschijn zou komen. Nu vuurde hij snel een zeker schot op het springende beest af. Toen het de andere oever bereikte, wankelde het. De schaduwen slokten het op, maar zij hoorden het geluid van de hoeven vlug versterven en verstommen.
Voor zij iets konden roepen om het schot te prijzen verjoeg een afschuwelijke jammerkreet van Bilbo alle gedachten aan wildbraad uit hun hoofden. 'Bombur is erin gevallen! Bombur verdrinkt!' riep hij. Dit was maar al te waar. Bombur had pas één voet aan land toen het hert op hem af kwam en over hem heen sprong. Hij was gestruikeld terwijl hij de boot van de oever afduwde en toen in het zwarte water gevallen; zijn handen gleden van de slijmerige wortels aan de kant terwijl de boot langzaam wegdreef en verdween.
Ze konden zijn muts nog boven het water zien toen ze naar de oever renden. Vlug gooiden zij een touw met haak naar hem toe. Zijn hand greep die en ze trokken hem op het droge. Natuurlijk was hij van top tot teen doorweekt, maar dat was niet het ergste. Toen ze hem op de oever legden, was hij al vast in slaap en omklemde met zijn ene hand het touw zo stevig dat zij het niet uit zijn greep los konden krijgen; en hij bleef vast in slaap, wat ze ook deden.
Ze stonden nog over hem heen gebogen, hun ongeluk en Bomburs stommiteit te verwensen en te jammeren om het verlies van de boot waardoor het nu onmogelijk was om terug te gaan en het hert te zoeken, toen zij flauw het schallen van hoorns in het woud hoorden en een geluid als van honden die in de verte blaften. Toen werden allen stil en terwijl ze daar zaten, scheen het hun toe dat zij de geluiden konden horen van een grote jachtpartij die ten noorden van het pad langs hen heen trok, hoewel zij er niets van zagen.
Ze bleven daar lange tijd zitten zonder zich te durven verroeren. Bombur sliep door met een glimlach op zijn dikke gezicht, alsof alle problemen die hen kwelden hem niets meer konden schelen. Plotseling verschenen er op het pad voor hen enkele witte herten, een hinde en kalveren, even sneeuwwit als het mannetjeshert donker was geweest. Ze glansden in de schaduwen. Voor Thorin iets kon roepen, waren drie van de dwergen overeind gesprongen en hadden pijlen op hen afgeschoten. Geen ervan scheen doel te tref-

fen. De herten keerden zich om en verdwenen even geruisloos tussen de bomen als ze gekomen waren, en de dwergen joegen hen hun pijlen vergeefs achterna.
'Hou op! Hou op!' riep Thorin, maar het was te laat, de opgewonden dwergen hadden hun laatste pijlen verspild en nu waren de bogen die Beorn hun gegeven had nutteloos.
Die nacht vormden zij een troosteloos gezelschap, en de volgende dagen werd de somberheid rondom hen nog dieper. Zij waren de betoverde rivier overgetrokken, maar daarachter scheen het pad precies als eerst verder te gaan, en in het bos konden zij geen verandering zien. Maar als zij er meer van af hadden geweten en erover hadden nagedacht wat de jacht en de witte herten die op hun pad verschenen waren te betekenen hadden, zouden ze hebben geweten dat ze eindelijk de oostelijke zoom naderden, en – als zij hun moed en hoop hadden kunnen bewaren – weldra dunnere bomen zouden bereiken en plekken waar het zonlicht weer kwam.
Maar dit wisten ze niet en ze waren belast met het zware lichaam van Bombur, dat zij zo goed mogelijk met zich mee moesten dragen, om beurten de vermoeiende taak vervullend terwijl de anderen hun bagage deelden. Als deze in de afgelopen paar dagen niet al te licht was geworden, zouden ze het nooit hebben gered; maar een sluimerende en glimlachende Bombur was een slechte ruil voor pakken met eten, hoe zwaar ze ook wogen. Na een paar dagen kwam er een tijd dat er praktisch niets te eten of te drinken over was. Zij konden niets eetbaars in het bos zien groeien, slechts mossen en kruiden met fletse bladeren en een onaangename geur.
Op ongeveer vier dagen gaans van de betoverde rivier kwamen zij bij een gebied waar de bomen voornamelijk beuken waren. Eerst waren zij geneigd zich bemoedigd te voelen door de verandering, want hier groeide geen kreupelhout en de schaduw was niet zo diep. Er hing een groenachtig licht omheen, en op enkele plaatsen konden ze een eindje aan weerszijden van het pad zien. Maar in het licht zagen zij alleen eindeloze rijen rechte grijze stammen als de pilaren van een enorme schemerachtig verlichte zaal. Er was een kleine luchtstroom en een geluid van wind, maar het had een droevig geluid. Er kwamen een paar blaren ritselend omlaag dwarrelen om hen eraan te herinneren dat buiten de herfst op komst was. Hun voeten schuifelden tussen de dode bladeren van ontelbare andere herfsten die over de randen van het pad uit de diepe rode tapijten van het woud waren verdwaald.
En Bombur sliep nog steeds en zij begonnen erg moedeloos te worden. Af en toe hoorden zij een verontrustend gelach. En soms

klonk er ook gezang in de verte. Het gelach was het lachen van fijne stemmen, niet van aardmannen, en het gezang klonk mooi, maar tegelijkertijd geheimzinnig en vreemd, en zij voelden zich niet gerustgesteld, maar spoedden zich met alle kracht die hun nog restte weg uit deze streken.

Twee dagen later merkten zij dat het pad omlaag liep, en het duurde niet lang of zij waren in een dal dat bijna helemaal vol stond met enorme eiken.

'Komt er dan nooit een einde aan dit vervloekte bos?' vroeg Thorin. 'Iemand moet in een boom klimmen en zien of hij zijn hoofd boven het dak uit kan krijgen en rondkijken. De enige manier is om de grootste boom te kiezen die over het pad heen buigt.'

Natuurlijk betekende die 'iemand' Bilbo. Ze kozen hem, want om van enig nut te zijn moest de klimmer zijn hoofd boven de bovenste bladeren uit krijgen en daarom moest hij zo licht zijn dat de hoogste en dunste takken hem konden dragen. De arme meneer Balings had nooit veel ervaring opgedaan met het klimmen in bomen, maar ze hesen hem in de laagste takken van een enorme eik die ten dele op het pad stond en hij moest zo goed en kwaad als het ging naar boven. Hij baande zich een weg door de warrige takken en kreeg menige klap op het oog; hij werd groen besmeurd door de oude schors van de grotere takken; meer dan eens gleed hij uit en hield zich nog net op tijd vast en ten slotte, na een verschrikkelijke worsteling op een moeilijke plaats waar helemaal geen behoorlijke takken schenen te zitten, kwam hij bij de top. En hij vroeg zich de hele tijd af of er spinnen in de boom zouden zitten en hoe hij weer naar beneden moest komen (behalve dan door te vallen).

Ten slotte stak hij zijn hoofd boven het bladerdak uit en trof daar inderdaad spinnen aan. Maar het waren maar kleintjes, van gewoon formaat, die daar op vlinders aasden. Bilbo's ogen werden bijna verblind door het licht. Hij kon de dwergen van ver beneden hem horen roepen, maar hij kon niet antwoorden; alleen zich vasthouden en knipperen. De zon scheen stralend en het duurde een hele poos voor hij het licht kon verdragen. En toen dat gebeurde, zag hij overal om zich heen een zee van donkergroen, hier en daar bewogen door de bries; en overal waren honderden vlinders. Ik vermoed dat het een soort 'purperen keizers' waren, een vlinder die dol is op de toppen van eikenbossen, maar deze waren helemaal niet purper, ze waren heel donker fluweelachtig zwart van kleur, zonder enige tekening.

Hij keek lange tijd naar de 'zwarte keizers' en genoot van de streling van de bries door zijn haar en op zijn gezicht; maar ten slotte herinnerden de kreten van de dwergen, die nu beneden eenvoudig stonden te trappelen van ongeduld, hem aan zijn werkelijke opgave. Het haalde niets uit. Hoe hij ook tuurde, hij kon in geen enkele richting het einde van het bos zien. Zijn hart, dat moed had gevat bij de aanblik van de zon en de streling van de wind, zonk hem weer in de schoenen; er was ook geen eten daar beneden om naar terug te gaan.

Maar in werkelijkheid, zoals ik je heb verteld, waren ze niet ver van de rand van het bos; en Bilbo had zo verstandig moeten zijn om het te zien: de boom waar hij in geklommen was, ook al was die zelf hoog, stond vlak bij de bodem van een breed dal, zodat van de top af gezien de bomen eromheen schenen op te lopen als de randen van een grote kom, en hij kon dan ook niet verwachten dat hij zou zien hoever het bos reikte. Maar hij zag dat niet, en hij klom wanhopig naar omlaag. Eindelijk was hij weer beneden, vol schrammen, warm en ongelukkig en hij kon beneden in de duisternis niets zien toen hij daar aankwam. Zijn verslag maakte de anderen algauw even mistroostig als hijzelf.

'Aan dit bos komt nergens een einde! Wat moeten we doen? En wat heeft het voor nut om een hobbit mee te sturen!' riepen zij uit, alsof het zijn schuld was. Ze gaven geen zier om de vlinders en werden alleen maar bozer toen hij hun vertelde van het heerlijke briesje dat zij niet konden voelen, omdat ze te zwaar waren om te klimmen.

Die nacht aten zij hun allerlaatste restjes en kruimels; en de volgende morgen toen zij wakker werden, was het eerste dat zij bemerkten dat ze nog steeds een knagende honger hadden, en vervolgens dat het regende en dat de regen hier en daar zwaar op de grond van het woud neerviel. Dat herinnerde hen er alleen maar aan dat ze ook een verschrikkelijke dorst hadden, zonder dat ze iets konden doen om die te verminderen. Je kunt een erge dorst niet lessen door onder reuzeneiken te gaan staan wachten tot er toevallig eens een druppeltje op je tong valt. Het enige sprankje hoop kwam heel onverwachts van de kant van Bombur.

Hij werd plotseling wakker en kwam overeind terwijl hij op zijn hoofd krabde. Hij kon helemaal niet bedenken waar hij was en ook niet waarom hij zich zo hongerig voelde, want hij was alles vergeten wat er gebeurd was sinds ze die ochtend in mei langgeleden op reis waren gegaan. Het laatste dat hij zich herinnerde, was het feestje bij de hobbit thuis, en ze hadden grote moeite om hem het verhaal van de vele avonturen die zij sindsdien hadden beleefd te doen geloven. Toen hij hoorde dat er niets te eten was, ging hij zitten huilen, want hij voelde zich erg slap en wankel in de benen. 'Waarom ben ik ooit wakker geworden!' riep hij uit. 'Ik had net zulke mooie dromen. Ik droomde dat ik door een bos liep, net als dit, maar dan verlicht door fakkels aan de bomen en vuren op de grond; en er was een groot feest aan de gang, waar geen einde aan kwam. Er was een boskoning met een kroon van bladeren en vrolijk gezang en de dingen die er te eten en te drinken waren, zou ik niet kunnen opnoemen of beschrijven.'

'Dat hoef je ook niet te proberen,' zei Thorin. 'Als je niet over iets anders kunt praten, zou ik m'n mond maar liever houden. Als je niet wakker was geworden, zouden we je aan je dwaze dromen in het bos hebben overgelaten; het is echt geen lolletje om je te dragen na weken van weinig eten.'

Er zat nu niets anders op dan de riemen om hun lege magen aan te halen, en hun lege zakken en pakken op de rug te nemen en verder het pad langs te sjokken zonder veel hoop dat zij aan het einde zouden komen voor zij in elkaar zakten om van honger te sterven. Zo liepen zij de hele dag en kwamen moeizaam en langzaam vooruit, terwijl Bombur bleef jammeren dat zijn benen hem niet wilden dragen en dat hij wilde gaan liggen om te slapen.

'Nee, daar komt niets van in!' zeiden ze. 'Laat je benen hun aandeel nemen, wij hebben je ver genoeg gedragen.'

Maar toch weigerde hij plotseling nog een stap verder te gaan en wierp zich languit op de grond. 'Gaan jullie verder als je moet,' zei hij. 'Ik ga hier liggen slapen en van eten dromen, als ik het op geen andere manier kan krijgen. En ik hoop dat ik nooit meer wakker word.'

Op datzelfde ogenblik riep Balin, die een eindje vooruitliep: 'Wat was dat? Ik dacht dat ik licht zag schijnen in het bos.'

Ze keken allemaal en in de verte, leek het, zagen zij een rode schittering in het donker; toen weer een en daarnaast nog een. Zelfs Bombur stond op en zij spoedden zich voort en het kon hun niet schelen of het trollen of aardmannen waren. Het licht was vóór hen, links van het pad en toen ze ten slotte op gelijke hoogte ermee waren, was het duidelijk dat er fakkels en vuren onder de bomen brandden, maar een heel eind van hun pad af.

'Het ziet ernaar uit dat mijn dromen bewaarheid worden,' hijgde Bombur, die puffend achter hen aan kwam. Hij wilde recht het bos in op de lichten toe rennen. Maar de anderen herinnerden zich de waarschuwingen van de tovenaar en Beorn maar al te goed.

'Een banket zou niets helpen als we er nooit levend van terugkeerden,' zei Thorin.

'Maar zonder banket zullen we in ieder geval niet lang meer in leven blijven,' zei Bombur en Bilbo was het van harte met hem eens. Lange tijd bekeken zij de zaak van alle kanten tot zij eindelijk besloten een paar verkenners uit te sturen die naar het licht toe moesten sluipen en er meer over te weten zien te komen. Maar toen konden ze het er niet over eens worden wie er moest gaan: niemand scheen er happig op de kans te lopen zoek te raken en zijn vrienden nooit meer terug te vinden. Ten slotte, ondanks de waarschuwingen, dreef de honger hen, omdat Bombur aan één stuk door de goede dingen bleef beschrijven die er, volgens zijn droom, op de feestmaaltijd in het bos werden gegeten. En zo verlieten zij allen het pad en stormden gezamenlijk het woud in.

Na veel gekruip en gesluip gluurden zij rond de stammen en zagen een open plek waar enkele bomen waren geveld en de grond gelijk was gemaakt. Er waren vele lieden, elfs van uiterlijk, allen gekleed in groen en bruin, die in een grote kring op gezaagde ringen van de gevelde bomen zaten. In hun midden brandde een vuur en aan de bomen eromheen waren fakkels bevestigd; maar het mooiste om te zien was dat ze zaten te eten en te drinken en vrolijk te lachen.

De geur van gebraden vlees was zo verleidelijk dat ieder van hen, zonder te wachten om elkaar te raadplegen, opstond en naar de kring kroop met het ene denkbeeld om wat te eten te vragen. Maar zodra de eerste de kring binnenkwam, gingen alle lichten als bij toverslag uit. Iemand schopte tegen het vuur en het doofde in raketten van glinsterende vonken en verdween. Zij waren verloren in een volledig lichtloos duister en zij konden zelfs elkaar niet vinden, een hele tijd in elk geval. Na wanhopig in de duisternis te hebben rondgestunteld, over blokken vallend, tegen bomen opbotsend en schreeuwend en roepend tot ze alles tot mijlen in de omtrek in het bos wakker hadden gemaakt, slaagden zij er ten slotte in zich te verzamelen en op de tast de neuzen te tellen. Tegen die tijd waren zij natuurlijk glad vergeten in welke richting het pad lag, en ze waren allen hopeloos verdwaald, in elk geval tot de morgen.

Er zat niets anders op dan die nacht te blijven waar ze waren; ze durfden niet eens op de grond naar etensresten te zoeken uit vrees dat ze weer gescheiden zouden worden. Maar ze hadden er nog niet lang gelegen en Bilbo begon net te dommelen toen Dori, wiens beurt het was om de wacht te houden, hard fluisterde:

'De lichten verschijnen weer ginds, en het zijn er nu meer dan ooit.'

Ze sprongen allemaal overeind. En ja hoor, niet ver weg waren tientallen twinkelende lichtjes en zij hoorden de stemmen en het ge-

lach heel duidelijk. Ze kropen er langzaam naartoe, in één enkele rij, ieder de rug van zijn voorganger aanrakend. Toen ze dichtbij waren, zei Thorin:
'En niet naar voren rennen deze keer! Niemand mag uit zijn schuilplaats tevoorschijn komen voor ik het zeg. Ik zal meneer Balings alleen vooruit sturen om met hen te praten. Ze zullen van hem niet bang zijn –' En ik ook niet van hen? dacht Bilbo '– en in elk geval hoop ik dat ze hem geen kwaad zullen doen.'
Toen ze aan de rand van de lichtkring kwamen, gaven ze Bilbo plotseling een duw van achteren. Voor hij tijd had om zijn ring aan zijn vinger te doen viel hij struikelend voorover in het volle licht van het vuur en de fakkels. Het ging mis. Alle lichten doofden weer en er viel een volslagen duisternis.
Was het de vorige keer moeilijk geweest om elkaar te vinden, nu was het nog tien keer erger. Ze konden de hobbit gewoonweg niet vinden. Iedere keer dat ze elkaar telden, kwamen ze maar op dertien. Ze schreeuwden en riepen: 'Bilbo Balings! Hobbit! Blikskaterse hobbit! Hé, hobbit! Verdraaid nog aan toe, waar zit je?' en zo meer, maar er kwam geen antwoord.
Ze begonnen net de moed op te geven toen Dori door puur geluk over hem struikelde. In de duisternis viel hij over wat hij voor een houtblok hield, en hij merkte dat het de hobbit was die vast in slaap lag opgerold. Er was heel wat gepor voor nodig om hem wakker te krijgen, en toen hij wakker was, was hij helemaal niet blij.
'Ik had net zo'n mooie droom,' bromde hij, 'allemaal over een allerverrukkelijkst diner.'
'Lieve hemel! Hij is net zoals Bombur geworden,' zeiden ze. 'Vertel ons niks over dromen. Aan droommaaltijden hebben we niets, en we kunnen ze niet delen.'
'Die zijn de beste die ik waarschijnlijk in dit ellendige bos zal krijgen,' mompelde hij toen hij naast de dwergen ging liggen en probeerde in te slapen en zijn droom weer te vinden.
Maar daarmee was er nog geen einde gekomen aan de lichten in het bos. Later, toen de nacht ten einde begon te lopen, kwam Kíli, die de wacht hield, hen allen weer wakker maken en zei:
'Er is nu een heleboel licht niet ver weg, honderden fakkels en vele vuren moeten ineens als bij toverslag zijn ontstoken. En luister eens naar het zingen en de harpen!'
Nadat ze een tijdje hadden liggen luisteren, konden zij het verlangen erheen te gaan en om hulp te vragen niet weerstaan. Ze stonden weer op, maar deze keer was het resultaat rampspoedig. De feestmaaltijd die zij nu zagen, was groter en schitterender dan tevo-

ren, en aan het hoofd van een lange rij feestvierenden zat een boskoning met een kroon van bladeren op zijn gouden haar, bijna precies zoals Bombur deze figuur in zijn droom had beschreven. De elfenlieden reikten elkaar kommen over de vuren aan en sommigen speelden harp en velen zongen. Hun glanzende haar was met bloemen omrankt; groene en witte juwelen schitterden op hun kragen en gordels; en hun gezichten en liederen waren van blijdschap vervuld. Luid, klaar en mooi waren die liederen, maar ineens trad Thorin in hun midden.
Er viel een doodse stilte midden in een woord. En alle licht ging uit. De vuren sprongen op in zwarte rook. As en sintels waren in de ogen van de dwergen, en het bos werd opnieuw vervuld van hun gerucht en uitroepen.
Bilbo merkte dat hij almaar rondrende (naar hij meende) en riep: 'Dori, Nori, Ori, Oín, Gloín, Fíli, Kíli, Bombur, Bifur, Bofur, Dwalin, Balin, Thorin Eikenschild,' terwijl lieden die hij niet kon zien of voelen rondom hem hetzelfde deden (met af en toe 'Bilbo!' ertussendoor). Maar de kreten van de anderen klonken al verder en vager en hoewel het hem na een tijdje toescheen dat zij overgingen op gillen en kreten om hulp in de verte, verstierf alle lawaai ten slotte volkomen, en was hij alleen in een volslagen stilte en duisternis achtergebleven.

Dat was een van zijn ellendigste ogenblikken. Maar weldra besloot hij dat het geen zin had om iets te ondernemen tot de dag wat licht bracht, en dat het volkomen nutteloos was om rond te hannesen en zich te vermoeien zonder enige kans op een ontbijt om hem te doen opleven. Daarom ging hij met zijn rug tegen een boom zitten en begon – niet voor de laatste keer – te mijmeren over zijn verre hobbithol met zijn schitterende voorraadkamers. Hij was diep in gedachten over ham met eieren en toast met boter verzonken toen hij voelde dat iets hem aanraakte. Het leek wel alsof een kleverig stuk touw tegen zijn linkerhand lag en toen hij probeerde zich te bewegen merkte hij dat zijn benen al met hetzelfde spul waren omwonden zodat hij, toen hij opstond, omviel.
Toen kwam de grote spin, die terwijl hij sliep bezig was geweest hem vast te binden, van achteren tevoorschijn en ging op hem af. Hij kon alleen de ogen van het schepsel zien, maar voelde de harige poten terwijl het zijn afschuwelijke draden om hem heen wond. Het was een geluk dat hij bijtijds was opgeschrikt. Het zou niet lang meer hebben geduurd of hij zou zich helemaal niet meer hebben kunnen verroeren. En ook nu moest hij al wanhopig worstelen

om zich te bevrijden. Hij sloeg het schepsel met de handen van zich af – het probeerde hem te vergiftigen om hem rustig te houden, zoals kleine spinnen met vliegen doen – tot hij zich zijn zwaard herinnerde en het uit de schede trok. Toen sprong de spin achteruit en hij had tijd om zijn benen los te snijden. Daarna was het zijn beurt om aan te vallen. De spin was blijkbaar niet gewend aan schepselen die zulke scherpe dingen aan hun zijden droegen, anders zou hij zich wel haastiger uit de poten hebben gemaakt. Bilbo kwam op hem af voor hij kon verdwijnen en prikte hem met het zwaard in de ogen. Toen werd het dier razend en sprong en danste en de poten schopten in afschuwelijke stuiptrekkingen tot hij het met een volgende slag doodde. Toen viel hij neer en herinnerde zich lange tijd niets meer.

Het gewone vaalgrijze licht van de bosdag omringde hem toen hij bijkwam. De spin lag dood naast hem en het staal van zijn zwaard was zwart gevlekt. Op de een of andere manier had het doden van de reuzenspin, helemaal op zijn eentje in het donker en zonder de hulp van de tovenaar of de dwergen of iemand anders, een andere hobbit van meneer Balings gemaakt. Hij voelde dat hij was veranderd: veel feller en stoutmoediger, ondanks zijn lege maag, toen hij het zwaard aan het gras schoonveegde en het weer in de schede stak.

'Ik zal je een naam geven,' zei hij, 'en ik zal je Prik noemen.'

Daarna ging hij op onderzoek uit. Het bos zag er vijandig en stil uit, maar het was duidelijk dat hij in de eerste plaats zijn vrienden moest zoeken die waarschijnlijk niet ver uit de buurt waren, tenzij ze door de elfen (of ergere wezens) gevangen waren genomen. Bilbo besefte dat het niet veilig was om te roepen, en hij stond zich lange tijd af te vragen waar het pad lag en in welke richting hij de dwergen moest gaan zoeken.

'O! Waarom hebben we niet aan de raad van Beorn en Gandalf gedacht,' jammerde hij. 'Wij zitten lelijk in de puree! Wij? Ik wou maar dat het wíj was; het is afschuwelijk om helemaal alleen te zijn.'

Ten slotte giste hij zo goed mogelijk uit welke richting de kreten om hulp 's nachts gekomen waren – en met geluk (en hij had bij zijn geboorte een behoorlijke dosis geluk meegekregen) giste hij vrij goed, zoals je zult zien. Toen hij zijn besluit eenmaal had genomen, kroop hij zo handig mogelijk verder. Hobbits kunnen zich heel goed stilhouden, vooral in bossen zoals ik al heb gezegd, en ook had Bilbo de ring aangedaan voor hij op weg ging. Daarom zagen of hoorden de spinnen hem niet aankomen.

Hij was een eind voorzichtig voortgekropen toen hij een donkere zwarte schaduwplek voor zich uit zag, zelfs voor dat bos donker, als een stuk middernacht dat nooit was verdwenen. Toen hij naderbij kwam, zag hij dat het bestond uit spinnenwebben, achter, boven en door elkaar. En plotseling zag hij ook dat er enorme, afzichtelijke spinnen in de takken boven hem zaten en, ring of geen ring, hij beefde van angst dat ze hem zouden ontdekken. Achter een boom staande sloeg hij een aantal van hen enige tijd gade en in de stilte en roerloosheid van het woud besefte hij dat deze afschuwelijke schepselen met elkaar aan het praten waren. De geluiden die zij maakten, waren een soort iel gekras en gesis, maar hij kon vele van de woorden die zij zeiden, verstaan. Ze hadden het over de dwergen!
'Het was een hevige worsteling, maar het was het waard,' zei de een. 'Wat hebben ze een nare dikke huiden, maar ik wil wedden dat ze vanbinnen lekker sappig zijn.'
'En of, ze zullen heerlijk smaken als ze een tijdje gehangen hebben,' zei een ander.
'Laat ze maar niet te lang hangen,' zei een derde. 'Ze zijn niet zo dik als ze hadden kunnen zijn. Hebben de laatste tijd niet zo goed gegeten, denk ik.'
'Maak ze dood, zeg ik je,' siste een vierde; 'maak ze op staande poot dood en laat ze een tijdje dood hangen.'
'Ik wil wedden dat ze nu al dood zijn,' zei de eerste.
'Nee, dat zijn ze niet. Ik heb er net één zien spartelen. Kwam net weer bij, na een heerlijke slaap. Ik zal het je laten zien.'
Hierop rende een van de dikke spinnen langs een touw tot hij bij een dozijn bundeltjes kwam die op een rij aan een hoge tak hingen. Bilbo was ontsteld toen hij ze voor de eerste keer in de schaduwen zag bungelen, om een dwergenvoet uit een van de uiteinden van de bundeltjes te zien steken, of hier en daar het puntje van een neus, of een eindje baard of een kap.
De spin ging naar de dikste van de bundels toe – Ik wed dat het die arme ouwe Bombur is, dacht Bilbo – en trok hard aan de neus die eruit stak. Er klonk een gedempte kreet binnenin en er schoot een teen omhoog die de spin keihard trof. Er zat nog leven in Bombur. Er klonk een geluid alsof er tegen een zachte voetbal werd getrapt, en de woedende spin viel van de tak en ving zichzelf nog maar net op tijd met zijn eigen draad op.
De andere lachten. 'Je had helemaal gelijk,' zeiden ze, 'het vlees is inderdaad nog springlevend!'
'Daar zal ik gauw genoeg een eind aan maken,' siste de nijdige spin terwijl hij weer terug op de tak klom.

Bilbo zag dat het ogenblik was aangebroken waarop hij iets moest doen. Hij kon niet bij de monsters komen en had niets om mee te schieten, maar toen hij rondkeek, zag hij dat er vele stenen lagen in wat een nu droge kleine rivierbedding leek. Bilbo kon vrij zuiver mikken met een steen en het duurde niet lang voor hij een mooi glad eivormig exemplaar had gevonden dat prettig in de hand lag. Als jongen placht hij te oefenen door stenen naar voorwerpen te gooien, totdat konijnen en eekhoorns en zelfs vogels zich bliksemsnel uit de voeten maakten als ze hem voorover zagen buigen; en ook toen hij groter was geworden, had hij een groot deel van zijn tijd doorgebracht met ringwerpen, pijltjes gooien, ringsteken, kegelen, en andere rustige mik- en werpspelen – hij kon feitelijk een heleboel dingen meer doen dan rookkringen blazen, raadsels opgeven en koken, die ik wegens gebrek aan tijd niet heb kunnen vertellen. Maar daar is nu ook geen tijd voor. Terwijl hij stenen opraapte, had de spin Bombur bereikt en weldra zou hij dood zijn geweest. Maar op dat ogenblik gooide Bilbo. De steen trof de spin midden op de kop, en hij viel bewusteloos uit de boom op de grond, met alle poten omhoog gekruld.

De volgende steen vloog suizend door een groot web, waardoor de draden braken, en trof de spin die er midden op zat, knots, dood. Daarna raakte de hele spinnenkolonie in opschudding en ze vergaten de dwergen voor een tijdje, neem dat maar van mij aan. Ze konden Bilbo niet zien, maar ze konden wel raden uit welke richting de stenen kwamen. Als de weerlicht kwamen zij zwaaiend naar de hobbit toe rennen, hun lange draden in alle richtingen uitwerpend tot de hele lucht vervuld scheen te zijn van wuivende tentakels.

Maar Bilbo glipte gauw weg naar een andere plek. Hij kreeg het idee om de furieuze spinnen zo mogelijk al verder en verder van de dwergen weg te lokken, om ze in één keer nieuwsgierig, opgewonden en nijdig te maken. Toen er ongeveer vijftig waren aangeland op de plaats waar hij eerder had gestaan, wierp hij nog een paar stenen naar hen en naar andere die achter hen hadden stilgehouden; toen, dansend tussen de bomen, begon hij een liedje te zingen om hen woedend te maken en ze allemaal achter hem aan te lokken, en ook om de dwergen zijn stem te laten horen.

En hij zong als volgt:

Ouwe dikke spin, wevend stuk verdriet!
Ouwe dikke spin, ziet me lekker niet!

Etterkop! Etterkop!
Hou maar op,
Hou op met weven tot je me ziet!

Ouwe dikke sufkop, met je dikke buik,
Ouwe dikke sufkop, ik zit hier puik!
Etterkop! Etterkop!
Val maar op!
Ik loop heus toch nooit in je fuik!

Misschien niet erg goed, maar je moet niet vergeten dat hij het zelf moest verzinnen en wel op dat eigenste benarde ogenblik. In elk geval had het de gewenste uitwerking. Terwijl hij zong, gooide hij nog wat meer stenen en stampte. Vrijwel alle spinnen die er waren, kwamen hem achterna; sommige vielen op de grond, andere renden langs de takken, zwaaiden van boom tot boom of wierpen nieuwe draden over de donkere plekken. Ze kwamen veel sneller op zijn geluid af dan hij had verwacht. Ze waren vreselijk nijdig. Afgezien nog van de stenen heeft geen enkele spin het ooit prettig gevonden om Etterkop genoemd te worden en Sufkop is natuurlijk voor iedereen beledigend.
Bilbo schuifelde naar een nieuwe plek, maar verscheidene van de spinnen waren nu naar verschillende punten op de open plek gerend waar zij woonden, en waren druk bezig webben te weven om alle openingen tussen de boomstammen te overspannen. Weldra zou de hobbit aan alle kanten gevangenzitten in een dichte haag ervan overal om hem heen – dat dachten de spinnen tenminste. Nu, staande te midden van de jagende en spinnende insecten, verzamelde Bilbo zijn moed en begon een nieuw lied te zingen.

Luie Lob en gekke Wob
Willen me in hun webben spinnen.
Ik ben veel zoeter dan ander vlees,
toch kunnen ze mij niet vinden!

Ik, stout vliegendier, zit hier;
jij bent lui en vadsig.
Je vangt me niet, hoe je 't ook probeert,
in jullie spinnenraggen!

Hierop draaide hij zich om en merkte dat de laatste ruimte tussen twee hoge bomen was gesloten door een web – maar gelukkig geen

goed web, alleen maar grote lussen dubbeldik spinnentouw dat haastig heen en weer van stam tot stam was gespannen. Tevoorschijn kwam zijn kleine zwaard. Hij hieuw de draden stuk en liep zingend weg.
De spinnen zagen het zwaard, hoewel ik niet geloof dat ze wisten wat het was, en onmiddellijk kwam het hele stel achter de hobbit aan, de harige poten zwaaiend met klapperende scharen en spinners, uitpuilende ogen, schuimend van woede. Zij volgden hem het bos in tot Bilbo niet verder durfde te gaan. Toen sloop hij stiller dan een muis terug.
Hij wist dat hij maar heel weinig tijd had voor de spinnen er de brui aan zouden geven en terugkeren naar de bomen waarin de dwergen waren opgeknoopt. In die tussentijd moest hij hen redden. Het ergste was om op de lange tak te komen waaraan de bundels bungelden. Ik denk niet dat hij erin zou zijn geslaagd als een spin niet gelukkig een touw had laten hangen; met behulp hiervan – hoewel het aan zijn hand kleefde en hem pijn deed – klauterde hij naar boven, maar kwam daar alleen maar een oude, trage, gemene, vette spin tegen die was achtergebleven om de gevangenen te bewaken, en hen de hele tijd had geknepen om te zien welke de sappigste was om te eten. Hij was van plan geweest aan het banket te beginnen terwijl de andere weg waren, maar meneer Balings had haast en voor de spin wist wat er gebeurde, voelde hij Bilbo's Prik en tuimelde morsdood de tak af.
Vervolgens moest Bilbo een dwerg losmaken. Wat moest hij doen? Als hij het touw doorsneed waaraan hij was opgehangen, zou de arme dwerg met een bons op de grond vallen, een heel eind in de diepte. Langs een tak wriggelend (wat alle arme dwergen aan het dansen en schudden maakte als rijpe vruchten) bereikte hij het eerste bundeltje.
Fíli of Kíli, dacht hij, te oordelen naar het puntje van een blauwe kap dat erboven uitstak. Waarschijnlijk Fíli, dacht hij toen hij het puntje van een lange neus uit de draden zag steken. Door zich voorover te buigen slaagde hij erin de meeste van de sterke kleverige draden die om hem heen gewikkeld zaten los te snijden en toen, met een schop en een krampachtige poging, kwam het grootste deel van Fíli tevoorschijn. Ik vrees dat Bilbo werkelijk lachte toen hij zag hoe hij zijn stijve armen en benen heen en weer bewoog terwijl hij danste aan het spinnentouw onder zijn oksels, net als een van die grappige stukken speelgoed die aan een touwtje bungelen.
Op de een of andere manier werd Fíli op de tak gehesen, en toen deed hij zijn best om de hobbit te helpen, hoewel hij zich erg ziek

voelde en misselijk van het spinnengif en doordat hij het grootste deel van de nacht en de volgende dag helemaal ingesponnen had gehangen met alleen zijn neus om door te ademen. Het duurde eeuwen om het ellendige spul uit zijn ogen en wenkbrauwen te verwijderen, en wat zijn baard betrof, die moest hij grotendeels afsnijden. Welnu, met zijn tweeën begonnen ze eerst een dwerg naar boven te hijsen, en toen nog één en ze los te snijden. Geen van hen was er beter aan toe dan Fíli, en anderen waren er slechter aan toe. Sommigen hadden nauwelijks kunnen ademhalen (lange neuzen zijn soms nuttig, zoals je ziet) en anderen waren zwaarder vergiftigd.
Op die manier redden ze Kíli, Bifur, Bofur, Dori en Nori. De arme ouwe Bombur was zo uitgeput – hij was de dikste en hij was aan één stuk door geknepen en gepord – dat hij eenvoudig van de tak af rolde en met een bons op de grond viel, gelukkig op bladeren, en daar bleef liggen. Maar er hingen nog vijf dwergen aan het einde van de tak toen de spinnen terugkwamen, woedender dan ooit.
Bilbo ging onmiddellijk naar het einde van de tak die het dichtst bij de boomstam was en versperde degene die naar boven kropen de weg. Hij had zijn ring afgedaan toen hij Fíli bevrijdde en was vergeten hem weer aan te doen, en dus begonnen ze nu allemaal te sputteren en te sissen:
'Nu zien we je, smerige kleine ellendeling! We zullen je opeten en je beenderen en huid aan een boom laten hangen. Oei! Hij prikt, nietwaar? Nou, maar zullen we hem toch te pakken krijgen en dan zullen we hem een paar dagen met zijn hoofd naar beneden laten hangen.'
Terwijl dit allemaal gebeurde, waren de andere dwergen met de rest van de gevangenen bezig en sneden de draden met hun messen door. Weldra zouden allen bevrijd zijn, hoewel het niet duidelijk was wat er daarna moest gebeuren. De spinnen hadden hen de vorige avond vrij gemakkelijk gevangen, maar dat was bij verrassing in het donker geweest. Deze keer zag het er meer naar uit dat het een afschuwelijke slachting zou worden.
Plotseling merkte Bilbo dat enkele van de spinnen zich om de brave Bombur op de grond hadden verzameld en hem weer hadden gebonden en aan het wegslepen waren. Hij slaakte een kreet en hakte in op de spinnen voor hem. Ze maakten spoedig ruim baan en hij wankelde en viel uit de boom midden tussen de spinnen op de grond. Zijn kleine zwaard was iets nieuws voor hen op het gebied van prikken. Het flitste links en rechts! Het schitterde van plezier toen hij op hen in hakte. Een half dozijn sneuvelde voordat de rest wegtrok en Bombur aan Bilbo liet.

'Kom naar beneden! Kom naar beneden!' schreeuwde hij tegen de dwergen op de tak. 'Blijf daar niet zitten om ingesponnen te worden!' Want hij zag spinnen alle aangrenzende bomen inzwermen en langs de takken boven de hoofden van de dwergen kruipen.
De dwergen klauterden, sprongen of vielen naar beneden, elf op een hoop, de meesten beverig en slap in de benen. Daar waren ze eindelijk, met z'n twaalven, de oude Bombur meegerekend die aan twee kanten overeind werd gehouden door zijn neef Bifur en diens broer Bofur, en Bilbo danste op en neer en zwaaide met Prik: en honderden nijdige spinnen zaten hen van alle kanten en van boven en opzij aan te staren. Het zag er vrij hopeloos uit.
Toen begon de strijd. Sommigen van de dwergen hadden messen en enkelen hadden stokken en allen konden stenen rapen en Bilbo had zijn elfenzwaard. Steeds weer opnieuw werden de spinnen afgeslagen en vele van hen werden gedood. Maar dit kon niet lang zo doorgaan. Bilbo was bijna uitgeput; slechts vier van de dwergen konden stevig staan en weldra zouden ze allen worden overweldigd als uitgeputte vliegen. De spinnen waren alweer rondom hen begonnen hun webben van boom tot boom te weven.
Ten slotte kon Bilbo geen ander plan bedenken dan de dwergen het geheim van de ring deelachtig te maken. Hij vond het nogal jammer, maar er was niets aan te doen.
'Ik ga verdwijnen,' zei hij. 'Ik zal de spinnen weglokken, als ik kan, maar jullie moeten bij elkaar blijven en de andere kant uitgaan. Naar links daar, dat is min of meer de richting waar we de elfenvuren de laatste keer hebben gezien.'
Het was moeilijk om hun dit aan het verstand te brengen, vanwege hun duizelige hoofden en het gekletter van stokken en gegooi van stenen; maar Bilbo voelde ten slotte dat hij het niet langer kon uitstellen – de spinnen sloten hem steeds nauwer in. Plotseling liet hij de ring aan zijn vinger glijden, en tot grote verbazing van de dwergen verdween hij.
Weldra kwam het geluid van 'Luie Lob' en 'Etterkop' tussen de bomen rechts. Dat maakte de spinnen erg in de war. Ze staakten hun opmars, en sommige gingen op weg in de richting van die stem. 'Etterkop' maakte hen zo razend dat ze hun verstand verloren. Toen voerde Balin, die Bilbo's plan beter had begrepen dan de anderen, een aanval uit. De dwergen drongen op een kluitje samen en terwijl ze een regen van stenen lieten neerdalen, trokken zij op naar de spinnen links en braken door de ring heen. En achter hen hielden nu het geschreeuw en gezang plotseling op.
Van ganser harte hopend dat Bilbo niet gevangen was, gingen de

dwergen verder. Maar niet snel genoeg. Ze waren ziek en moe, en konden niet veel anders dan hobbelen en hinken, hoewel vele van de spinnen vlak achter hen waren. Af en toe moesten ze zich omdraaien en de strijd aanbinden met de creaturen die hen inhaalden; en sommige spinnen zaten al in de bomen boven hen en begonnen hun lange kleverige draden naar beneden te gooien. De toestand begon er weer heel slecht uit te zien toen Bilbo ineens weer op het toneel verscheen en de verbijsterde spinnen onverwachts in de flank aanviel.

'Ga door. Ga door!' riep hij. 'Ik zal ze wel prikken!'

En dat deed hij ook. Hij snelde vooruit en achteruit, hakte in op de spinnendraden, hakte naar hun benen en stak naar hun dikke lijven als ze te dichtbij kwamen. De spinnen zwollen op van woede en sputterden en schuimden en sisten afschuwelijke verwensingen; maar zij waren doodsbang van Prik geworden en durfden niet erg dichtbij te komen, nu hij was teruggekomen. Ze konden zoveel vloeken als ze wilden, hun prooi ontsnapte hun langzaam maar zeker. Het was een afschuwelijke geschiedenis en scheen uren te duren. Maar eindelijk, toen Bilbo voelde dat hij geen hand meer kon optillen om nog een klap uit te delen, gaven de spinnen het plotseling op en volgden hen niet langer, maar keerden teleurgesteld naar hun donkere kolonie terug.

De dwergen merkten toen dat ze aan de rand van een kring waren gekomen, waar elfenvuren waren geweest. Of het een van die vuren was die zij de vorige avond hadden gezien, wisten zij niet. Maar het scheen hun toe dat er nog wat goede tovenarij op dergelijke plaatsen bleef hangen waar de spinnen een hekel aan hadden. In ieder geval was het licht hier groener, en de takken minder dik en dreigend en zij kregen gelegenheid om te gaan rusten en op adem te komen.

Daar bleven zij enige tijd puffend en hijgend liggen. Maar weldra begonnen zij vragen te stellen. Ze moesten de hele verdwijningszaak haarfijn uitgelegd hebben, en de vondst van de ring interesseerde hen zozeer, dat zij hun eigen moeilijkheden een tijdlang vergaten. Vooral Balin wilde het hele verhaal van Gollem met raadsels en al telkens opnieuw horen, met de ring op de plaats waar hij thuishoorde. Maar na een tijdje begon de schemering te vallen en toen kwamen er andere vragen los. Waar waren zij, en waar was hun pad, en waar was eten te vinden, en wat moesten ze nu beginnen? Deze vragen stelden ze telkens en telkens weer, en het scheen dat zij van de kleine Bilbo de antwoorden verwachtten. Waaruit je kunt opmaken dat zij zeer sterk van gedachten veranderd waren

waar het hun mening over meneer Balings betrof en zij een grote eerbied voor hem begonnen te koesteren (zoals Gandalf had voorspeld). Zij verwachtten werkelijk dat hij een of ander schitterend plan zou bedenken om hen te helpen, en waren niet alleen maar aan het mopperen. Ze wisten maar al te goed, dat ze weldra allen dood zouden zijn geweest als de hobbit er niet was geweest; en ze bedankten hem vele keren. Sommigen van hen stonden zelfs op om een heel diepe buiging voor hem te maken, hoewel ze ervan omrolden en enige tijd niet meer overeind konden komen.
Toen ze de waarheid over de verdwijning kenden, deed dit helemaal niets af aan hun waardering voor Bilbo, want zij beseften dat hij een scherp verstand had, en ook geluk en een toverring – en dat waren drie zeer nuttige bezittingen. Feitelijk prezen zij hem zozeer dat Bilbo het gevoel begon te krijgen dat hij ten slotte werkelijk iets van een stoutmoedige avonturier had, hoewel hij zich heel wat stoutmoediger zou hebben gevonden als er iets te eten was geweest. Maar er was niets, helemaal niets; en geen van hen was in staat om iets te gaan zoeken of het verloren pad te hervinden. Het verloren pad! Geen ander idee wilde in Bilbo's moede hoofd opkomen. Hij zat daar maar voor zich uit te staren naar de eindeloze bomen; en na een tijdje vervielen zij opnieuw in zwijgen. Allen behalve Balin. Lang nadat de anderen waren opgehouden met praten en hun ogen hadden gesloten, bleef hij maar in zichzelf zitten mompelen en giechelen:
'Gollem? Wel allemachies! Dus hij is zo langs me heen geglipt, nietwaar? Nu weet ik het! Dus je bent stilletjes voortgekropen, hè, meneer Balings? Allemaal knopen op de drempel! Goeie oude Bilbo – Bilbo – Bilbo – bo – bo – bo.' En toen viel hij in slaap en lange tijd heerste er volslagen stilte.
Ineens opende Dwalin een oog en keek om zich heen. 'Waar is Thorin?' vroeg hij.
Het was een ontzettende schok. Inderdaad waren ze slechts met hun dertienen, twaalf dwergen en de hobbit. Ja, waar was Thorin? Zij vroegen zich af welk boos lot hem ten deel was gevallen, tovenarij of duistere monsters, en huiverden toen ze verdwaald in het bos lagen. Daar vielen zij één voor één in een onrustige slaap vol afschuwelijke dromen toen de avond overging in zwarte nacht; en daar moeten wij hen voorlopig laten, te ziek en te moe om wachtposten uit te zetten of om beurtelings te waken.
Thorin was veel eerder gevangengenomen dan zij. Je herinnert je dat Bilbo als een blok in slaap was gevallen toen hij in de lichtkring trad? De volgende keer was het Thorin geweest die naar voren stap-

te, en toen de lichten uitgingen, viel hij als een betoverde steen neer. Heel het gerucht van de dwergen die in de nacht waren verdwaald, hun kreten toen de spinnen hen grepen en vastbonden en alle geluiden van de slag die volgende dag, waren over hem heen gegaan zonder dat hij ze hoorde. Toen waren de boselfen gekomen en hadden hem vastgebonden en weggevoerd.
De feestende lieden waren natuurlijk boselfen. Dit zijn geen slechte lieden. Als ze één fout hebben dan is het dat zij vreemden wantrouwen. Hoewel hun tovenarij sterk was, waren zij zelfs in die tijd op hun hoede. Zij verschilden van de Hoge elfen van het Westen en waren gevaarlijker en minder wijs. Want de meesten van hen (en ook hun verspreide verwanten in de heuvels en de bergen) stamden af van de zeer oude geslachten die nooit naar het Feeënrijk in het Westen waren gegaan. Daar woonden de Lichtelfen en de Diepelfen en de Zee-elfen eeuwenlang en werden mooier en wijzer en geleerder en vonden hun tovenarij en handwerkkunst voor het maken van mooie en wonderlijke dingen uit voordat zij terugkeerden naar de Wijde Wereld. In de Wijde Wereld leefden de boselfen in de schemering van onze Zon en Maan, maar ze hielden het meeste van de sterren, en zwierven in de grote bossen die hoog oprezen in landen die nu verloren zijn. Zij woonden voornamelijk aan de randen van de bossen, waaruit zij af en toe konden ontsnappen om te jagen, of bij maan- of sterrenlicht over de open landen te rijden of te lopen; maar na de komst van de mensen wendden ze zich steeds meer tot de avond- en ochtendschemering. Maar toch waren en bleven zij elfen, en dat wil zeggen Goede Lieden.
In een grote grot enkele mijlen van de oostelijke rand van het Demsterwold woonde in die tijd hun grootste koning. Voor zijn enorme stenen deuren stroomde een rivier uit de hoge gedeelten van het woud en liep naar de moerassen aan de voet van de hoge beboste landen. Deze grote grot, waarop talloze kleinere aan weerskanten uitkwamen, slingerde zich heel ver onder de grond en had vele gangen en grote zalen, maar zij was lichter en gezonder dan welke aardmannenwoning ook, en ze was ook niet zo diep of gevaarlijk. De onderdanen van de koning woonden en jaagden eigenlijk in de open bossen en hadden huizen of hutten op de grond en in de takken. De beuken waren hun geliefdste bomen. De grot van de koning was zijn paleis en de burcht voor zijn schat en de vesting van zijn volk tegen hun vijanden.
Hij was ook de kerker voor zijn gevangenen. Dus sleepten zij Thorin naar de grot – niet al te zachtzinnig, want ze hadden het niet erg op dwergen begrepen en dachten dat hij een vijand was. In vroege-

re tijden hadden zij oorlogen tegen sommigen van de dwergen gevoerd, die zij ervan beschuldigden dat zij hun schat hadden gestolen. Eerlijkheidshalve moet worden gezegd dat de dwergen een heel andere lezing van het geval gaven en zeiden dat zij alleen hadden genomen wat hun toekwam, want de elfenkoning was met hen overeengekomen dat zij zijn ruwe goud en zilver zouden bewerken, en had naderhand geweigerd hun te betalen. Als de elfenkoning één zwak had dan was dat voor schatten, vooral voor zilver en witte juwelen en hoewel hij een rijke schat bezat, verlangde hij altijd naar meer omdat het nog niet zo'n grote schat was als die van andere elfenkoningen van weleer. Zijn volk dolf niet en bewerkte geen metaal of juwelen en deed ook niet veel aan handel of landbouw. Dat wist iedere dwerg, hoewel Thorins familie niets te maken had gehad met de oude twist waarvan ik heb gesproken. Dientengevolge was Thorin boos over de manier waarop zij hem behandelden toen ze hun betovering van hem afnamen en hij bij bewustzijn kwam; en hij was ook vastbesloten om zich geen goud of juwelen te laten aftroggelen. De koning keek Thorin streng aan toen deze voor hem werd geleid en stelde hem vele vragen. Maar het enige dat Thorin wilde zeggen, was dat hij honger had.

'Waarom hebben u en uw lieden drie keer getracht mijn volk tijdens hun banket aan te vallen?' vroeg de koning.

'We hebben hen niet aangevallen,' antwoordde Thorin, 'wij kwamen om te bedelen, omdat wij honger hadden.'

'Waar zijn uw vrienden nu, en wat voeren zij uit?'

'Ik weet het niet, maar ik denk dat zij in het bos omkomen van de honger.'

'Wat deden jullie in het bos?'

'Wij waren op zoek naar eten en drinken, omdat wij honger hadden.'

'Maar waarom zijn jullie het bos dan eigenlijk ingegaan?' vroeg de koning boos.

Hierop hield Thorin zijn mond en weigerde nog een woord te zeggen.

'Goed dan!' zei de koning. 'Voer hem weg en bewaak hem goed, totdat hij lust voelt de waarheid te vertellen, al wacht hij honderd jaar!'

Toen bonden de elfen hem en sloten hem op in een van de binnengrotten met sterke houten deuren en lieten hem daar. Zij gaven hem volop te eten en te drinken, hoewel het niet erg verfijnd was, want de boselfen waren geen aardmannen en gedroegen zich vrij behoorlijk, ook tegenover hun ergste vijanden wanneer zij die gevangennamen. De reuzenspinnen waren de enige levende wezens met wie zij geen medelijden kenden.

Daar in de kerker van de koning zuchtte de arme Thorin; en nadat hij over zijn dankbaarheid voor het brood, het vlees en het water heen was, begon hij zich af te vragen wat er van zijn onfortuinlijke vrienden was geworden. Het duurde niet zo lang voor hij daarachter kwam, maar dat behoort in het volgende hoofdstuk thuis en is het begin van een nieuw avontuur waarin de hobbit opnieuw zijn nut bewees.

IX. Vaten verkiezen de vrijheid

De dag na de veldslag met de spinnen deden Bilbo en de dwergen een laatste wanhopige poging om een uitweg te vinden voor zij van honger en dorst zouden omkomen. Zij stonden op en liepen wankelend in de richting waarvan acht van hun dertienen meenden dat die naar het pad leidde; maar ze kwamen er nooit achter of ze het bij het rechte eind hadden. Het weinige daglicht dat er in het bos was, ging opnieuw over in de zwartheid van de nacht, toen plotseling het licht van vele fakkels rondom hen opvlamde, als honderden rode sterren. Naar voren sprongen boselfen met hun bogen en speren en riepen de dwergen toe te blijven staan.
Aan een gevecht werd niet eens gedacht. Ook al waren de dwergen er niet zo slecht aan toe geweest dat ze eigenlijk blij waren gevangen te worden genomen, hun kleine messen, de enige wapens die zij bezaten, zouden niets hebben kunnen uitrichten tegen de pijlen van de elfen die het oog van een vogel in het donker konden raken. Dus hielden ze eenvoudig stil en gingen zitten wachten – allen behalve Bilbo, die zijn ring aandeed en vlug opzij sprong. Daardoor kwam het dat, toen de elfen de dwergen in een lange rij vastbonden, achter elkaar, en hen telden, zij de hobbit niet zagen of meetelden.
En ook hoorden of voelden zij hem niet achter hun fakkellicht aansjokken toen ze hun gevangenen door het bos wegvoerden. Iedere dwerg was geblinddoekt, maar dat maakte niet veel verschil, want zelfs Bilbo, die wél kon zien, wist niet waar ze heen gingen en hij noch de anderen wisten bovendien vanwaar ze op weg waren gegaan. Bilbo had de grootste moeite om de fakkels bij te houden, want de elfen lieten de dwergen zo hard lopen als ze konden, ziek en moe als ze waren. De koning had bevolen dat ze zich moesten haasten. Plotseling gingen hun fakkels niet verder en de hobbit had net tijd genoeg om ze in te halen voor ze de brug overstaken. Dit was de brug die over de rivier naar de poorten van de koning leidde. Het water stroomde er donker, snel en krachtig onderdoor, en aan het andere einde waren poorten voor de ingang van een enorme grot in de wand van een steile helling die helemaal begroeid was

met bomen. Daar kwamen de grote beuken tot vlak bij de oever waar hun wortels in de stroom stonden.
Over deze brug duwden de elfen hun gevangenen, maar Bilbo aarzelde in de achterhoede. De aanblik van de grotopening stond hem helemaal niet aan en hij besloot pas zijn vrienden niet in de steek te laten toen hij nog net achter de hielen van de laatste elfen aan kon schuifelen, voor de grote deuren van de koning met een klap achter hen dichtsloegen.
Binnen waren de gangen rood verlicht door toortsen en de elfenwachters zongen toen zij door de slingerende, kruisende en galmende paden liepen. Deze leken helemaal niet op die van de aardmannensteden; ze waren kleiner, minder diep onder de grond en de lucht erin was zuiverder. In een grote zaal waarvan pilaren uit de levende steen waren gehakt, zat de elfenkoning op een troon van gebeeldhouwd hout. Op zijn hoofd prijkte een kroon van bessen en rode bladeren, want de herfst was weer aangebroken. In de lente droeg hij een kroon van bosbloemen. In zijn hand hield hij een met snijwerk versierde eikenhouten staf.
De gevangenen werden hem voorgeleid en hoewel hij hen grimmig aankeek, gelastte hij zijn mannen hen los te maken, want zij waren haveloos en vermoeid. 'Bovendien hebben zij hier geen touwen nodig,' zei hij. 'Er is geen ontsnapping uit mijn toverdeuren mogelijk voor hen die eenmaal binnen zijn gebracht.'
Lang en grondig ondervroeg hij de dwergen over hun doen en laten en waar zij heen gingen en waar zij vandaan kwamen, maar hij kon van hen weinig meer te weten komen dan van Thorin. Zij waren koppig en boos en wendden niet eens beleefdheid voor.
'Wat hebben wij gedaan, o koning?' vroeg Balin, die nu de oudste was. 'Is het een misdaad om verdwaald te raken in het bos, hongerig en dorstig te zijn, om door spinnen in een val te worden gelokt? Zijn de spinnen uw huisdieren of lievelingen, als het u boos maakt wanneer zij worden gedood?'
Een dergelijke vraag maakte de koning natuurlijk bozer dan ooit, en hij antwoordde: 'Het is een misdaad om zonder verlof door mijn rijk te zwerven. Vergeet u dat u in mijn koninkrijk was en de weg gebruikte die mijn volk heeft gemaakt? Hebt u niet drie keer mijn volk in het bos achtervolgd en lastiggevallen en de spinnen met uw rumoer en lawaai opgeschrikt? Na alle onrust die u hebt gewekt, heb ik het recht te weten wat u hierheen voert en als u het mij niet wilt vertellen, zal ik u allen gevangenhouden tot u redelijk bent geworden en manieren hebt geleerd!'
Toen gelastte hij dat elk van de dwergen in een afzonderlijke cel

moest worden opgesloten, te eten en te drinken moest worden gegeven, maar dat zij de deuren van hun kleine gevangenissen niet uit mochten tot minstens één van hen bereid was hem alles te vertellen wat hij wilde weten. Maar hij vertelde hun niet dat Thorin ook al bij hem gevangenzat. Het was Bilbo die dat ontdekte.

Die arme meneer Balings – hij moest een droeve lange tijd daar op die plaats helemaal alleen leven, altijd verborgen zonder dat hij ooit zijn ring durfde af te doen en nauwelijks durfde te slapen, ook niet als hij in de donkerste en verste hoeken verscholen lag die hij maar kon vinden. Om maar iets te doen te hebben, begon hij door het paleis van de elfenkoning te zwerven. De poorten werden door toverkracht gesloten, maar soms kon hij eruit glippen als hij vlug was. Compagnieën van de boselfen, soms met de koning aan het hoofd, reden af en toe uit om te jagen of andere dingen in de bossen en in de landen in het oosten te doen. Dan, als Bilbo heel gewiekst was, kon hij vlak achter hen naar buiten glippen, hoewel het een gevaarlijke onderneming was. Meer dan eens bleef hij bijna tussen de deuren zitten als ze dichtklapten nadat de laatste elf er doorging; maar hij durfde toch niet tussen hen in te marcheren vanwege zijn schaduw (hoe dun en nietig die ook was in het fakkellicht), of uit vrees dat men tegen hem op zou botsen en hij zou worden ontdekt. En als hij uitging, wat niet zo vaak gebeurde, kon hij niets uitrichten. Hij wilde de dwergen niet in de steek laten en hij wist ook niet waar hij zonder hen heen moest. Hij kon de jagende elfen niet de hele tijd dat ze buiten waren bijhouden en daardoor ontdekte hij nooit de wegen die het bos uit leidden, en moest alleen en ellendig door het bos zwerven, doodsbang dat hij zou verdwalen, tot er een kans kwam om terug te gaan. Hij had buiten ook honger, want hij was geen jager; maar binnen in de grotten kon hij wel aan leeftocht komen door eten uit de provisiekamer of van de tafel te stelen als er niemand in de buurt was.
Ik ben net een inbreker, die niet weg kan, maar ellendig dag in dag uit in hetzelfde huis moet inbreken, dacht hij. Dit is het akeligste en saaiste van dit hele ellendige, vermoeiende en onbehaaglijke avontuur! Ik wou dat ik terug was in mijn hobbithol bij mijn eigen warme haard en de brandende lamp! Hij wenste ook vaak dat hij een boodschap om hulp naar de tovenaar kon sturen, maar dat was natuurlijk helemaal onmogelijk; en hij besefte weldra dat als er iets gedaan moest worden, meneer Balings het zou moeten opknappen, alleen en zonder hulp.
Eindelijk, na een paar weken op deze stiekeme manier te hebben

geleefd, slaagde hij erin, door de bewakers gade te slaan en te volgen en zoveel mogelijk risico te nemen, te ontdekken waar iedere dwerg gevangen werd gehouden. Hij vond al hun twaalf cellen in verschillende gedeelten van het paleis, en na een tijdje leerde hij de weg heel goed kennen. Wat een verrassing was het toen hij op een dag een gesprek tussen een paar bewakers afluisterde en hoorde dat er ook nog een andere dwerg gevangenzat, op een speciaal diepe en donkere plaats. Hij vermoedde natuurlijk meteen dat dit Thorin was, en na een poosje merkte hij dat zijn vermoeden juist was. Ten slotte, na veel moeilijkheden, slaagde hij erin de plaats te vinden toen er niemand in de buurt was en met de leider van de dwergen te praten.

Thorin voelde zich te ellendig om nog boos te zijn om zijn tegenslag en begon er zelfs over te denken om de koning alles van zijn schat en zijn queeste te vertellen (waaruit wel blijkt hoe erg hij in de put zat) toen hij Bilbo's kleine stem door zijn sleutelgat hoorde. Hij kon zijn oren nauwelijks geloven. Maar hij kwam algauw tot de slotsom dat hij zich niet vergiste en ging naar de deur en voerde een lang gefluisterd gesprek met de hobbit aan de andere kant.

Op die manier slaagde Bilbo erin in het geheim Thorins boodschap aan elk van de andere gevangen dwergen over te brengen en hun te zeggen dat Thorin, hun leider, ook vlakbij gevangenzat en dat niemand het doel van hun tocht aan de koning mocht onthullen; niet, tot Thorin hiervoor toestemming gaf. Want Thorin had weer moed geschept toen hij hoorde hoe de hobbit zijn metgezellen van de spinnen had gered, en was weer vastbesloten om zich niet los te kopen door de koning een aandeel in de schat te beloven voordat alle hoop om op een andere manier te ontsnappen zou zijn verkeken; totdat in feite de opmerkelijke meneer Onzichtbare Balings (van wie hij nu werkelijk een heel hoge dunk begon te krijgen) er helemaal niet in geslaagd was iets slims te bedenken.

De andere dwergen waren het er volkomen mee eens toen zij de boodschap kregen. Zij meenden allen dat hun aandeel in de schat (die zij helemaal als de hunne beschouwden, ondanks hun beproevingen en de nog onoverwonnen draak) ernstig zou lijden als de boselfen er hun deel van zouden opeisen, en ze stelden allen vertrouwen in Bilbo. Datgene wat Gandalf had voorspeld, zou precies zo gebeuren, zie je. Misschien was dat wel ten dele de reden waarom hij ervandoor was gegaan en hen had achtergelaten.

Bilbo koesterde echter niet half zoveel hoop als zij. Hij vond het niet prettig dat iedereen op hem vertrouwde, en hij wou dat de tovenaar in de buurt was. Maar dat hielp niets; waarschijnlijk lag het hele donkere Demsterwold tussen hen in. Hij zat maar te denken en te denken tot zijn hoofd bijna barstte, maar er kwam geen enkel helder idee. Eén onzichtbare ring was een mooi bezit, maar met je veertienen had je er niet veel aan. Maar natuurlijk, zoals je al zult hebben vermoed, redde hij zijn vrienden uiteindelijk toch, en dat ging als volgt in zijn werk.

Op een dag, toen hij aan het snuffelen en rondlopen was, ontdekte Bilbo iets heel interessants: de grote poort was niet de enige toegang tot de grotten. Er liep een rivier onder een deel van de laagste regionen van het paleis en die stroomde wat verder naar het oosten in de Woudrivier, voorbij de steile helling waarop de hoofdingang uitkwam. Waar deze ondergrondse waterbaan uit de heuvelhelling tevoorschijn kwam, was een duiker. Daar kwam het rotsachtige dak vlak bij de oppervlakte van het water omlaag, en vandaar kon men een valpoort in de bedding van de rivier laten zakken om te beletten dat er langs die weg iemand inging of uitkwam. Maar de valpoort stond vaak open, want er was heel wat verkeer via die waterpoort. Als iemand langs die weg naar binnen was gekomen, zou hij hebben ontdekt dat hij in een donkere ruwe tunnel stond die diep naar het hart van de heuvel leidde; maar op één punt, waar deze onder de grotten doorliep, was het dak weggebroken en bedekt met grote eiken valdeuren. Deze openden opwaarts in de kelders van de koning. Daar stonden vaten, vaten en nog eens vaten; want de boselfen, en vooral hun koning, waren dol op wijn, hoewel er in die streken geen wijnranken groeiden. De wijn en andere goederen werden van heel ver aangevoerd, van hun verwanten in het zuiden, of van de wijngaarden van de mensen in verre landen.

Toen hij zich achter een van de grootste vaten verschool, ontdekte Bilbo de valdeuren en hun functie en terwijl hij daar neerhurkte en naar de gesprekken van de dienaren van de koning luisterde, kwam hij te weten hoe de wijn en andere goederen via de rivieren, of over land, naar het Lange Meer kwamen. Het scheen dat een stad van mensen daar nog gedijde, gebouwd op bruggen die ver in het water stonden ter bescherming tegen allerlei vijanden en vooral tegen de draak van de Berg. Van Meerstad uit werden de vaten langs de Woudrivier gevoerd. Vaak werden zij daar tot grote vlotten samengebonden en stroomopwaarts geboomd of geroeid; soms ook werden zij op platte boten geladen.

Wanneer de vaten leeg waren, gooiden de elfen ze door de valdeuren, openden de waterpoort en zo dreven de vaten dan naar de rivier, op en neer dansend tot ze door de stroom werden meegevoerd naar een plek ver stroomafwaarts waar de oever naar voren stak, vlakbij de oostelijke rand van het Demsterwold. Daar werden zij dan verzameld, samengebonden en teruggevoerd naar Meerstad, dat vlak bij de punt lag waar de Woudrivier in het Lange Meer stroomde.

Bilbo bleef een tijdlang over deze waterpoort zitten nadenken, en vroeg zich af of hij kon worden gebruikt om zijn vrienden te laten ontsnappen en ten slotte vormde zich het vertwijfelde begin van een plan.

Het avondeten was naar de gevangenen gebracht. De bewakers liepen stampend door de gangen en namen het fakkellicht met zich mee en lieten alles in duisternis achter. Toen hoorde Bilbo de keldermeester van de koning het hoofd van de wacht goedenavond wensen.

'Kom eens met me mee,' zei hij, 'om de nieuwe wijn te proeven die net is aangekomen. Ik zal vanavond een hoop werk hebben om de lege vaten uit de kelders te ruimen, dus laat ons eerst wat drinken om het werk lichter te maken.'

'Best hoor,' zei het hoofd van de wacht lachend. 'Ik proef met je mee om te zien of het geschikt is voor de tafel van de koning. Er is vanavond een banket en je kunt geen slechte spullen naar boven sturen!'

Toen Bilbo dit hoorde, werd hij helemaal zenuwachtig, want hij begreep dat het geluk met hem was en dat hij meteen een kans kreeg om zijn vertwijfelde plan te beproeven. Hij volgde de twee elfen tot ze een kleine kelder binnengingen en aan een tafel gingen zitten waarop twee grote schenkkannen stonden. Weldra begonnen zij te drinken en vrolijk te lachen. Bilbo had toen uitzonderlijk veel geluk. Het moet sterke wijn zijn om een boself slaperig te maken; maar deze wijn was, naar het scheen, de koppige jaargang uit de grote tuinen van Dorwinion, niet bestemd voor zijn soldaten of zijn dienaren, maar uitsluitend voor de feesten van de koning, en voor kleinere bokalen, niet voor de grote schenkkannen van de keldermeester.

Al heel gauw zat het hoofd van de wacht te knikkebollen; toen legde hij het hoofd op de tafel en viel vast in slaap. De keldermeester bleef nog een tijdje in zichzelf zitten praten en lachen zonder dat hij het scheen te merken, maar weldra knikte ook zijn hoofd tafelwaarts en hij viel in slaap en snurkte aan de zijde van zijn vriend. Toen sloop de hobbit naar binnen. Het duurde niet lang of het hoofd van de wacht had geen sleutels meer, maar Bilbo draafde zo vlug hij kon door de gangen naar de cellen. De grote sleutelbos scheen heel zwaar voor zijn armen, en zijn hart klopte hem vaak in de keel, ondanks zijn ring, want hij kon niet beletten dat de sleutels af en toe hard rinkelden, hetgeen hem de bibberatie gaf.

Eerst ontsloot hij Balins deur en deed die weer zorgvuldig op slot zodra de dwerg buiten was. Balin was zeer verrast natuurlijk, maar blij als hij was dat hij uit zijn vervelende stenen kamer was, wilde hij toch blijven staan om vragen te stellen en te horen wat Bilbo van plan was en zo.

'Geen tijd nu!' zei de hobbit. 'Volg jij me maar! We moeten allemaal bij elkaar blijven en niet de kans lopen gescheiden te worden. Wij moeten allen ontsnappen of geen een, en dit is onze laatste kans. Als dit ontdekt wordt, mag de hemel weten waar de koning jullie dan zal stoppen, met ketens aan je handen en voeten, denk ik. Geen tegenspraak, dan ben je een brave kerel!'

Toen ging hij vlug van deur tot deur tot zijn gevolg tot twaalf was aangegroeid – en geen van hen was door de duisternis en hun lange gevangenschap erg vlug van begrip. Bilbo's hart bonsde telkens wanneer er een paar tegen elkaar opbotsten, of in het donker bromden of fluisterden. 'Die verdraaide dwergentroep!' zei hij bij zichzelf. Maar alles ging goed en ze kwamen geen bewakers tegen. In werkelijkheid was er die nacht in de bossen en in de zalen boven een groots herfstfestijn. Bijna alle onderdanen van de koning waren aan het feestvieren.

Ten slotte kwamen zij na veel gestuntel bij Thorins kerker, op een heel diepe plaats, maar gelukkig niet ver van de kelders.

'Waarachtig,' zei Thorin, toen Bilbo hem toefluisterde naar buiten te komen en zich bij zijn vrienden te voegen. 'Gandalf heeft de waarheid gesproken, zoals gewoonlijk! Je bent werkelijk een prachtinbreker, schijnt het, als puntje bij paaltje komt. Ik weet zeker dat wij voor altijd je dienaren zullen zijn, wat er hierna ook moge gebeuren. Maar wat nu?'

Bilbo zag dat de tijd was aangebroken om zijn denkbeeld zo ver mogelijk uit te leggen; maar hij wist helemaal niet hoe de dwergen het zouden opvatten. Zijn angst bleek volkomen gerechtvaardigd, want het stond hun helemaal niets aan en ze begonnen, ondanks het gevaar waarin ze verkeerden, hard te mopperen.

'We zullen bont en blauw worden gestoten en in elkaar worden geslagen en zeker ook nog verdrinken,' mopperden ze. 'We dachten dat je een verstandig plan had toen je erin slaagde de sleutels te pakken te krijgen. Dit is een waanzinnig idee!'

'Nou goed dan,' zei Bilbo erg terneergeslagen, maar ook geërgerd.

'Kom dan maar weer mee naar jullie gezellige cellen, dan zal ik jullie allemaal weer opsluiten, en dan kun je daar lekker een beter plan gaan zitten bedenken – maar ik denk niet dat ik de sleutels ooit weer te pakken zal kunnen krijgen, al zou ik de neiging voelen om het te proberen.'

Dat was te veel voor hen en ze kalmeerden. Uiteindelijk moesten ze natuurlijk toch doen wat Bilbo voorstelde, omdat het klaarblijkelijk onmogelijk voor hen was te proberen een weg naar de hoger gelegen zalen te vinden, of zich vechtend een uitweg te banen door de poort die zich door tovenarij sloot; en het had ook geen zin in de gangen te staan mopperen tot ze weer gepakt zouden worden. Dus volgden zij de hobbit en slopen naar de laagst gelegen kelders. Ze passeerden een deur waardoor ze het hoofd van de wacht en de keldermeester gelukzalig konden zien snurken, met een glimlach op het gezicht. De wijn van Dorwinion schenkt diepe, aangename dromen. De volgende dag zou er een heel andere uitdrukking op het gezicht van de bewaker staan, ook al sloop Bilbo, voor zij verdergingen, naar binnen om de sleutels goedhartig weer aan zijn riem te bevestigen.

'Dat zal hem iets van de moeilijkheden besparen die hem te wachten staan,' zei meneer Balings bij zichzelf. 'Hij was geen slechte kerel en heel behoorlijk tegenover de gevangenen. Ze zullen ook allemaal stomverbaasd staan. Ze zullen denken dat wij over een zeer sterke toverkracht beschikken dat we door al die gesloten deuren konden gaan en verdwijnen. Verdwijnen! We zullen heel vlug aan het werk moeten gaan als het ervan wil komen.'

Balin kreeg opdracht om de bewaker en de keldermeester in de gaten te houden en te waarschuwen als ze zich verroerden. De anderen gingen naar de aangrenzende kelder met de valdeuren. Er viel weinig tijd te verliezen. Bilbo wist dat een paar elfen weldra bevel zouden krijgen naar beneden te gaan om de keldermeester te helpen de lege vaten door de deuren in de stroom te gooien.

Deze stonden al in rijen midden op de vloer te wachten om weggerold te worden. Sommige waren wijnvaten en daar hadden ze niet veel aan, omdat die niet konden worden geopend zonder een hoop lawaai te maken, en ook niet gemakkelijk meer konden worden dichtgemaakt. Maar er waren verscheidene andere bij die waren gebruikt voor de aanvoer van andere zaken, zoals boter, appelen en zo, naar het paleis van de koning.

Weldra vonden ze er dertien waarin genoeg ruimte was voor één dwerg in elk. Sommige waren eigenlijk te ruim en toen ze erin klommen, dachten de dwergen angstig aan de schokken en bonzen die ze erin zouden oplopen, hoewel Bilbo zijn best deed om stro en ander spul te vinden om hen in korte tijd zo gezellig mogelijk in te pakken. Eindelijk waren twaalf dwergen weggestouwd. Thorin had een hoop last gegeven en draaide en woelde in zijn kuip en gromde als een grote hond in een klein hondenhok, terwijl Balin, die het laatste aan de beurt was, een hoop drukte maakte over zijn luchtgaten en nog voor zijn deksel erop zat, zei dat hij stikte. Bilbo had al het mogelijke gedaan om de gaten in de zijden van de vaten te dichten en alle deksels er zo stevig mogelijk op te bevestigen, en nu was hij weer alleen achtergebleven en rende almaar rond om de laatste hand aan zijn verpakking te leggen, tegen beter weten in hopend dat zijn plan zou slagen.

Hij was geen minuut te vroeg klaar. Slechts enkele minuten nadat Balins deksel erop was gedaan, klonk het geluid van stemmen en het geflakker van lichten. Een aantal elfen kwam lachend, pratend en zingend naar de kelders. Zij hadden een vrolijk feest in een van de zalen verlaten en waren vastbesloten er zo gauw mogelijk terug te keren.

'Waar zit de oude Galion, de keldermeester?' vroeg er een. 'Ik heb hem vanavond niet aan de tafels gezien. Hij hoort hier beneden te zijn om ons te laten zien wat we moeten doen.'

'Ik zal boos zijn als die ouwe luilak laat is,' zei een ander. 'Ik heb geen zin om hier mijn tijd te verspillen terwijl er gezongen wordt.'

'Ha, ha!' riep iemand. 'Daar zit de ouwe schurk met zijn hoofd op een kroes! Hij heeft helemaal op zijn eentje een feestje gehouden met zijn vriend de kapitein.'

'Schud hem door elkaar. Maak 'm wakker!' riepen de anderen ongeduldig.

Galion vond het helemaal niet prettig om geschud of wakker gemaakt en nog minder om uitgelachen te worden. 'Jullie zijn laat,' mopperde hij. 'Ik zit hier beneden maar te wachten en te wachten terwijl jullie drinken en feestvieren en je plicht vergeten. Geen wonder dat ik van verveling in slaap val!'

'Geen wonder,' zeiden ze, 'wanneer de verklaring vlakbij staat in een beker. Kom, geef ons eens een slok van je slaapdrank voor we beginnen. Het is niet nodig de sleutelbewaarder ginds wakker te maken. Zo te zien heeft hij zijn portie gehad.'

Toen dronken zij een rondje en werden plotseling bijzonder vrolijk. Maar ze raakten het hoofd toch niet helemaal kwijt.

'Spaar ons, Galion!' riepen sommigen. 'Jij bent vroeg met feesten begonnen en hebt je brein vertroebeld. Je hebt hier een paar volle

vaten neergezet in plaats van de lege, naar het gewicht te oordelen.'
'Schiet maar op met je werk,' gromde de keldermeester. 'De armen van luie nietsnutten weten niet wat zwaar is. Dit zijn degene die weg moeten, en geen andere. Doe wat ik je zeg!'
'Nou, goed dan, goed,' antwoordden ze terwijl ze de vaten naar de opening rolden. 'Maar het is jouw schuld als de volle botervaten en de beste wijn van de koning de rivier in worden gerold zodat de meermensen er zich voor niets te goed aan kunnen doen.'

Rol – rol – rol dat vat!
Rol ze, rol ze door het gat!
Hupsakee! Plas, plons!
Hups, daar gaan ze met een bons!

Zo zongen zij toen het ene vat na het andere rommelend naar de donkere opening rolde en het koude water, enkele voeten lager, in werd geduwd. Sommige van de vaten waren werkelijk leeg, in andere zat netjes een dwerg verpakt: maar ze gingen allemaal naar beneden; één voor één vielen ze met een hoop geratel en gebons met een smak in het water, sloegen tegen de wanden van de tunnel, botsten tegen elkaar en dobberden weg op de stroom.
Op dit eigenste ogenblik ontdekte Bilbo plotseling het zwakke punt in zijn plan. Misschien heb jij het enige tijd geleden al ontdekt en heb je hem uitgelachen, maar ik denk niet dat je het in zijn plaats half zo goed zou hebben gedaan. Hij zat natuurlijk zelf niet in een ton, en er was ook niemand om hem erin te pakken, ook al was er de kans toe geweest! Het zag ernaaruit dat hij zijn vrienden deze keer werkelijk kwijt zou raken (allen waren al door de donkere valdeur verdwenen) en helemaal alleen achter zou blijven en als een permanente inbreker voor eeuwig in de elfengrotten zou moeten blijven rondhangen. Want ook al had hij meteen door de bovenste poort kunnen ontsnappen, de kans was bijzonder klein dat hij de dwergen ooit terug zou vinden. Hij kende de weg over land niet naar de plaats waar de tonnen werden verzameld. Hij vroeg zich af wat er zonder hem in 's hemelsnaam met hen zou gebeuren; want hij had geen tijd gehad om de dwergen alles te vertellen wat hij had gehoord of wat hij van plan was geweest wanneer ze eenmaal het bos uit waren.
Terwijl al deze gedachten door zijn hoofd speelden, begonnen de elfen, die heel vrolijk waren, bij de rivierdeur een lied te zingen. Sommigen waren al begonnen aan de touwen te trekken waarmee het valhek bij de duiker werd opgehaald om de vaten naar buiten te laten zodra ze daar beneden allemaal dobberden.

Vaar naar 't land van oorsprong terug,
Op de stroom, donker en vlug!
Weg van zalen, grotten diep,
Weg van 't noordelijk bergmassief,
Waar het grote donkre woud
Grijs en grimmig zich ontvouwt
Vaar langs 't bomenrijk gezwind,
Langs de lissen en het riet
Door 't wierrijk moerasgebied!
Door de nevel die des nachts
Wit oprijst uit poel en plas!
Volg de sterren, fonkelend aan
Koude hoge hemelbaan,
Snel, als dauw valt over 't land,
Over waterval en zand,
Naar het zuiden overstag!
Zoek het zonlicht en de dag!
Terug naar weide en naar dreef
Waar het grazend rundvee leeft,
Terug naar tuinen in 't heuvelland
Waar de bes zwelt onderhand.
Onder zonlicht, onder dag
Zuidwaarts, zuidwaarts overstag!
Vaar naar 't land van oorsprong terug
Op de stroom, donker en vlug!

Nu werd het allerlaatste vat naar de luiken gerold! Wanhopig, omdat hij niets anders wist te doen, greep de arme Bilbo het beet en werd ermee over de rand geduwd. Plompverloren viel hij, plons! in het koude donkere water met het vat boven op zich.

Hij kwam proestend weer boven en klemde zich als een rat aan het hout vast, maar hoe hij zich ook inspande, hij kon er niet bovenop klauteren. Telkens als hij het probeerde, rolde het vat om en dompelde hem weer onder. Het was werkelijk leeg en dreef licht als een kurk. Hoewel zijn oren vol water zaten, kon hij de elfen nog in de kelder boven horen zingen. Toen sloegen de valluiken plotseling met een klap dicht en hun stemmen vervaagden. Hij was helemaal alleen in de donkere tunnel en dreef in ijskoud water, moederziel alleen – want je kunt niet rekenen op vrienden die allemaal in vaten verpakt zitten.

Algauw doemde er een grijs plekje in de duisternis op. Hij hoorde het gekraak van het hek in het water, dat omhooggetrokken werd en merkte dat hij zich te midden van een dobberende en bonzende massa kisten en vaten bevond die allemaal op mekaar werden gedrukt om onder de boog door te gaan en de open stroom te bereiken. Hij had de grootste moeite om te beletten dat hij in stukken zou worden gestoten en geplet, maar ten slotte begon de deinende massa vaneen te wijken en één voor één los te raken, onder de stenen boog en weg. Toen zag hij dat het ook niets zou hebben uitgehaald als hij schrijlings op zijn vat had kunnen klimmen, want er was geen ruimte over, zelfs niet voor een hobbit, tussen de bovenkant en het plotseling neervallende dak waar het hek was.

Zij schoten eruit onder de overhangende takken van de bomen op beide oevers. Bilbo vroeg zich af wat de dwergen voelden en of hun tonnen een hoop water schepten. Enkele van de vaten die vlak langs hem kwamen in de duisternis schenen behoorlijk diep te liggen en hij vermoedde dat daar dwergen in zaten.

Ik hoop maar dat ik de deksels er stevig genoeg op heb gedaan! dacht hij, maar het duurde niet lang of hij was zich te veel zorgen om zichzelf aan het maken om nog aan de dwergen te denken. Hij slaagde erin het hoofd boven water te houden, maar hij rilde van de kou en vroeg zich af of hij eraan zou sterven voor zijn geluk een keer nam, en hoeveel langer hij het nog zou uithouden, en of hij het risico zou nemen om los te laten en te proberen naar de oever te zwemmen.

Maar hij hoefde niet lang op zijn geluk te wachten: de kolkende stroom voerde op een punt verscheidene vaten naar de oever en daar bleven zij een tijdje achter een onzichtbare wortel haken. Toen nam Bilbo de gelegenheid te baat om tegen de andere kant van zijn vat op te kruipen terwijl het door een ander vat in evenwicht werd gehouden. Hij kroop er tegenop als een verdronken rat en bleef bovenop liggen om zo goed mogelijk het evenwicht te bewaren. De bries was koud, maar toch prettiger dan het water en hij hoopte dat hij er niet plotseling af zou rollen als ze weer verdergingen.

Algauw raakten de vaten weer los en rolden zich om en voeren slingerend naar de hoofdstroom. Toen vond hij het even moeilijk om erop te blijven als hij had gevreesd, maar op de een of andere manier slaagde hij er toch in, hoewel het ellendig ongemakkelijk was. Gelukkig was hij heel licht en het vat behoorlijk groot, en omdat het nogal lekte, was er wat water in komen te staan. Maar toch was het net alsof je zonder teugel of stijgbeugels een rondbuikige pony probeerde te berijden, die almaar in het gras wilde gaan liggen rollen.

Op deze manier kwam meneer Balings eindelijk bij een plek waar de bomen aan weerszijden minder dicht werden. Daartussenin kon hij de lichtere hemel onderscheiden. De donkere rivier opende zich plotseling wijd en voegde zich daar bij de hoofdstroom van de Woudrivier, die snel uit de grote poorten van de koning stroomde. Daar was een lichte watervlakte die niet langer overschaduwd werd en op de bewegende oppervlakte dansten en braken de spiegelbeelden van wolken en sterren. Toen sleurde het voortsnellende water van de Woudrivier de hele verzameling vaten en tonnen naar de noordelijke oever, waarin zij een brede baai had uitgeschuurd. Deze had een kiezelachtig strand onder overhangende oevers en werd aan de oostkant afgesloten door een kleine vooruitstekende harde rotsrand. Op de ondiepe oever liepen de meeste vaten aan de grond, hoewel er een paar tegen de steenachtige pier aan botsten.
Op de oevers stonden mensen op de uitkijk. Met stokken haalden zij alle vaten bij elkaar en lieten die daar tot de ochtend liggen. Die arme dwergen! Bilbo was er nu niet zo slecht aan toe. Hij liet zich van zijn ton glijden, waadde aan land en glipte toen naar enkele hutten toe die hij aan de rand van het water zag staan. Hij bedacht zich nu geen twee keer meer om ongevraagd een avondmaal in te pikken als hij de kans kreeg; hij had dit nu al zo lang moeten doen, en hij wist beter dan hem lief was wat het betekende om werkelijk honger te hebben en niet alleen maar een beleefde belangstelling voor de lekkere hapjes in een welgevulde provisiekast. Ook had hij door de bomen het schijnsel van een vuur gezien en ook dat trok hem aan met zijn druipende en gescheurde kleren die koud en klam aan zijn lichaam kleefden.

Het is niet nodig je veel van zijn avonturen van die nacht te vertellen, want wij komen nu aan het einde van de reis naar het oosten en aan het laatste en grootste avontuur, dus moeten we opschieten. Natuurlijk geholpen door zijn toverring ging alles eerst heel goed, maar ten slotte werd hij verraden door zijn natte voetstappen en het spoor van droppels dat hij overal waar hij ging of zat achterliet; en ook begon hij te snuffen en op alle plaatsen waar hij zich probeerde te verschuilen verried hij zich door de verschrikkelijke uitbarstingen van zijn onderdrukte niesbuien. Weldra was er grote opschudding in het dorp bij de rivier; maar Bilbo vluchtte het bos in met een brood, een leren wijnzak en een pastei die hem niet toebehoorden. De rest van de nacht hielp hem hierbij en hij slaagde er werkelijk in om op wat droge bladeren te dommelen, ook al neigde het jaar ten einde en was de lucht kil.

Hij werd weer wakker met een bijzonder luide niesbui. De grijze ochtend was al aangebroken en er heerste een vrolijke drukte bij de rivier. Er werd daar een vlot van vaten gemaakt en de vlotelfen zouden die weldra de rivier af loodsen naar Meerstad. Bilbo niesde opnieuw. Hij droop niet langer, maar voelde zich koud over zijn hele lichaam. Hij sjokte zo snel zijn stijve benen hem konden dragen naar beneden en slaagde er net op tijd in de partij vaten te bereiken, zonder in de algemene drukte te worden opgemerkt. Gelukkig was er toen geen zon die een verraderlijke schaduw kon werpen en het was een geluk dat hij lange tijd niet weer hoefde te niezen.

Er werd druk met palen geboomd. De elfen die in het ondiepe water stonden, duwden en drukten. De vaten die nu alle aan elkaar gebonden waren, kraakten en schuurden.

'Dit is een zware last!' mopperden sommigen. 'Ze liggen te diep – sommige ervan zijn vast niet leeg. Als ze overdag aan land waren gekomen, hadden we er eens in kunnen kijken,' zeiden ze. 'Daar is nu geen tijd voor,' zei de man die boomde. 'Duw ze af!' En nu voeren ze werkelijk weg, eerst langzaam, tot ze voorbij de rotspunt waren waar andere elfen stonden om ze met stokken af te houden, maar toen al sneller en sneller naarmate ze in de hoofdstroom terechtkwamen en stroomafwaarts naar het Meer voeren.

Ze waren aan de kerkers van de koning ontsnapt en waren het bos door, maar levend of dood staat nog te bezien.

X. Een warm onthaal

De dag werd lichter en warmer toen ze verder dreven. Na een tijdje beschreef de rivier een bocht om een hoge landrug die aan hun linkerzijde naderde. Aan de stenige voet, als een landinwaartse rotswand, had de diepste stroom klotsend en borrelend gevloeid. Plotseling hield de rotswand op. De oevers liepen naar beneden. De bomen hielden op. Toen zag Bilbo iets spectaculairs.
Rondom hem lag het land plotseling wijd open, doorsneden door het water van de rivier, die zich vertakte in honderden kronkelende stroompjes, of uitliep in moerassen en poelen die aan alle kanten met eilandjes waren bezaaid; maar door het midden liep nog steeds een sterke stroom. En in de verte, zijn donkere top in een gerafelde wolk, doemde de Berg op. Zijn naaste buren in het Noordoosten en het heuvelachtige land daartussen waren onzichtbaar. Heel alleen verrees hij en keek over moerassen heen naar het woud. De Eenzame Berg! Bilbo was van ver gekomen, en had vele avonturen meegemaakt om hem te zien, maar nu vond hij de aanblik helemaal niet prettig.
Terwijl hij naar de gesprekken van de vlotters luisterde en zijn conclusies trok uit de nieuwtjes die zij zich lieten ontvallen, besefte hij algauw, dat hij erg fortuinlijk was geweest dat hij hem ooit te zien had gekregen, al was het ook van deze afstand. Al was zijn gevangenschap vervelend geweest, en al was zijn toestand onaangenaam (om maar te zwijgen van de arme dwergen onder hem), hij had toch meer geluk gehad dan hij had gedacht. De gesprekken gingen allemaal over de handel die via de waterwegen werd gedreven en de toename van het verkeer op de rivier, naarmate de wegen uit het oosten naar het Demsterwold verdwenen of in onbruik raakten; en over de ruzies tussen de meermensen en de boselfen over het onderhoud van de Woudrivier en de zorg voor de oevers. Die landen waren erg veranderd sinds de tijd dat de dwergen nog in de Berg woonden, een tijd die de meeste mensen zich nu nog slechts als een heel vage traditie herinnerden. Ze waren zelfs in recente jaren veranderd en sinds het laatste nieuws dat Gandalf erover had gehoord. Grote overstromingen en regens hadden de wateren die naar het

oosten stroomden, doen zwellen; en er waren enkele aardbevingen geweest (die sommigen geneigd waren aan de draak toe te schrijven – daarbij voornamelijk met een verwensing en een veelzeggende knik in de richting van de Berg naar hem verwijzend). De moerassen en poelen hadden zich aan beide kanten meer verbreid. Paden waren verdwenen, en ook menige ruiter en zwerver, die had geprobeerd de verloren wegen erdoorheen te vinden. De elfenweg door het bos die de dwergen op aanraden van Beorn hadden gevolgd, kwam nu aan een twijfelachtig en weinig gebruikt einde aan de oostelijke rand van het bos; alleen de rivier bood nog een veilige weg van de zomen van het Demsterwold in het noorden, naar de door de Berg overschaduwde vlakten daarachter, en de rivier werd bewaakt door de koning van de boselfen.

Dus je ziet dat Bilbo achteraf langs de enige goede weg was gegaan. Het zou meneer Balings, die huiverend op de vaten zat, misschien een hart onder de riem hebben gestoken als hij geweten had dat dit nieuws Gandalf heel ver weg had bereikt en hem zeer ongerust had gemaakt, en dat hij op dat ogenblik in feite de laatste hand legde aan zijn andere besognes (die in dit verhaal niet ter sprake komen) en zich gereedmaakte om Thorins gezelschap te gaan zoeken. Maar Bilbo had daar geen weet van.

Het enige dat hij wist, was dat er geen einde aan de rivier scheen te komen, en dat hij honger had en een zware neusverkoudheid, en dat de manier waarop de Berg hem nog aan scheen te kijken en te bedreigen terwijl hij steeds naderbij kwam, hem helemaal niet aanstond. Na een tijdje echter boog de rivier in meer zuidelijke richting en de Berg week weer terug en ten slotte, laat op de dag, werden de oevers rotsachtig en verzamelde de rivier al haar verspreide wateren in een diepe snelle stroom, en zij voeren met grote snelheid verder.

De zon was al onder toen de woudrivier met een nieuwe wijde boog naar het oosten in het Lange Meer uitstroomde. Daar had zij een brede monding met rotsachtige, klipachtige poorten aan weerskanten, die onderaan met kiezelhopen waren omgeven. Het Lange Meer! Bilbo had nooit gedacht dat enig ander water dan de zee zo groot kon zijn. Het was zo breed dat de tegenovergelegen oevers er klein en ver uitzagen, maar het was zo lang, dat het noordelijke einde, dat naar de Berg wees, helemaal niet te zien was. Bilbo wist alleen van de kaart, dat daar, waar de sterren van de Grote Beer al schitterden, de rivier de Running uit Dal in het Meer stroomde en met de Woudrivier datgene wat eens een grote diepe rotsvallei geweest moest zijn met diepe wateren vulde. Aan de zuidkant

stroomden de verdubbelde wateren er weer via hoge watervallen uit en snelden haastig naar onbekende landen. In de roerloze avondlucht was het geluid van de watervallen te horen als een ver gebrul.
Niet ver van de monding van de Woudrivier lag de eigenaardige stad waarover hij de elfen in de kelders van de koning had horen spreken. Deze was niet op de oever gebouwd, hoewel daar wel een paar hutten en gebouwen stonden, maar op de oppervlakte van het meer, tegen de kolking van de binnenstromende rivier beschermd door een uitsteeksel van rotsen die een rustige baai vormden. Een grote houten brug liep naar de plaats waar op enorme pijlers, van bomen gemaakt, een bedrijvige houten stad was gebouwd, niet een stad van elfen, maar van mensen die hier nog durfden te wonen onder de schaduw van de verre Drakenberg. Zij leefden nog steeds in voorspoed van de handel die via de grote rivier uit het zuiden werd gedreven en langs de watervallen per wagen naar hun stad werd vervoerd; maar in de grote dagen van weleer, toen Dal in het noorden rijk en welvarend was, waren zij rijk en machtig geweest en er waren hele vloten van schepen op het water geweest, waarvan sommige waren gevuld met goud en andere met krijgers in wapenrusting; en er waren oorlogen en daden geweest die nu nog maar een legende waren. De rottende pijlers van een grotere stad waren nog langs de oevers te zien wanneer de wateren tijdens een periode van droogte zakten.
Maar de mensen herinnerden zich weinig van dit alles, hoewel sommigen nog oude liederen zongen over de dwergkoningen van de Berg, Thrór en Thraín van Durins geslacht en van de komst van de draak en de ondergang van de Heren van Dal. Sommigen zongen ook dat Thrór en Thraín op een dag zouden terugkeren en dat er goud in de rivier door de bergpoorten zou stromen, en dat heel het land zou weerschallen van gezang en gelach. Maar deze aangename legende maakte weinig uit voor hun dagelijkse bezigheden.

Zodra het vlot van vaten in het zicht kwam, voeren er boten uit tussen de pijlers van de stad en stemmen begroetten de vlotvaarders. Toen werden er touwen uitgeworpen en er werd geroeid en spoedig werd het vlot uit de stroom van de Woudrivier getrokken en om het hoge rotsblok heen naar de baai van Meerstad gesleept. Daar werd het, niet ver van de landzijde van de grote brug, gemeerd. Weldra zouden mensen uit het Zuiden komen en een aantal vaten weghalen, en andere zouden zij vullen met goederen die zij bij zich hadden om stroomopwaarts terug te brengen naar de

woonplaats van de boselfen. Intussen liet men de vaten daar drijven terwijl de elfen van het vlot en de schuitenvoerders in Meerstad werden onthaald.
Ze zouden versteld hebben gestaan als ze hadden kunnen zien wat er daar bij de oever gebeurde nadat zij waren weggegaan en de schaduw van de nacht gevallen was. Allereerst sneed Bilbo een vat los, duwde het naar de oever en maakte het open. Er klonk gekreun binnenin en er kwam een hoogst ongelukkige dwerg uitgekropen. In zijn verfomfaaide baard zat nat stro; hij was zo bont en blauw en stijf, zo gekneusd en geplet dat hij nauwelijks door het ondiepe water kon waden om zich kreunend op de kant uit te strekken. Hij zag er uitgehongerd en verwilderd uit als een hond die aan een ketting is gelegd en een week verwaarloosd in een hok heeft doorgebracht. Het was Thorin, maar dat was alleen maar te zien aan zijn gouden ketting en aan de kleur van zijn nu vuile en gehavende hemelsblauwe kap met de dof geworden zilveren kwast. Het duurde enige tijd voor hij de hobbit beleefd wilde antwoorden.
'Nu dan, leef je of ben je dood?' vroeg Bilbo erg boos. Misschien was hij vergeten dat hij in elk geval één goede maaltijd meer had gehad dan de dwergen en ook zijn armen en benen had kunnen gebruiken, om niet te spreken van het grotere rantsoen frisse lucht. 'Zit je nog in de gevangenis, of ben je vrij? Als je eten wilt hebben, en als je verder wilt gaan met dit dwaze avontuur – per slot van rekening is het jouw avontuur en niet het mijne – moet je maar liever je armen over elkaar slaan en je benen wrijven en proberen mij te helpen om de anderen eruit te krijgen zolang we er de kans toe hebben!'
Thorin zag de redelijkheid hiervan natuurlijk in en dus stond hij, na nog een paar keer gekreund te hebben, op en hielp de hobbit zo goed hij kon. In de duisternis, wadend in het koude water, was het een moeilijk en ellendig karwei om uit te zoeken welke de goede vaten waren. Door aan de buitenkant te kloppen en te roepen ontdekten zij slechts ongeveer zes dwergen die tot antwoorden in staat waren. Die werden uitgeladen en aan land geholpen waar ze gingen zitten of liggen mopperen en kermen; ze waren zo doorweekt en gekneusd en verkrampt dat ze zich nog maar nauwelijks konden indenken dat ze bevrijd waren, of dankbaarheid konden voelen.
Dwalin en Balin waren twee van de ongelukkigsten, en het had geen zin hun hulp in te roepen. Bifur en Bofur waren minder beurs en droger, maar ze gingen liggen en weigerden iets te doen. Fíli en Kíli echter, die jong waren (althans voor dwergen) en ook netter met een hoop stro in twee kleinere vaten waren gepakt, kwamen er

min of meer glimlachend uit met alleen wat blauwe plekken en een stijfheid, die weldra verdween.
'Ik hoop dat ik de geur van appels nooit meer zal ruiken!' zei Fíli. 'Mijn vat was er vol van. Om altijd appels te moeten ruiken als je je nauwelijks kunt bewegen en koud en ziek bent van de honger is om razend te worden. Ik zou nu alles in de wijde wereld kunnen eten, uren achtereen – maar geen appels.'
Met de welwillende hulp van Fíli en Kíli ontdekten Thorin en Bilbo ten slotte de anderen van het gezelschap en haalden hen tevoorschijn. De arme dikke Bombur sliep of was bewusteloos; Dori, Nori, Ori, Oín en Gloín lagen in het water en schenen halfdood; ze moesten één voor één worden weggedragen en hulpeloos op het strand gelegd.
'Nou, daar zijn we dan,' zei Thorin. 'En ik veronderstel dat we ons gesternte en meneer Balings moeten bedanken. Ik vind dat hij er recht op heeft het te verwachten, hoewel ik wou dat hij een geriefl ijker reis had kunnen arrangeren. Maar toch – nogmaals, wij zijn allen tot uw dienst bereid, meneer Balings. Ongetwijfeld zullen we ons echt dankbaar voelen als we wat gegeten hebben en op verhaal zijn gekomen. Maar wat moeten we in de tussentijd doen?'
'Ik stel voor om naar Meerstad te gaan,' zei Bilbo. 'Wat zit er anders op?'
Een ander voorstel was natuurlijk niet mogelijk en dus lieten Thorin en Fíli en Kíli en de hobbit de anderen achter en gingen langs de oever naar de grote brug. Aan het begin ervan stonden wachtposten, maar zij hielden niet zo goed de wacht, omdat het al zo lang geleden was sinds het echt nodig was geweest. Afgezien van onenigheden af en toe over riviertollen waren zij bevriend met de boselfen. Andere lieden woonden ver weg, en sommigen van de jongere bewoners van de stad trokken het bestaan van een draak in de bergen openlijk in twijfel en lachten de grijsbaarden en gabbers uit die beweerden dat ze hem in hun jeugd hadden zien vliegen. Zodoende is het niet zo vreemd dat de wachters bij een vuur in hun hut zaten te lachen en te drinken en het geluid van het uitpakken van de dwergen of de voetstappen van de vier verkenners niet hoorden. Hun verbazing was dan ook enorm toen Thorin Eikenschild naar binnen stapte. 'Wie ben je en wat moet je?' riepen zij uit terwijl zij overeind sprongen en hun wapens grepen.
'Thorin, zoon van Thraín, zoon van Thrór, Koning onder de Berg!' zei de dwerg met een luide stem en hij zag er ook naar uit, ondanks zijn gescheurde kleren en verfomfaaide kap. Het goud glansde om zijn nek en middel; zijn ogen waren donker en diep. 'Ik ben teruggekomen. Ik wens het Hoofd van uw stad te spreken!'

Toen volgde een geweldige opwinding. Sommigen van de dommeren renden de hut uit alsof ze verwachtten dat de berg 's nachts in goud zou veranderen en al het water van het meer op slag geel zou worden. De kapitein van de wacht kwam naar voren.
'En wie zijn dit?' vroeg hij, terwijl hij op Fíli, Kíli en Bilbo wees.
'De zonen van mijn vaders dochter,' antwoordde Thorin, 'Fíli en Kíli van het geslacht van Durin, en meneer Balings, die samen met ons uit het Westen is meegereisd.'
'Als u vreedzame bedoelingen hebt, leg dan uw wapens neer,' zei de kapitein.
'Die hebben we niet,' zei Thorin en dit was maar al te waar, want hun messen waren hun door de boselfen afhandig gemaakt en ook het grote zwaard Orcrist. Bilbo had zijn korte zwaard als gewoonlijk verborgen, maar daar zei hij niets over. 'Wij, die eindelijk naar ons eigen gebied, zoals is voorzegd, terugkeren, hebben geen wapens nodig. Ook zouden wij niet tegen zovelen kunnen strijden. Breng ons naar uw meester!'
'Hij zit aan een feestmaaltijd,' zei de aanvoerder.
'Een reden te meer om ons naar hem toe te brengen,' liet Fíli zich ontvallen, die ongeduldig werd door deze plichtplegingen. 'We zijn uitgeput en uitgehongerd na onze lange reis en hebben zieke kameraden bij ons. Haast u en maak er verder geen woorden aan vuil, anders zou uw meester u wel eens de les kunnen lezen.'
'Volg mij dan,' zei de kapitein en met zes man bewaking leidde hij hen over de brug, door de poorten naar het marktplein van de stad. Dit was een grote kring van rustig water, omringd door de hoge pijlers waarop de grotere huizen waren gebouwd en lange houten kaden met vele trappen en ladders, die naar de oppervlakte van het meer leidden. Uit een groot gebouw straalden vele lichten en er klonk het geluid van vele stemmen. Ze gingen de deuren door en stonden knipperend in het licht naar de lange tafels te kijken.
'Ik ben Thorin, zoon van Thraín, zoon van Thrór, Koning onder de Berg! Ik keer terug!' riep Thorin luid in de deuropening, nog voor de kapitein iets kon zeggen.
Allen sprongen overeind. De Meester van de stad sprong op uit zijn grote zetel. Maar geen stonden verbaasder op dan de vlotters van de elfen die aan de andere kant van de zaal zaten. Zij verdrongen zich voor de tafel van de Meester en riepen:
'Dit zijn de gevangenen van onze koning die ontsnapt zijn, rondzwervende dwergen die geen behoorlijke rekenschap konden afleggen van zichzelf, en door de bossen slopen en ons volk molesteerden!'

'Is dat waar?' vroeg de Meester. In feite kwam hem dit veel waarschijnlijker voor dan de terugkeer van de Koning onder de Berg, indien zo iemand ooit had bestaan.
'Het is waar, dat wij ten onrechte door de elfenkoning zijn aangehouden en zonder reden gevangengenomen toen wij naar ons eigen land terugreisden,' antwoordde Thorin. 'Maar slot noch grendel kunnen de thuiskeer verhinderen die vanouds is voorzegd. En ook ligt deze stad niet in het rijk van de boselfen. Ik richt mij tot de Meester van de stad van de mensen van het meer, en niet tot de vlotters van de koning.'
Toen aarzelde de Meester en keek van de een naar de ander. De elfenkoning was heel machtig in deze gebieden en de Meester wilde geen vijandschap met hem; ook gaf hij niet veel om oude liederen, maar richtte zich op handel en tollen, ladingen en goud, aan welke gewoonte hij zijn positie dankte. Anderen waren echter een andere mening toegedaan, en de zaak werd snel zonder hem beslist. Het nieuws had zich van de deuren van de zaal als een lopend vuurtje door de hele stad verspreid. Mensen waren in de zaal en daarbuiten aan het schreeuwen. De kaden galmden van zich haastende voeten. Sommigen begonnen fragmenten van oude liederen over de terugkeer van de Koning onder de Berg te zingen; dat het Thrórs kleinzoon was en niet Thrór zelf die was teruggekomen, deerde hun allerminst. Anderen namen het lied over en het schalde luid en hoog over het meer.

De vorst onder de bergen,
De vorst van 't rijk van steen
En zilveren fonteinen,
Aanvaardt opnieuw zijn leen!

Zijn kroon zal hij weer dragen,
Zijn harp wordt weer besnaard,
Zijn zalen zullen galmen
Van liederen, lang verjaard.

Op bergen wuiven bossen
En gras onder de zon;
Zijn rijkdom voedt fonteinen,
Rivier wordt gouden bron.

Het water zal blij stromen,
Warm fonkelen het meer,

Verdriet verdwijnt en droefheid
Bij 's konings wederkeer!

Zo, of zo ongeveer, zongen zij; alleen was het veel langer en er klonk veel geschreeuw en ook de muziek van harpen en violen daarbij. Voorwaar, zulk een opwinding in de stad kon zelfs de oudste grootvader zich niet heugen. De boselfen zelf begonnen in grote onzekerheid te verkeren en zelfs bang te worden. Zij wisten natuurlijk niet hoe Thorin was ontsnapt en zij begonnen te denken dat hun koning misschien een ernstige vergissing had begaan. Wat de Meester betreft, hij zag dat er niets anders opzat dan aan de algemene aandrang toe te geven, op dat ogenblik althans, en te doen alsof hij geloofde dat Thorin was wat hij zei. Daarom stelde hij hem zijn eigen grote zetel ter beschikking en liet Fíli en Kíli op ereplaatsen naast hem zitten. Zelfs Bilbo kreeg een zetel aan de hoofdtafel, en in de algemene opwinding werd geen uitleg gevraagd over waar hij vandaan kwam, want geen van de liederen bevatte ook maar de geringste toespeling op hem.
Spoedig daarna werden de andere dwergen de stad in gebracht onder taferelen van verbazingwekkend enthousiasme. Ze werden allen verbonden en gevoed en gehuisvest en op de verrukkelijkste en meest bevredigende manier vertroeteld. Thorin en zijn gezelschap werd een groot huis ter beschikking gesteld; boten en roeiers werden hun toegewezen; en grote menigten zaten buiten en zongen de hele dag liederen of juichten zodra een dwerg zijn neus buiten de deur stak.
Sommige van de liederen waren oud, maar andere waren heel nieuw en maakten vol vertrouwen melding van de plotselinge dood van de draak en van ladingen rijke geschenken die de rivier naar Meerstad kwamen afzakken. Deze waren voornamelijk door de Meester ingegeven en deden de dwergen niet bepaald veel genoegen, maar ondertussen waren zij tevreden en zij werden weer gauw dik en sterk. Binnen een week waren zij eigenlijk weer helemaal beter, met mooie stof in hun eigen kleuren uitgedost, met gekamde en geknipte baarden en trotse stappen. Thorin liep en keek alsof hij zijn koninkrijk al herwonnen had en Smaug in kleine stukjes was gehakt.
Toen werden, zoals hij had gezegd, de gevoelens van sympathie van de dwergen tegenover de kleine hobbit dagelijks sterker. Er werd niet meer gekreund of gemopperd. Zij dronken op zijn gezondheid, zij klopten hem op de rug en schonken een hoop aandacht aan hem, wat maar goed was, want hij voelde zich niet bijzonder

opgewekt. Hij was de aanblik van de Berg niet vergeten, evenmin als de gedachte aan de draak, en bovendien was hij snipverkouden. Drie dagen achtereen nieste en hoestte hij en kon niet naar buiten en zelfs daarna bleven zijn toespraken op feestmaaltijden beperkt tot 'Dang u vel'.

Ondertussen waren de boselfen met hun ladingen weer de Woudrivier opgegaan en er heerste grote opwinding in het paleis van de koning. Ik heb nooit vernomen wat er met het hoofd van de wacht en de keldermeester is gebeurd. Zolang de dwergen in Meerstad verbleven, werd er natuurlijk nooit iets over sleutels of vaten gezegd en Bilbo zorgde ervoor dat hij nooit onzichtbaar werd. Maar toch werd er meer geraden dan men wist, hoewel meneer Balings ongetwijfeld min of meer een raadsel bleef. In ieder geval wist de koning nu waar de dwergen op uit waren, of dat dacht hij tenminste en hij zei bij zichzelf:

'Goed dan! We zullen zien! Er zal geen schat door het Demsterwold terugkeren zonder dat ik er iets in te zeggen heb. Maar ik verwacht dat ze allemaal heel slecht aan hun einde zullen komen en dat is net goed!'

In ieder geval geloofde hij niet dat dwergen draken als Smaug konden bestrijden en doden, en hij had een sterk vermoeden van een poging tot inbraak of iets dergelijks – waaruit blijkt dat hij een wijze elf was, wijzer dan de mensen van de stad, hoewel hij niet helemaal gelijk had, zoals wij aan het einde zullen zien. Hij zond zijn spionnen naar de oevers van het meer en zover noordwaarts naar de berg als zij konden gaan, en wachtte af.

Toen er twee weken om waren, begon Thorin aan vertrekken te denken. Omdat het enthousiasme in de stad nog voortduurde, was het de geschiktste tijd om hulp te krijgen. Het zou niet goed zijn om alles te laten bekoelen door te lang te wachten. Dus sprak hij met de Meester en zijn raadgevers en zei dat hij en zijn gezelschap verder moesten gaan naar de Berg.

Toen was de Meester voor de eerste keer verbaasd en ook enigszins bang en hij vroeg zich af of Thorin dan toch werkelijk een afstammeling was van de oude koningen. Hij had nooit gedacht dat de dwergen Smaug echt zouden durven benaderen, maar meende dat zij bedriegers waren die vroeg of laat ontmaskerd en de stad uitgegooid zouden worden. Hij had het mis. Thorin was natuurlijk inderdaad de kleinzoon van de Koning onder de Berg en niemand kan zeggen wat een dwerg al niet durft te doen om zijn geslacht te wreken of in ere te herstellen.

Maar het speet de Meester allerminst om hen te laten vertrekken. Zij waren duur in de kost en hun komst had alles tot één lange vakantie gemaakt waarin de zaken helemaal tot stilstand waren gekomen. Laat hen Smaug maar lastig gaan vallen en zien hoe hij hen ontvangt, dacht hij. 'Zeker, o Thorin, Thraíns zoon, Thrórs zoon!' zei hij. 'U moet uw eigendommen opeisen. Het uur is nabij dat in het verleden is voorzegd. We zullen u alle hulp bieden die in ons vermogen ligt en rekenen op uw dankbaarheid als u uw koninkrijk hebt herwonnen.'

En zo verlieten op een goede dag, hoewel de herfst al een heel eind gevorderd was, en de winden koud waren en de bladeren snel vielen, drie grote boten Meerstad, beladen met roeiers, dwergen, meneer Balings en veel proviand. Paarden en pony's waren langs omwegen op weg gestuurd om hen bij de afgesproken landingsplaats op te wachten. De Meester en zijn raadgevers namen afscheid van hen op het grote bordes van het raadhuis dat naar het meer leidde. Mensen zongen op de kaden en uit de ramen. De witte riemen werden in het water gestoken en spatten en zij gingen op weg naar het noorden, het meer op, en aanvaardden de laatste etappe van hun lange reis. De enige die diep ongelukkig was, was Bilbo.

XI. Op de drempel

In twee dagen roeiden zij het hele Lange Meer af en voeren de rivier de Running op, en nu konden zij allen de Eenzame Berg grimmig en hoog voor hen zien oprijzen. De stroom was sterk en zij kwamen maar langzaam vooruit. Aan het einde van de derde dag, toen ze enkele mijlen de rivier op waren, meerden zij aan de westelijke oever en gingen aan land. Hier voegden de paarden, met nog meer proviand en benodigdheden en de pony's voor hun eigen gebruik die hen tegemoet waren gestuurd, zich bij hen. Zij laadden zo veel mogelijk op de pony's en de rest werd als voorraad onder een tent opgeslagen, maar geen van de mensen uit de stad wilde ook maar een nacht zo dicht onder de schaduw van de Berg bij hen doorbrengen.

'In ieder geval niet zolang de liederen niet bewaarheid zijn geworden!' zeiden zij. Het was gemakkelijker om in de draak te geloven en minder gemakkelijk om geloof te schenken aan Thorin in deze woeste streken. Hun voorraden hadden eigenlijk geen bewaking nodig, want het hele landschap was woest en verlaten. Dus verliet hun escorte hen; zij lieten zich snel de rivier en de paden langs de oever afzakken, hoewel de nacht al vorderde.

Zij brachten een koude, eenzame nacht door en werden wat minder opgewekt. De volgende dag gingen zij weer op weg. Balin en Bilbo reden achterop, elk met een zwaarbeladen pony naast zich; de anderen waren al een eindje vooruit om zich langzaam een weg te banen, want er waren geen paden. Zij gingen in noordwestelijke richting, wegbuigend van de rivier de Running en kwamen al dichter en dichter bij een grote uitloper van de Berg die zich zuidwaarts naar hen uitstrekte.

Het was een moeizame maar ook een rustige en heimelijke reis. Er klonk geen lach of lied, of geluid van harpen, en de trots en de hoop die in hun harten was gewekt door het zingen van de oude liederen bij het meer verstierven tot een ploeterende naargeestigheid. Zij wisten dat het einde van hun reis naderbij kwam en dat het wel eens een heel afschuwelijk einde zou kunnen zijn. Het landschap rondom hen was kaal en dor, hoewel het, zoals Thorin hun vertelde, eens groen en mooi was geweest. Er groeide weinig gras en het duurde niet lang of er was geen struik of boom meer te zien, maar alleen geknakte, zwarte stompen die aan die lang vervlogen tijd herinnerden. Zij waren bij de Woestenij van de draak gekomen, en zij waren gekomen aan het einde van het jaar.

Toch bereikten zij de uitlopers van de Berg zonder enig gevaar of enig teken van de draak tegen te komen, behalve de wildernis die hij rondom zijn legerstede had gemaakt. De Berg lag donker en stil voor hen en rees steeds hoger op. Zij sloegen hun eerste kamp op de westelijke flank van de zuidelijke uitloper op, die eindigde op een hoogte die Ravenheuvel werd genoemd. Hierop stond een oude uitkijkpost, maar zij durfden die nog niet te beklimmen: hij lag te open en bloot.

Voordat zij op weg gingen om in de westelijke uitlopers van de Berg naar de geheime deur te zoeken waarop heel hun hoop gevestigd was, stuurde Thorin een expeditie uit om het land in het zuiden, waar de Voorpoort stond, te verspieden. Voor dit doel koos hij Balin; Fíli en Kíli en Bilbo gingen met hem mee. Zij liepen onder de grijze zwijgende rotswanden naar de voet van de Ravenheuvel. Daar boog de rivier zich, na een wijde lus door de vallei van Dal te hebben beschreven op haar weg naar het Meer, van de Berg af, en stroomde snel en luidruchtig. Haar oever was kaal en rotsachtig, hoog en steil boven de stroom; en toen zij op deze plaats over het smalle water uitkeken, dat schuimend en spattend tussen vele rotsblokken liep, konden zij in de brede vallei, die door de bergarmen werd overschaduwd, de grijze ruïnes van oude huizen, torens en muren zien.

'Dat daar is alles wat er van Dal over is,' zei Balin. 'De hellingen van de berg waren groen bebost en de beschutte vallei weelderig en mooi in de tijd toen de klokken in die stad luidden.' Hij keek droevig en grimmig tegelijk toen hij dit zei: hij was op de dag dat de draak was gekomen een van Thorins metgezellen geweest.

Zij durfden de rivier niet veel verder naar de Poort te volgen; maar zij gingen verder achter het einde van de zuidelijke rug, totdat zij, terwijl zij achter een rotsblok schuilden, konden uitkijken en de donkere grotachtige opening in een grote rotsmuur tussen de uitlopers van de Berg zagen. Daaruit ontsprong het water van de rivier de Running; en daaruit kwamen ook stoom en zwarte rook tevoorschijn. Niets bewoog zich in de woestenij, behalve de damp en het water en af en toe een onheilspellende zwarte kraai. Het enige geluid waren het geluid van water dat over stenen liep en nu en dan het rauwe gekras van een vogel. Balin huiverde.

'Laten we teruggaan!' zei hij. 'Hier kunnen wij toch niets goeds doen! En ik hou niet van deze zwarte vogels; ze zien eruit als spionnen van het kwaad.'
'De draak leeft nog in de zalen onder de Berg – tenminste naar de rook te oordelen,' zei de hobbit.
'Dat is geen bewijs,' zei Balin, 'hoewel je ongetwijfeld gelijk hebt. Maar misschien is hij een tijdje weggegaan, of ligt hij buiten op de berghelling en houdt de wacht, maar dan zou er toch rook en stoom uit de ingangen komen; alle zalen daarbinnen moeten gevuld zijn met zijn smerige stank.'

Met dat soort naargeestige gedachten, voortdurend achtervolgd door de krassende kraaien boven hen, gingen zij moedeloos terug naar het kamp. Nog in juni waren zij in het mooie huis van Elrond te gast geweest, en hoewel de herfst nu naar de winter toe kroop, scheen die prettige tijd nu jaren geleden. Zij waren alleen in die gevaarlijke woestenij zonder hoop op verdere hulp. Zij waren aan het einde van hun reis, maar, naar het scheen, even ver als ooit van het einde van hun queeste verwijderd. Geen van hen had nog veel moed over.
Maar merkwaardig genoeg had meneer Balings meer moed dan de anderen. Vaak leende hij Thorins kaart en zat er dan op te turen, peinzend over de runen en de boodschap van de maanletters die Elrond had gelezen. Hij was degene geweest die had gezorgd dat de dwergen hun gevaarlijke speurtocht om de deur op de westelijke hellingen te vinden, waren begonnen. Toen verplaatsten zij hun kamp naar een lang dal, smaller dan het grote dal in het zuiden waar de Poorten van de rivier stonden, ommuurd door de lagere uitlopers van de Berg. Twee ervan, die ver omlaag de vlakte inliepen, staken hun lange steile wanden van de hoofdmassa in lange steilwandige kammen naar het westen uit. Hier aan de westzijde waren minder sporen van de vernielzuchtige poten van de draak en er groeide ook wat gras voor de pony's. Van dit westelijke kamp uit, dat de hele dag door rotswanden in schaduw werd gehuld totdat de zon naar het bos begon te dalen, ondernamen zij dag na dag groepsgewijs expedities om paden langs de berghelling te zoeken. Als de kaart juist was, moest zich ergens hoog boven de rotswand aan het einde van het dal de geheime deur bevinden. Maar dag in dag uit keerden zij zonder succes naar hun kamp terug.
Eindelijk vonden zij onverwacht datgene wat zij zochten. Op een dag kwamen Fíli, Kíli en de hobbit door het dal terug en klauterden te midden van de neergestorte rotsblokken in de zuidelijke

hoek. Tegen de middag, toen hij achter een grote steen kroop die alleen stond als een pilaar, stuitte Bilbo op iets dat een ruwe trap leek die omhoog voerde. Toen zij deze opgewonden volgden, vonden hij en de dwergen sporen van een smal pad, dat vaak verdween, maar even vaak weer opdook, en dat slingerend naar de top van de zuidelijke kam voerde en hen ten slotte naar een nog smallere richel bracht, die een bocht in noordelijke richting beschreef langs de wand van de Berg. Toen ze omlaag keken, zagen zij dat zij boven op de wand aan het einde van het dal stonden en op hun eigen kamp neerkeken. Terwijl ze zich aan de rotswand aan hun rechterkant vastklemden, schuifelden zij zwijgend achter elkaar langs de richel tot er een opening in de wand was en zij een kleine inham met steile wanden ingingen, met een bodem van gras, stil en rustig. De ingang die ze hadden ontdekt, was van beneden af onzichtbaar doordat de rotswand eroverheen stak, en ook niet van enige afstand omdat hij zo klein was dat hij er gewoon uitzag als een donkere spleet. Het was geen grot en was naar de hemel open, maar aan de binnenkant verrees een vlakke wand die aan de onderkant, vlakbij de grond, even glad en recht was als metselwerk, maar zonder dat er een voeg of spleet te zien was. Er was daar ook geen teken van een stijl, of bovendrempel of dorpel, of van grendel, slot of stang te bekennen, maar toch twijfelden zij er geen ogenblik aan dat zij de deur eindelijk hadden gevonden.

Zij sloegen erop, ze duwden en stootten ertegen, ze smeekten haar te bewegen, zij spraken gedeelten van toverspreuken voor het openen van deuren, maar niets bewoog. Eindelijk rustten zij doodmoe op het gras aan de voet ervan en toen begon 's avonds hun lange afdaling.

Er heerste die avond opwinding in het kamp. In de ochtend waren zij gereed om er opnieuw op uit te gaan.

Alleen Bofur en Bombur bleven achter om de pony's en de proviand die zij van de rivier hadden meegenomen, te bewaken. De anderen gingen het dal door, en bestegen het pas ontdekte pad naar de smalle richel. Hier konden zij geen bundels of pakken langs dragen, zo nauw en adembenemend was het, met een afgrond van honderdvijftig voet naast hen naar de scherpe rotsen beneden, maar elk van hen had een behoorlijk stuk touw strak om zijn middel gewonden en zo bereikten zij ten slotte zonder ongelukken de kleine grasachtige inham.

Daar sloegen zij hun derde kamp op na alles wat zij nodig hadden van beneden met touwen te hebben opgehesen. En langs dezelfde weg konden zij af en toe een van de actievere dwergen, zoals Kíli, laten zakken om nieuws uit te wisselen of beneden een wachtbeurt te vervullen, terwijl Bofur naar het hogere kamp werd opgehesen. Bombur weigerde zowel langs het touw als langs het pad naar boven te komen.

'Ik ben te dik voor dergelijke vliegenwandelingetjes,' zei hij. 'Ik zou maar duizelig worden en op m'n baard stappen en dan zouden jullie weer met je dertienen zijn. En de geknoopte touwen zijn te dun voor iemand van mijn gewicht.' Gelukkig voor hem was dat niet waar, zoals je zult zien.

Ondertussen onderzochten enkelen van hen de richel voorbij de opening en vonden een pad dat hoger en hoger de berg op leidde; maar zij durfden zich niet zo ver weg te wagen, en dat had ook niet veel zin. Daarboven heerste een stilte, die door geen vogel of geluid verbroken werd, behalve van de wind in de scheuren in het gesteente. Zij spraken zacht en riepen of zongen niet, want in elk rotsblok school gevaar. De anderen die bezig waren met de geheime deur, hadden evenmin succes. Ze waren te happig om zich om de runen of de maanletters te bekommeren, maar probeerden zonder ophouden te ontdekken waar nu precies de deur in de gladde oppervlakte van de rotswand verborgen was. Zij hadden houwelen en velerlei soorten gereedschap uit Meerstad meegebracht, en aanvankelijk probeerden zij die te gebruiken. Maar toen ze ermee op de steen in hakten, versplinterden de stelen en kregen hun armen een vreselijke schok, en de stalen koppen braken of bogen alsof ze van lood waren. Hakken, zo zagen ze duidelijk, haalde niets uit tegen de tovenarij die deze deur gesloten had; en ook werden zij doodsbang van het weergalmende geluid.

Bilbo vond het eenzaam en vervelend om op de drempel te zitten – in werkelijkheid was er natuurlijk geen drempel, maar zij noemden de kleine, met gras begroeide ruimte tussen de muur en de opening voor de grap 'drempel', toen ze zich herinnerden dat Bilbo langgeleden, tijdens het onverwachte feestje in zijn hobbithol had gezegd dat ze op de drempel konden zitten tot ze iets zouden bedenken. En ze zaten inderdaad te denken, of darden doelloos rond en werden al somberder en somberder.

Zij hadden weer wat moed gekregen toen zij het pad hadden ontdekt, maar nu zonk die hen in de laarzen, maar toch wilden zij het niet opgeven en weggaan. De hobbit was niet langer veel opgewekter dan de dwergen. Hij zat almaar met zijn rug tegen de rotsmuur aan en staarde door de opening naar het westen, over de wand, over

de wijde landen naar de zwarte muur van het Demsterwold en de verten daarachter, waarin hij soms heel vaag even glimpen van de Nevelbergen kon zien, klein en ver. Als de dwergen hem vroegen wat hij aan het doen was, antwoordde hij:
'Jullie zeiden dat het mijn werk zou zijn om op de drempel te zitten denken, om van naar binnen kruipen maar te zwijgen, en dus zit ik te denken.'
Maar ik vrees dat hij niet erg veel aan zijn werk dacht, maar aan wat er achter de blauwe verte lag, het rustige Westelijke land en de Heuvel en zijn hobbithol daaronder.
Een grote grijze steen lag midden in het gras en hij staarde er humeurig naar of keek naar de grote slakken. Zij schenen dol te zijn op de kleine beschutte inham met zijn koele rotswanden, en veel enorm grote exemplaren kropen langzaam en kleverig langs de zijden.

'Morgen begint de laatste week van de herfst,' zei Thorin op een dag.
'En na de herfst komt de winter,' zei Bifur.
'En daarna een nieuw jaar,' zei Dwalin, 'en onze baarden zullen groeien totdat zij over de rotswand in de vallei hangen voordat er hier iets gebeurt. Wat doet onze inbreker voor ons? Aangezien hij een onzichtbare ring heeft, en nu een extra voortreffelijke artiest behoorde te zijn, begin ik tot de mening over te hellen dat hij wel eens dwars door de Voorpoort zou mogen gaan om de zaken een beetje te verkennen!'
Bilbo hoorde dit – de dwergen waren op de rotsen vlak boven de omheinde plek waar hij zat. Lieve hemel, dacht hij, dus dat beginnen ze van me te vinden. Ik arme moet ze altijd uit hun moeilijkheden halen, in elk geval sinds de tovenaar weg is gegaan. Wat moet ik in 's hemelsnaam doen? Ik had kunnen weten dat mij uiteindelijk iets afschuwelijks zou overkomen. Ik denk niet dat ik het zou kunnen verdragen die ongelukkige vallei van Dal weer te zien, en wat die dampende poort aangaat...
Die nacht was hij erg ongelukkig en deed nauwelijks een oog dicht. De volgende dag gingen de dwergen allen verschillende richtingen uit; sommigen lieten de pony's beneden wat lopen; anderen zwierven over de berghelling. De hele dag zat Bilbo somber in de grazige inham naar de steen of door de smalle opening naar het westen te kijken. Hij had het vreemde gevoel dat hij ergens op zat te wachten. Misschien komt de tovenaar vandaag ineens terug, dacht hij.
Als hij zijn hoofd optilde, kon hij een stukje van het verre woud

zien. Toen de zon naar het westen draaide, lag er een gele glans op het verre dak, alsof het licht de laatste bleke bladeren raakte. Weldra zag hij de oranje bal van de zon tot op ooghoogte zinken. Hij ging naar de opening en daar stond bleek en onduidelijk het dunne sikkeltje van de nieuwe maan boven de rand van de Aarde.

Op datzelfde ogenblik hoorde hij een scherp gekraak achter zich. Daar, op de grijze steen in het gras, zat een enorme lijster, bijna gitzwart, zijn lichtgele borst sproetig met donkere stippen. Krak! Hij had een slak gevangen en sloeg diens huis op de steen stuk. Krak! Krak!

Plotseling ging Bilbo een licht op. Alle gevaar vergetend ging hij op de richel staan en riep de dwergen, schreeuwend en wuivend. Zij die het dichtstbij waren, kwamen zo vlug ze konden over de rotsen heen geklauterd en langs de rand naar hem toe terwijl ze zich afvroegen wat er in 's hemelsnaam aan de hand kon zijn; de anderen schreeuwden dat ze aan de touwen opgetrokken wilden worden (behalve Bombur, natuurlijk, want die sliep).

Bilbo legde het snel uit. Ze werden er allen stil van; de hobbit stond bij de grijze steen en de dwergen sloegen hem met schommelende baarden ongeduldig gade. De zon zonk lager en lager en hun hoop werd de bodem ingeslagen. Zij ging onder in een gordel van rood gekleurde wolken en verdween. De dwergen kreunden, maar Bilbo stond daar nog steeds vrijwel roerloos. De kleine maan dook naar de horizon. De avond viel. Plotseling, toen hun hoop vrijwel verdwenen was, ontsnapte een rode zonnestraal door een scheur in de wolken. Een lichtstraal scheen recht door de opening in de spelonk en viel op de gladde rotsoppervlakte. De oude lijster, die op een hoge tak met kraalogen en het kopje schuin, had zitten toekijken, sloeg plotseling een triller. Er klonk een luid gekraak. Een rotsschilfer scheurde van de muur en viel. En plotseling verscheen er ongeveer drie voet van de grond een gat.

Vlug, bevend, opdat de kans niet zou voorbijgaan, snelden de dwergen naar de rots en duwden – maar tevergeefs.

'De sleutel! De sleutel!' riep Bilbo uit. 'Waar is Thorin?'

Thorin kwam er haastig aan.

'De sleutel!' riep Bilbo. 'De sleutel die bij de kaart hoorde! Probeer hem nu terwijl er nog tijd is.'

Toen stond Thorin op en haalde de sleutel van de ketting om zijn nek. Hij stak hem in het gat. Hij paste en draaide. Klik! De lichtstraal doofde, de zon ging onder, de maan was weg en de avond sprong de hemel in.

Nu duwden zij allemaal tegelijk en langzaam gaf een gedeelte van de rotswand mee. Er verschenen lange rechte spleten die breder werden. Een deur, vijf voet hoog en drie breed, tekende zich af en zwaaide langzaam geluidloos binnenwaarts. Het scheen alsof de duisternis als een damp uit het gat in de bergwand stroomde, en diepe duisternis waarin niets te onderscheiden viel, lag voor hun ogen, een gapende mond die erin en omlaag leidde.

XII. In het hol van de draak

Lang bleven de dwergen in het donker voor de deur staan beraadslagen, tot Thorin ten slotte zei:
'Nu is de tijd voor onze geachte meneer Balings, die zich op deze lange reis zo'n goede metgezel heeft betoond, en een hobbit met zoveel moed en met een vindingrijkheid die zijn grootte ver te boven gaan en, als ik het mag zeggen, toegerust met een meer dan normale dosis geluk – nu is voor hem de tijd gekomen om de dienst te verrichten waarvoor hij in ons Gezelschap werd opgenomen; nu is voor hem de tijd aangebroken om zijn Beloning te verdienen.'
Je bent al vertrouwd met Thorins stijl bij belangrijke gelegenheden, dus zal ik het hierbij laten, hoewel hij veel langer doorging. Het was inderdaad een belangrijke gelegenheid, maar Bilbo voelde zich ongeduldig. Hij kende Thorin onderhand ook door en door, en wist waar hij naar toe wilde.
'Als je bedoelt dat je denkt dat het mijn baantje is om als eerste de geheime gang binnen te gaan, O Thorin, Thraíns zoon Eikenschild, moge je baard dan nog langer groeien,' zei hij boos, 'maar zeg dat dan meteen en basta! Ik zou wel eens kunnen weigeren. Ik heb jullie al twee keer uit de puree gehaald, wat nauwelijks de afspraak was, zodat ik, geloof ik, al min of meer een beloning heb verdiend. Maar "alle goeie dingen bestaan uit drieën", zoals mijn vader altijd zei, en ik heb zo het idee dat ik niet zal weigeren. Misschien ben ik meer op mijn geluk gaan vertrouwen dan ik vroeger deed' – hij bedoelde de afgelopen lente voor hij zijn eigen huis verliet, maar het leek eeuwen geleden – 'maar ik denk dat ik in ieder geval eens een kijkje zal gaan nemen, dan ben ik ervan af. Nou, wie gaat er met me mee?'
Hij verwachtte geen koor van vrijwilligers, dus werd hij niet teleurgesteld. Fíli en Kíli zagen er benauwd uit en stonden op één been, maar de anderen hielden niet eens de schijn op – behalve de oude Balin, de uitkijk, die de hobbit erg graag mocht. Hij zei dat hij in ieder geval mee naar binnen zou gaan en misschien ook een eindje mee zou gaan, klaar om zo nodig om hulp te roepen.
Van de dwergen kan op zijn best dit worden gezegd: zij waren van

plan Bilbo rijkelijk voor zijn diensten te belonen; zij hadden hem meegenomen om een naar karwei voor hen op te knappen, en ze vonden het niet erg als het arme kereltje het deed zoals hij wilde, maar ze zouden allen hun best hebben gedaan om hem uit de nesten te halen als hij erin raakte, zoals zij in het geval van de trollen hadden gedaan aan het begin van hun avonturen toen ze nog geen bepaalde redenen hadden om hem dankbaar te zijn. Zo is het: dwergen zijn geen helden, maar berekenende lieden die een goed idee hebben van de waarde van geld; sommigen zijn onbetrouwbaar en verraderlijk en deugen voor geen cent; in tegenstelling tot anderen die heel netjes zijn zoals Thorin en zijn Gezelschap, als je niet te veel verwacht.

De sterren verschenen achter hen aan een bleke hemel met zwarte strepen toen de hobbit door de betoverde deur kroop en de Berg binnensloop. Het was veel gemakkelijker dan hij had verwacht. Dit was geen aardmanneningang of een ruwe boselfengrot. Het was een gang die door dwergen was gemaakt toen zij op het hoogtepunt van hun rijkdom en kunnen waren; recht als een liniaal, met een effen vloer en gladde wanden die met een flauwe, gelijkmatige helling recht naar een of ander ver eind in de zwartheid beneden afliep.
Na een tijdje wenste Balin Bilbo 'Veel geluk!' en bleef staan op de plaats waar hij de vage omtrek van de deur nog kon zien en, door een speling van de echo's in de tunnel, het gedruis van de fluisterende stemmen van de anderen vlak voor de deur nog kon horen. Toen liet de hobbit de ring aan zijn vinger glijden, en gewaarschuwd door de echo's om nog meer dan hobbitvoorzichtigheid te betrachten, kroop hij geluidloos naar omlaag, omlaag, omlaag het duister in. Hij beefde van angst, maar zijn kleine gezicht stond vastberaden en ernstig. Hij was al een heel andere hobbit dan degene die zonder zakdoek langgeleden uit Balingshoek was weggerend. Hij had al in geen tijden een hobbitzakdoek gehad. Hij maakte de dolk in zijn schede los, haalde zijn riem aan en vervolgde zijn weg.

'Nu zit je er werkelijk tot over je oren in, Bilbo Balings,' zei hij bij zichzelf. 'Die nacht van het feest ben je er lelijk ingetrapt en nu moet je jezelf er weer uit redden en ervoor boeten! Lieve help, wat was en wat ben ik een stommeling,' zei de Toek in hem. 'Ik verlang allerminst naar door een draak bewaakte schatten en de hele santenkraam zou hier voor mijn part mogen blijven liggen, als ik het voor het zeggen had, als ik maar wakker kon worden en zien dat deze beestachtige tunnel de hal in mijn eigen huis was!'

Natuurlijk werd hij niet wakker, maar ging al verder en verder, tot er geen spoor meer van de deur achter hem te bekennen viel. Hij was helemaal alleen. Weldra vond hij dat het warm begon te worden. 'Is dat een soort gloed die ik daar recht voor me in de diepte zie?' vroeg hij zich af.
Dat was het. Toen hij verderging, werd die steeds groter tot er geen twijfel meer mogelijk was. Het was een rood licht dat gestadig roder en roder werd. Het was nu ook onbetwistbaar heet in de tunnel. Sliertjes stoom kwamen langs hem naar boven drijven en hij begon te zweten. En ook begon er een geluid in zijn oren te bonzen, een soort geborrel als het geluid van een grote pot die op het vuur staat te dansen, vermengd met het snorren van een gigantische spinnende kater. Dit groeide aan tot het onmiskenbare gorgelende geluid van een enorm dier dat daar in de rode gloed voor hem in zijn slaap snurkte.
Op dat punt aangekomen bleef Bilbo staan. Vandaar af verdergaan was het dapperste dat hij ooit deed. De enorme dingen die daarna gebeurden, waren niets daarbij vergeleken. Hij vocht de ware slag in de tunnel alleen, voor hij het reusachtige gevaar zag dat hem wachtte. In ieder geval ging hij na een kort oponthoud verder; en je kunt je voorstellen hoe hij aan het eind van de gang komt, een opening ongeveer even groot en met dezelfde vorm als de deur boven. Daardoor komt het kleine hoofd van de hobbit kijken. Voor hem ligt de grote onderste kelder of kerker van de oude dwergen, midden in het hart van de Berg. Het is nu bijna zo donker dat de uitgestrektheid ervan slechts vaag kan worden vermoed, maar aan de dichtstbijzijnde kant van de rotsachtige vloer verspreidt zich een grote gloed. De gloed van Smaug!

Daar lag hij, een enorme roodgouden draak, vast in slaap; een ronkend geluid kwam uit zijn kaken en neusgaten, en sliertjes rook; maar zijn vuren brandden laag in zijn sluimer. Beneden hem, onder al zijn ledematen en zijn enorme opgerolde staart en aan alle kanten, wijd en zijd, over de enorme vloeren verspreid, lagen talloze stapels kostbare voorwerpen, gesmeed en ongesmeed goud, edelstenen en juwelen en zilver, rood gevlekt in het schemerachtige licht.
Smaug lag, met opgevouwen vleugels als een onmetelijke vleermuis, gedeeltelijk op één zijde gerold, zodat de hobbit zijn onderkant en zijn lange fletse buik kon zien waar juwelen en stukken goud door het lange liggen op zijn kostbare bed aan waren vastgekoekt. Achter hem, waar de muren het dichtstbij waren, kon je vaag maliënkolders, helmen en bijlen, zwaarden en speren zien

hangen; en daar stonden rijen grote potten en vaatwerk, gevuld met een niet te becijferen rijkdom.
Te zeggen dat Bilbo's adem stokte, is volkomen ontoereikend. Er zijn geen woorden voor om zijn verbijstering te beschrijven sinds de mensen de taal hebben veranderd die zij van de elfen leerden in de tijd toen de hele wereld wonderbaarlijk was. Bilbo had vroeger al over drakenschatten horen zingen en vertellen, maar de pracht, de begeerte, de glorie van een dergelijke rijkdom was nooit tot hem doorgedrongen. Zijn hart werd vervuld en doorboord van verrukking en met de begeerte van dwergen; en hij stond roerloos naar het onbetaalbare en ontelbare goud te staren terwijl hij de afschuwelijke bewaker bijna vergat.

Het leek wel of hij een eeuwigheid stond te staren voordat hij, bijna tegen zijn wil aangetrokken, uit de schaduw van de deuropening over de grond naar de dichtstbijzijnde stapel van schatten sloop. Boven hem lag de slapende draak, een gevaarlijke dreiging, ook in zijn slaap. Hij pakte een grote beker met twee oren, zo zwaar als hij kon dragen, en wierp een angstige blik omhoog. Smaug bewoog een vleugel, opende een klauw, het gerochel van zijn snorken veranderde van toon.
Toen vluchtte Bilbo. Maar de draak werd niet wakker – nog niet – maar verviel in andere dromen van hebzucht en geweld en lag daar in zijn gestolen zaal terwijl de kleine hobbit moeizaam door de lange tunnel terug zwoegde. Zijn hart bonsde en zijn benen bibberden koortsachtiger dan toen hij naar beneden ging, maar hij klemde de beker nog vast en zijn voornaamste gedachte was: Ik heb het 'm geflikt. Dit zal hun leren. 'Meer een kruidenier dan een inbreker,' heb je ooit! Nou, dat zullen we wel nooit meer te horen krijgen.
En dat gebeurde ook niet. Balin was overgelukkig de hobbit weer te zien en even verrukt als hij verbaasd was. Hij pakte Bilbo op en droeg hem de buitenlucht in. Het was middernacht en wolken waren voor de sterren geschoven, maar Bilbo bleef met gesloten ogen liggen, hijgend en zich weer verheugend in de streling van de frisse lucht, en merkte nauwelijks de opwinding van de dwergen, en hoe zij hem prezen en op de rug klopten en zichzelf en heel hun nageslacht in komende generaties in zijn dienst stelden.

De dwergen reikten de beker nog steeds van hand tot hand en spraken verrukt over hun herwonnen schat toen het plotseling onder in de berg enorm begon te rommelen, alsof het een oude vulkaan was die besloten had weer eens te gaan uitbarsten. De deur achter hen werd bijna dichtgetrokken, en met een steen geblokkeerd zodat hij niet kon sluiten, maar in de lange tunnel klonken heel ver uit de diepte de afschuwelijke echo's van een gebrul en gestamp dat de grond onder hen deed schudden.

Toen vergaten de dwergen hun vreugde en zelfverzekerd gebluf van een ogenblik geleden en doken angstig in elkaar. Er diende nog altijd rekening met Smaug te worden gehouden. Het is onverstandig om geen rekening te houden met een levende draak als je in zijn buurt bent. Draken mogen dan in werkelijkheid weinig kunnen doen met al hun schatten, meestal kennen zij ze op hun duimpje, vooral wanneer ze lang in hun bezit zijn geweest; en Smaug vormde hierop geen uitzondering. Hij was van een akelige droom (waarin een krijger, volkomen onbeduidend wat zijn afmetingen betrof, maar uitgerust met een bitter zwaard en grote moed, een onaangename rol speelde) in een sluimer overgegaan en werd toen klaarwakker. Er hing een vreemde lucht in zijn hol. Tochtte het misschien door dat kleine gat? Het had hem nooit helemaal aangestaan, ook al was het klein, maar nu keek hij er argwanend naar en vroeg zich af waarom hij het nooit had dichtgemaakt. De laatste tijd had hij zich half verbeeld dat hij de flauwe echo's van een kloppend geluid van ver boven had opgevangen dat tot zijn leger was doorgedrongen. Hij strekte de hals uit om te snuiven. En toen miste hij de beker!

Dieven! Brand! Moord! Zoiets was nog nooit voorgekomen sinds hij in de Berg was komen wonen! Zijn woede was onbeschrijfelijk – het soort woede dat je alleen maar ziet wanneer rijke lieden die meer hebben dan ze kunnen opmaken plotseling iets verliezen dat ze lange tijd hebben bezeten, maar nooit eerder hebben gebruikt of nodig hebben gehad. Hij spuwde vuur, de zaal rookte, hij deed de ingewanden van de berg schudden. Hij stak zijn kop vergeefs uit naar het kleine gat, en toen, zijn hele lengte oprollend en brullend als onderaardse donder, rende hij van zijn diepe legerstede door de grote deur de enorme gangen in van het bergpaleis omhoog naar de Voorpoort.

Zijn enige gedachte was om de hele Berg te doorzoeken tot hij de dief had gevonden en hem had verscheurd en vertrapt. Hij kwam de Poort uit, de wateren rezen in kokendhete sissende stoom, en omhoog steeg hij, als een vuurbal in de lucht en streek neer op de top van de Berg in een straal groene en felrode vlammen. De dwergen hoorden het afschuwelijke lawaai van zijn vlucht en drukten zich tegen de wanden van het grazige terras, samengehurkt onder rotsblokken, in de hoop op de een of andere manier aan de afschuwelijke ogen van de jagende draak te ontkomen.

Daar zouden ze allemaal zijn gedood als Bilbo er weer niet was geweest. 'Vlug! Vlug!' zei hij hijgend. 'De deur! De tunnel! Hier is het niet pluis!'
Opgeschrikt door deze woorden stonden zij net op het punt de tunnel in te kruipen toen Bifur een kreet slaakte: 'Mijn neven! Bombur en Bofur – wij hebben hen vergeten, ze zijn beneden in het dal!'
'Ze zullen worden gedood en al onze pony's ook, en al onze voorraden zullen verloren gaan,' kermden de anderen. 'We kunnen niets doen.'
'Onzin!' zei Thorin, die zijn waardigheid herkreeg. 'We kunnen hen niet in de steek laten. Ga naar binnen, meneer Balings en Balin en jullie tweeën Fíli en Kíli – de draak zal ons niet allemaal krijgen. En nu jullie anderen, waar zijn de touwen? Haast je.'
Dat waren misschien wel de ergste ogenblikken die zij tot dusver hadden doorgemaakt. De afschuwelijke geluiden van Smaugs woede weerkaatsten in de rotsachtige holten ver omhoog; hij kon ieder ogenblik naar beneden komen gieren of rondcirkelen en hen zien zoals ze daar aan de rand van de levensgevaarlijke rotswand als waanzinnigen aan de touwen trokken. Bofur kwam omhoog, en nog steeds was alles veilig. Bombur kwam naar boven, puffend en blazend terwijl de touwen kraakten, en nog steeds was alles veilig. Er kwamen wat gereedschappen en pakketten met voorraden omhoog, maar toen stormde het gevaar op hen af.
Er klonk een zoevend geluid. Een rood licht raakte de punten van rechtopstaande rotsen. De draak kwam eraan.
Zij hadden nauwelijks tijd om in de tunnel terug te vluchten en hun pakken en zakken naar binnen te slepen toen Smaug uit het Noorden kwam neerduiken en vlammen langs de bergwand deed lekken, terwijl zijn grote vleugels wiekten met een geluid als van een brullende wind. Zijn hete adem deed het gras voor de deur verdorren en woei naar binnen door de spleet die zij hadden opengelaten en verschroeide hen in hun schuilplaats. Flakkerende vuren sprongen op en zwarte rotsschaduwen dansten. En duisternis viel toen hij weer voorbijkwam. De pony's gilden van doodsangst, trokken hun touwen stuk en galoppeerden wild weg. De draak dook omlaag, keerde zich om om hen te achtervolgen, en was weg.
'Dat zal het einde van onze arme dieren betekenen!' zei Thorin. 'Niets kan Smaug wat hij eenmaal gezien heeft, ontsnappen. Hier zitten we nu en hier zullen we moeten blijven, tenzij iemand er zin in heeft om de lange mijlen door open terrein naar de rivier terug te sjokken terwijl Smaug op de uitkijk zit!'

Dat was geen prettige gedachte! Zij kropen verder de tunnel in, en daar bleven zij rillend liggen hoewel het warm en benauwd was, tot de dageraad bleek door de spleet in de deur kwam schijnen. Af en toe konden zij door de nacht het gebrul van de vliegende draak horen aanzwellen, voorbijkomen en vervagen, terwijl hij almaar rond de berghellingen joeg.

Uit de pony's en de sporen van de kampementen die hij had ontdekt, maakte hij op dat er mensen van de rivier en het meer waren gekomen en de berghelling van de vallei hadden afgezocht, waar de pony's hadden gestaan; maar de deur weerstond zijn speurend oog, en de kleine ommuurde inham had de felste vlammen buiten gehouden. Lang had hij vergeefs gejaagd tot de dageraad zijn woede bekoelde en hij naar zijn gouden legerstede terugging om te slapen en nieuwe krachten op te doen. Hij zou de diefstal niet vergeten of vergeven, al veranderde duizend jaar hem in een gloeiende steen, maar hij kon het zich veroorloven om te wachten. Langzaam en zwijgend kroop hij terug naar zijn leger en sloot half de ogen.

Toen de ochtend aanbrak, verminderde de angst van de dwergen. Zij beseften dat dit soort gevaren onvermijdelijk was als je met zo'n wachter te maken had, en dat het geen zin had om hun queeste nu al op te geven. En ook konden zij nu nog niet weg, zoals Thorin hun duidelijk had gemaakt. Hun pony's waren verdwaald of gedood, en zij zouden enige tijd moeten wachten tot Smaugs waakzaamheid voldoende verslapte voor zij de lange weg te voet weer konden wagen. Gelukkig hadden zij genoeg van hun voorraden gered om het een tijdje te kunnen uitzingen.

Ze beraadslaagden lange tijd over wat hun te doen stond, maar konden geen manier bedenken om zich van Smaug te ontdoen – wat altijd al een zwak punt in hun plannen was geweest, naar Bilbo hun graag duidelijk had willen maken. Toen, zoals lieden die volkomen verbijsterd zijn gewoonlijk doen, begonnen ze tegen de hobbit te mopperen en hem de schuld te geven voor wat hun eerst zoveel genoegen had gedaan: dat hij een beker had meegenomen en Smaugs woede al zo gauw had opgewekt.

'Wat wordt een dief verondersteld anders te doen?' vroeg Bilbo nijdig. 'Ik ben niet aangenomen om draken te doden, dat is het werk van krijgslieden, maar om een schat te stelen. Ik ben zo goed mogelijk begonnen. Verwachtte je soms dat ik met de hele schat van Thrór op mijn rug zou komen terugdraven? Als er gemopperd moet worden, denk ik dat ik er de meeste reden toe heb. Jullie hadden vijfhonderd inbrekers moeten meenemen in plaats van één. Ik ben er zeker van dat het je grootvader tot grote eer strekt, maar je kunt niet beweren dat je mij de enorme omvang van zijn rijkdom ooit duidelijk hebt gemaakt. Als ik vijftig keer zo groot was en Smaug zo tam als een konijn, zou ik er nog honderden jaren voor nodig hebben om het allemaal naar boven te slepen.'

Daarna vroegen de dwergen hem natuurlijk om excuus. 'Wat vindt u dan dat wij moeten doen, meneer Balings?' vroeg Thorin beleefd.

'Op het ogenblik heb ik er geen idee van – als je de verhuizing van de schat bedoelt. Het is duidelijk dat dat helemaal afhangt van een gelukkig toeval en of we Smaug kunnen kwijtraken. Het kwijtraken van draken ligt niet bepaald in mijn lijn, maar ik zal mijn best doen om iets te bedenken. Persoonlijk heb ik er helemaal geen hoop op en wou ik dat ik weer veilig en wel thuis zat.'

'Denk daar op dit moment maar niet aan! Wat moeten we nu, vandaag, doen?'

'Nou, als jullie werkelijk mijn raad willen horen, zou ik zeggen dat we niets anders kunnen doen dan blijven waar we zijn. Overdag kunnen we ongetwijfeld veilig naar buiten gaan om een luchtje te scheppen. Misschien kunnen we binnen niet al te lange tijd een of twee van ons kiezen om terug te gaan naar de opslagplaats bij de rivier om onze voorraden aan te vullen. Maar ondertussen moet iedereen 's nachts zorgen dat hij veilig in de tunnel zit.

Nu zal ik jullie een voorstel doen. Ik heb mijn ring en zal nog deze middag naar beneden kruipen – dat is de tijd waarop Smaug zijn dutje hoort te doen – en kijken wat hij van plan is. Misschien doet er zich een kans voor. "Ieder monster heeft zijn zwakke plek," zei mijn vader altijd, hoewel niet uit persoonlijke ervaring, vrees ik.'

Natuurlijk namen de dwergen het voorstel met beide handen aan. Zij hadden al eerbied voor de kleine Bilbo gekregen. Nu was hij de echte leider van hun avontuur geworden. Hij begon nu eigen ideeën en plannen te krijgen. Toen de middag kwam, maakte hij zich op voor een nieuwe tocht naar omlaag in de Berg. Hij had er natuurlijk niet veel zin in, maar het was niet zo erg nu hij min of meer wist wat hem te wachten stond. Als hij meer van draken en hun listen had af geweten, zou hij wel banger en minder hoopvol zijn geweest dat hij deze slapend zou aantreffen.

De zon scheen toen hij op weg ging, maar het was zo zwart als de nacht in de tunnel. Het licht van de deur, die bijna dicht was, vervaagde snel toen hij naar beneden ging. Hij liep zo zacht dat rook of een licht briesje nauwelijks meer gerucht hadden kunnen maken en hij was geneigd zich een beetje zelfingenomen te voelen toen hij bij de onderste deur kwam. Er was slechts een uiterst flauw schijnsel te zien. De oude Smaug is moe en slaapt, dacht hij. Hij kan me niet zien en

hij zal me niet horen. Schep moed, Bilbo! Hij was het vergeten, of hij had nooit van de reukzin van draken gehoord. Het is ook vervelend dat zij een half oog open kunnen houden terwijl zij slapen wanneer ze achterdocht koesteren.
Smaug zag er echt uit alsof hij vast in slaap was, bijna dood en donker, met bijna geen ander gesnurk dan een wolkje onzichtbare stoom toen Bilbo nogmaals door de ingang gluurde. Hij was net van plan om naar binnen te stappen toen hij plotseling een dunne, doordringende rode straal onder het lodderige linkerooglid van Smaug zag. Hij deed alleen maar alsof hij sliep! Hij hield de ingang van de tunnel in de gaten! Haastig stapte Bilbo achteruit en prees zich gelukkig dat hij de ring had. Toen sprak Smaug.

'Haha, dief! Ik ruik je en voel je lucht. Ik hoor je adem. Kom hier! Tast nog eens toe, er is nog genoeg over!'
Maar Bilbo was niet bepaald onwetend op het gebied van de drakenkunde, en als Smaug hoopte dat hij hem zo gemakkelijk naar zich toe kon lokken dan zou hij worden teleurgesteld. 'Nee dank je, O Smaug de Geweldige,' zei hij. 'Ik ben niet gekomen voor geschenken. Ik wilde je alleen maar zien en kijken of je werkelijk zo groot bent als in de verhalen wordt gezegd. Ik geloofde ze niet.'
'En nu wel?' vroeg de draak, lichtelijk gevleid, ook al geloofde hij er geen woord van.
'Echt waar, liederen en verhalen blijven geheel en al achter bij de werkelijkheid, O Smaug, Voornaamste en Grootste van alle Calamiteiten,' antwoordde Bilbo.
'Je hebt goede manieren voor een dief en een leugenaar,' zei de draak. 'Je schijnt mijn naam te kennen, maar ik herinner me niet je ooit eerder geroken te hebben. Mag ik vragen wie je bent en waar je vandaan komt?'
'Dat mag je! Ik kom van onder de heuvel, en onder de heuvels en over de heuvels hebben mijn wegen mij gevoerd. En door de lucht. Ik ben iemand die onzichtbaar rondwaart.'
'Dat neem ik graag aan,' zei Smaug, 'maar dat zal je gewone naam wel niet zijn.'
'Ik ben de sleutelvinder, de webbensnijder, de stekende vlieg. Ik ben gekozen om het geluksnummer!'
'Mooie namen!' spotte de draak. 'Maar geluksnummers winnen niet altijd.'
'Ik ben degene die zijn vrienden levend begraaft en verdrinkt en ze weer levend uit het water haalt. Ik kwam uit het eind van een baal, maar er is nooit een baal over mijn hoofd gegaan.'

'Deze klinken niet zo loffelijk,' schimpte Smaug.
'Ik ben de vriend van beren en de gast van adelaars. Ik ben de Ringwinnaar en Geluksdrager; en ik ben Tonnenruiter,' vervolgde Bilbo, die plezier begon te krijgen in zijn raadsels.
'Dat is beter!' zei Smaug. 'Maar laat je niet door je verbeelding meeslepen!'

Dit is natuurlijk de manier om met draken te praten als je je eigen naam niet wilt onthullen (hetgeen verstandig is), én ze niet woedend wilt maken door een botte weigering (hetgeen eveneens verstandig is). Geen enkele draak kan de betovering van raadselachtige woorden en de verleiding om te pogen die te doorgronden, weerstaan. Er was heel veel waar Smaug niets van begreep (hoewel ik veronderstel dat jij dat wel doet, omdat je alles af weet van de avonturen waarop hij zinspeelde), maar hij dacht dat hij voldoende begreep, en lachte in zijn boze binnenste.
'Dat dacht ik vannacht al,' zei hij glimlachend bij zichzelf. 'Meermensen, een of ander smerig complot van die ellendige in tonnen handelende meermensen, of ik mag een hagedis zijn. Ik ben al eeuwen die kant niet meer uit geweest, maar daar zal ik gauw iets aan gaan doen!'
'Goed, goed, O Tonnenruiter!' zei hij hardop. 'Misschien heette je pony Ton en misschien niet, hoewel hij er dik genoeg voor was. Je mag dan onzichtbaar zijn, je bent niet de hele weg komen lopen. Laat me je vertellen dat ik gisteravond zes pony's heb gegeten en dat het niet lang zal duren voor ik alle andere zal vangen en opeten. In ruil voor de voortreffelijke maaltijd zal ik je een goede raad geven: bemoei je zo min mogelijk met dwergen.'
'Dwergen!' zei Bilbo met geveinsde verbazing.
'Je hoeft mij niets te vertellen!' zei Smaug. 'Ik ken de geur (en de smaak) van dwergen als geen ander. Zeg me niet dat ik een pony waar een dwerg op heeft gereden, kan opeten zonder het te weten. Je zult slecht aan je einde komen als je met dergelijke vrienden omgaat, Dief Tonnenruiter. Wat mij betreft mag je teruggaan en het hun uit mijn naam vertellen.' Maar hij vertelde Bilbo niet dat er één geur was waar hij helemaal niet uit wijs kon, hobbitgeur: Smaug had die nog nooit geroken en hij intrigeerde hem in hoge mate.
'Ik neem aan dat je gisteravond een behoorlijke prijs hebt gekregen voor die beker,' vervolgde hij. 'Zeg op, is het zo? Helemaal niets. Nou, dat is echt iets voor hen. En ik veronderstel dat zij zich ergens buiten schuilhouden en jou al het gevaarlijke werk laten opknap-

pen en stelen wat je kunt terwijl ik niet kijk – voor hen? En dacht je dat jij een eerlijk deel zult krijgen? Dat had je maar gedacht. Als je het er levend afbrengt, mag je van geluk spreken.'

Bilbo begon zich nu werkelijk slecht op zijn gemak te voelen. Telkens wanneer Smaugs ronddwalende blik, die hem in de schaduwen zocht, over hem heen flitste, beefde hij en dan greep een onverklaarbaar verlangen hem aan om naar buiten te rennen, zich te vertonen en Smaug de hele waarheid te vertellen. In feite liep hij ernstig gevaar om onder de betovering van de draak te raken. Maar hij verzamelde al zijn moed en sprak opnieuw.
'Je weet niet alles, O Machtige Smaug,' zei hij. 'Niet goud alleen heeft ons hierheen gevoerd.'
'Ha ha. Je geeft toe dat het "ons" is,' zei Smaug lachend. 'Waarom zeg je niet "ons veertienen", dan ben je er vanaf, meneer Geluksnummer? Het doet me genoegen te horen dat jullie ook nog andere besognes hadden in deze streken dan mijn goud. In dat geval zul je je tijd misschien niet helemaal verspillen. Ik weet niet of het bij je is opgekomen dat, ook al kon je het goud stukje bij beetje stelen – een kwestie van honderd jaar of zo – je er niet veel aan zou hebben? Niet veel nut op de berghelling? Niet veel nut in het bos? Heb je nooit aan de buit gedacht? Een veertiende deel, veronderstel ik, of iets dergelijks, dat was zeker de voorwaarde. Maar hoe zit het met de aflevering? Het transport bijvoorbeeld? En gewapende grenswachten en schattingen?' En Smaug lachte luid. Hij had een boos en listig hart en wist dat hij de plank niet ver missloeg, hoewel hij vermoedde dat de meermensen achter de plannen zaten en dat het grootste deel van de buit daar in de stad aan de oever die in zijn jeugd Esgaroth werd genoemd, zou blijven.
Je zult het nauwelijks geloven, maar de arme Bilbo was werkelijk heel erg uit het veld geslagen. Tot dusver waren al zijn gedachten en heel zijn energie geconcentreerd geweest op de tocht naar de Berg en het vinden van de ingang. Hij had zich nooit druk gemaakt over de vraag hoe de schat moest worden vervoerd, en nog minder hoe het deel dat hem zou toevallen de hele weg mee terug moest worden genomen naar Balingshoek, Onderheuvel.
Nu begon een gemene achterdocht in zijn hoofd op te komen – hadden de dwergen dit belangrijke punt ook vergeten of lachten zij hem de hele tijd in hun vuistjes uit? Dat is de uitwerking die drakenpraat op de onervarenen heeft. Bilbo had natuurlijk op zijn hoede moeten zijn, maar Smaug bezat een nogal overweldigende persoonlijkheid.

'Ik zal je zeggen,' zei hij, in een poging om zijn vrienden trouw te blijven en zich staande te houden, 'dat het goud bij ons pas op de tweede plaats kwam. Wij kwamen over heuvel en onder heuvel, op golven en wind om *Wraak*. Voorwaar, O Smaug de onvoorstelbaar rijke, je moet beseffen dat je je door je succes enkele bittere vijanden hebt gemaakt.'
En toen moest Smaug werkelijk lachen – een oorverdovend geluid dat Bilbo op de grond deed schudden, terwijl ver boven in de tunnel de dwergen zich opeendrongen en zich voorstelden dat de hobbit plotseling op een bijzonder onprettige wijze aan zijn einde was gekomen.
'Wraak!' snoof hij en het licht van zijn ogen maakte dat de zaal van vloer tot plafond als een scharlaken bliksemflits oplichtte. 'Wraak! De Koning onder de Berg is dood en waar zijn zijn nakomelingen die zich vermeten om wraak te nemen? Girion, Heer van Dal, is dood en ik heb zijn volk verslonden als een wolf te midden van schapen, en waar zijn de zonen van zijn zonen die mij durven benaderen? Ik dood waar ik wil en niemand durft zich te weer te stellen. Ik heb de krijgers van weleer doen sneven en zij hebben hun gelijken niet in de wereld van vandaag. Toen was ik nog jong en zwak. Nu ben ik oud en sterk, sterk, sterk, Dief in de Schaduwen!' zei hij, zich verkneukelend. 'Mijn wapenrusting is als tienvoudige schilden, mijn tanden zijn zwaarden, mijn klauwen speren, de klap van mijn staart als een bliksemschicht, mijn vleugels een orkaan en mijn adem de dood!'
'Ik heb altijd gemeend,' zei Bilbo met een angstig gepiep, 'dat draken van onderen zachter waren, vooral in de streek van de – eh – borst; maar ongetwijfeld heeft iemand die zo zwaar gepantserd is daaraan gedacht.'
De draak hield ineens op met pochen. 'Je informatie is verouderd,' zei hij venijnig. 'Ik ben van boven en onder met ijzeren schubben en harde juwelen bepantserd. Geen staal kan mij doorboren.'
'Dat had ik kunnen vermoeden,' zei Bilbo. 'Voorwaar, de gelijke van Heer Smaug de Ondoorboorbare is nergens te vinden. Welk een heerlijkheid om een vest van uitgelezen diamanten te bezitten!'
'Ja, dat is inderdaad zeldzaam en wonderbaarlijk,' zei Smaug, die waanzinnig in zijn sas was. Hij wist niet dat de hobbit tijdens zijn vorige bezoek al een stukje van zijn vreemde onderkant had gezien en dat hij, om eigen redenen, bijna stierf van verlangen om die eens beter te kunnen opnemen. De draak wentelde zich om. 'Kijk maar,' zei hij. 'Wat zeg je daarvan?'
'Verblindend mooi! Volmaakt! Perfect! Verbijsterend!' riep Bilbo uit, maar bij zichzelf dacht hij: Oude dwaas. Allemachies, een groot

stuk van zijn linkerborstholte is even bloot als een slak uit zijn schelp!

Nadat hij dat had gezien, had meneer Balings nog maar één gedachte: hij wilde weg. 'Welnu, ik moet Uwe Heerlijkheid werkelijk niet langer ophouden,' zei hij, 'of u uit uw zo broodnodige slaap houden. Het valt niet mee om pony's te vangen, neem ik aan, als ze een grote voorsprong hebben. En dat geldt ook voor inbrekers,' voegde hij er nog aan toe terwijl hij terugrende en de tunnel weer in vluchtte.

Dit was een ongelukkige opmerking, want de draak spuwde hem vreselijke vlammen achterna, en hoewel hij hard de helling op rende, was hij nog op geen stukken na ver genoeg om veilig te zijn, toen de afzichtelijke kop van Smaug tegen de opening achter hem werd aangedrukt. Gelukkig kon hij de hele kop en de klauwen er niet doorheen persen; maar uit de neusgaten spoten hem vlammen en stoom achterna en hij werd er bijna door overweldigd en strompelde blindelings verder, pijnlijk en angstig. Hij had zich nogal tevreden gevoeld over de slimheid van zijn gesprek met Smaug, maar zijn fout aan het einde bracht hem tot bezinning.

'Lach nooit levende draken uit, Bilbo, dwaas die je bent!' zei hij, en het werd later een geliefd gezegde van hem, en zelfs een spreekwoord. 'Dit avontuur is nog lang niet afgelopen,' voegde hij eraan toe, en dat was eveneens waar.

De middag ging in de avond over toen hij weer naar buiten kwam, struikelde en bezwijmd op de 'drempel' neerviel. De dwergen brachten hem bij en verzorgden zijn brandwonden zo goed zij konden, maar het duurde lang voor zijn achterhoofd en zijn hielen weer normaal met haar begroeid waren; het was helemaal tot op de huid verschroeid en verschrompeld. Ondertussen deden zijn vrienden hun best om hem op te monteren; en zij waren verlangend om zijn verhaal te horen, en wilden vooral weten waarom de draak zo'n afschuwelijk geluid had gemaakt, en hoe Bilbo was ontsnapt.

Maar de hobbit had zorgen en voelde zich niet op zijn gemak en het viel hen niet gemakkelijk iets uit hem los te krijgen. Nu hij over een en ander nadacht, betreurde hij sommige van de dingen die hij tegen de draak had gezegd en was er niet happig op om ze te herhalen. De oude lijster zat op een rots in de nabijheid met zijn kopje schuin te luisteren naar alles dat er werd gezegd. En het blijkt wel in wat voor slecht humeur Bilbo was; want hij pakte een steen op en wierp die naar de lijster, die maar even opzij vloog en terugkwam.

'Bliksemse vogel,' zei Bilbo boos. 'Ik denk dat hij zit te luisteren en ik vertrouw hem niet.'
'Laat hem met rust!' zei Thorin. 'De lijsters zijn goed en vriendelijk – dit is al een heel oude vogel en misschien is het wel de laatste van de oude lijsters die hier vroeger woonden en bij mijn vader en grootvader op de hand kwamen zitten. Zij waren heel oud en van een magische soort, en misschien is dit wel een van degene die toen leefden, een paar honderd jaar en meer nog geleden. De mensen van Dal konden hun taal verstaan en gebruikten hen als boodschappers om naar de mensen van het Meer en elders te vliegen.'
'Nou, dan zal hij genoeg nieuws hebben om naar Meerstad te brengen als hij daarop uit is,' zei Bilbo, 'hoewel ik niet denk dat daar nog mensen zijn die zich met lijstertaal bezighouden.'
'Hemel, wat is er dan gebeurd?' riepen de dwergen. 'Ga alsjeblieft verder met je verhaal.'
En dus vertelde Bilbo hun alles wat hij zich kon herinneren, en bekende dat hij het akelige gevoel had dat de draak te veel uit zijn raadsels had opgemaakt met daarenboven nog de kampen en de pony's. 'Ik ben er zeker van dat hij weet dat we uit Meerstad zijn gekomen en daar hulp hebben gehad; en ik heb het afschuwelijke gevoel dat zijn volgende stap in die richting zal gaan. Ik wou maar dat ik nooit iets over die Tonnenruiter had gezegd; het zou zelfs een blind konijn in deze streken op de gedachte van de meermensen brengen.'
'Wel, wel! Daar is niets aan te doen en het is moeilijk om je niet tot een gesprek met een draak te laten verleiden, dat heb ik tenminste altijd gehoord,' zei Balin die hem graag gerust wilde stellen. 'Als je het mij vraagt, vind ik dat je het er goed hebt afgebracht – in elk geval heb je iets bijzonder nuttigs ontdekt en bent levend thuisgekomen en dat is meer dan de meeste lieden kunnen zeggen die met gasten als Smaug hebben gesproken. Misschien zal het een genade en een zegen blijken om te weten van de kale plek in het diamanten harnas van de oude draak.'
Dit gaf een andere wending aan het gesprek, en ze begonnen allemaal over drakenmoorden te praten, geschiedkundige, twijfelachtige en mythische, en de verschillende soorten steken en porren en vuistslagen en de uiteenlopende kunstgrepen en listen waarmee zij waren volvoerd. Men was algemeen van mening dat het niet zo gemakkelijk was als het klonk om een draak in de luren te leggen als hij sliep en dat de poging om er een in zijn slaap te steken of te porren waarschijnlijk eerder op een ramp zou uitlopen dan een frontale aanval. De hele tijd dat zij zaten te praten, luisterde de lijster tot

hij ten slotte, toen de sterren aan de hemel kwamen gluren, geluidloos zijn vleugels strekte en wegvloog. En terwijl zij zaten te praten en de schaduwen lengden, werd Bilbo almaar ongelukkiger en zijn angstige voorgevoel sterker.

Ten slotte viel hij hen in de rede. 'Ik weet zeker dat we hier erg onveilig zijn,' zei hij, 'en ik zie het nut er niet van in om hier te blijven zitten. De draak heeft al het mooie groen doen verdorren, en in ieder geval is het nu nacht geworden en het is koud. Maar ik voel aan mijn botten dat deze plek opnieuw zal worden aangevallen. Smaug weet nu hoe ik naar zijn zaal ben gekomen en je kunt er donder op zeggen dat hij zal raden waar de andere kant van de gang is. Zo nodig zal hij deze hele helling van de Berg verpulveren om ons te beletten naar binnen te gaan en als wij tegelijkertijd ook verpulverd worden, zal het hem des te liever zijn.'

'Je bent heel somber, meneer Balings,' zei Thorin. 'Waarom heeft Smaug het lagere gedeelte dan niet geblokkeerd als hij ons zo graag buiten wil houden? Dat heeft hij niet gedaan, anders hadden we hem moeten horen.'

'Ik weet het niet, ik weet het niet – omdat hij eerst wilde proberen mij weer naar binnen te lokken, denk ik, en nu misschien omdat hij wacht tot na de jacht van vanavond, of omdat hij zijn slaapvertrek niet wil beschadigen – maar ik wou dat jullie niet zaten te kibbelen. Smaug kan nu elk ogenblik naar buiten komen en onze enige kans is om een eind de tunnel in te gaan en de deur dicht te doen.'

Hij scheen zo ernstig dat de dwergen ten slotte deden wat hij zei, hoewel ze treuzelden met de deur te sluiten – het scheen een wanhopig plan, want niemand wist of en hoe ze hem weer van de binnenkant open konden krijgen, en het idee om ingesloten te zijn op een plek waar de enige uitweg door de legerstede van de draak leidde, was niet zo aantrekkelijk. Ook scheen alles volkomen rustig, zowel buiten als in de tunnel. En dus zaten zij vrij lang binnen, niet ver van de halfopen deur en praatten verder.

Het gesprek betrof nu de boze woorden van de draak over de dwergen. Bilbo wou dat hij ze nooit gehoord had of in ieder geval dat hij er zeker van kon zijn dat de dwergen volkomen eerlijk waren toen ze zeiden dat ze er nooit een ogenblik over hadden nagedacht wat er moest gebeuren nadat de schat was veroverd. 'Wij wisten dat het een hopeloze onderneming zou zijn,' zei Thorin, 'en dat weten wij nog; en ik ben nog steeds van mening dat er, wanneer wij hem verworven hebben, nog tijd genoeg is om erover na te denken wat we ermee zullen doen. En wat jouw aandeel betreft, meneer Balings, ik verzeker je dat wij je meer dan dankbaar zijn en dat je je eigen veertiende deel kunt uitzoeken zodra er iets te verdelen valt. Het spijt me dat je ongerust bent over het vervoer ervan, en ik geef toe dat de moeilijkheden groot zijn – de landen zijn er in de loop van de tijd niet minder woest op geworden, eerder het tegendeel – maar we zullen alles voor je doen wat in ons vermogen ligt en ons aandeel in de kosten dragen wanneer de tijd komt. Je kunt me geloven of niet!'

Hierna kwamen ze op de grote schat zelf en de voorwerpen die Thorin en Balin zich herinnerden. Zij vroegen zich af of ze nog altijd onbeschadigd in de zaal daar beneden lagen; de speren die waren gemaakt voor de legers van de al langgeleden gestorven grote Koning Bladorthin; elk had een driewerf gesmede punt en de schachten waren met fraai bewerkt goud ingelegd, maar zij waren nooit afgeleverd of betaald; schilden vervaardigd voor lang gestorven krijgers; de grote gouden beker van Thrór, met twee oren, gedreven en versierd met vogels en bloemen waarvan de ogen en bloembladen van juwelen waren; maliënkolders, verguld en verzilverd en ondoordringbaar gemaakt; de halsketen van Girion, Heer van Dal, gemaakt van vijfhonderd smaragden groen als gras, die hij schonk om zijn oudste zoon uit te rusten met een jas van ineen passende ringen als men nog nooit eerder had gezien, want hij was gemaakt van zuiver zilver dat sterk was als driedubbeldik staal. Maar het mooiste van alles was het grote witte juweel dat de dwergen onder de voet van de Berg hadden gevonden, het Hart van de Berg, de Arkensteen van Thraín.

'De Arkensteen! De Arkensteen!' mompelde Thorin in het duister, half dromend met zijn kin op de knieën. 'Hij was als een bol met duizend facetten; hij glinsterde als zilver in het schijnsel van het vuur, als water in de zon, als sneeuw onder de sterren, als regen op de Maan!'

Maar de betoverde begeerte naar de schat was van Bilbo afgevallen. Tijdens hun hele gesprek luisterde hij slechts met een half oor naar hen. Hij zat het dichtst bij de deur, en luisterde met één oor naar het minste geluid buiten; het andere luisterde scherp naar echo's die achter het gemompel van de dwergen klonken, of de zweem van een beweging vanuit de diepte.

De duisternis werd al dieper en hij werd steeds ongeruster. 'Doe de deur toch dicht,' smeekte hij hun. 'Ik vrees die draak tot in mijn botten. Ik vind deze stilte heel wat minder aangenaam dan het lawaai van gisteravond. Sluit de deur voor het te laat is!'

Er was iets in zijn stem dat de dwergen een onbehaaglijk gevoel gaf.

Langzaam schudde Thorin zijn dromen van zich af, stond op en schopte de steen weg die als een wig in de deur zat. Toen duwden zij ertegen aan en met een klik en een bons klapte hij dicht. Aan de binnenkant was geen spoor van een sleutelgat te bekennen. Ze waren in de Berg opgesloten!

En geen ogenblik te vroeg. Ze waren nauwelijks een eind in de tunnel afgedaald toen een klap de flank van de Berg trof als de furie van stormrammen, gemaakt van woudeiken en door reuzen gehanteerd. De rots galmde, de muren scheurden en stenen vielen van het dak op hun hoofden. Ik moet niet denken aan wat er gebeurd zou zijn als de deur nog open zou zijn geweest. Ze vluchtten verder de tunnel door naar omlaag, blij dat ze nog in leven waren, terwijl zij achter zich buiten het gebrul en gedreun van Smaugs woede hoorden. Hij brak de rotsen in stukken, verbrijzelde rotswanden met zijn enorme zwaaiende staart, tot hun kleine hoge kamp, het verschroeide gras, de steen van de lijster, de met slakken bezaaide wanden, de smalle richel en een lawine van versplinterde stenen over de rots in het dal beneden stortten.

Smaug had zijn legerstede stil en heimelijk verlaten, zich geluidloos in de lucht verheven en zeilde toen zwaar en langzaam in het donker als een reusachtige monsterlijke kraai naar het Westen van de Berg in de hoop daar onverwacht iets of iemand te betrappen, en de uitgang van de tunnel die de dief had gebruikt, te verspieden. Dit was de uitbarsting van zijn woede toen hij niemand kon vinden en niets kon zien, ook al vermoedde hij waar de uitgang moest zijn. Nadat hij zijn woede op deze manier de vrije loop had gelaten, voelde hij zich een stuk beter en dacht in zijn hart dat hij van die kant niet meer lastig zou worden gevallen. Ondertussen moest hij nog meer wraak nemen. 'Tonnenruiter!' snorkte hij. 'Je voeten kwamen van de waterkant en zonder twijfel ben jij over het water gekomen. Ik ken je geur niet, maar als jij niet een van die mensen van het Meer bent, dan ben je in elk geval door hen geholpen. Ze zullen me zien en zich herinneren wie de echte Koning onder de Berg is!' Hij verhief zich in vlammen en vloog zuidwaarts naar de rivier de Running.

XIII. Niet thuis

Ondertussen zaten de dwergen in het donker, en er viel een volslagen stilte. Zij aten weinig en ze spraken weinig. Ze wisten niet hoeveel tijd er verstreek en ze durfden zich nauwelijks te verroeren, want het gefluister van hun stemmen weerkaatste en ruiste in de tunnel. Als zij dommelden, werden zij toch weer wakker in een duisternis en stilte die zonder onderbreking voortduurde. Eindelijk, na dagen en dagen te hebben gewacht, naar het scheen, toen zij het benauwd kregen en duizelig waren bij gebrek aan lucht, konden zij het niet langer uithouden. Zij zouden bijna blij zijn geweest om in de diepte geluiden van de terugkeer van de draak te horen. In de stilte vreesden zij een of andere duivelse list, maar zij konden daar niet eeuwig blijven zitten.
Thorin sprak: 'Laten wij de deur proberen!' zei hij. 'Ik moet gauw de wind op mijn gezicht voelen, anders ga ik dood. Ik denk dat ik nog liever in de buitenlucht door Smaug zou worden verpletterd dan hierbinnen te stikken.' Dus stonden verscheidenen van de dwergen op en zochten tastend de weg terug naar de plaats waar de deur was geweest. Maar zij kwamen tot de ontdekking dat het einde van de tunnel was ingestort en versperd door rotsblokken. Noch de sleutel, noch de tovenarij waaraan hij eens had gehoorzaamd zou die deur ooit weer doen opengaan.
'Wij zitten in de val!' kreunden zij. 'Dit is het einde. Wij zullen hier sterven.'
Maar op de een of andere manier, net toen de dwergen de wanhoop het meest nabij waren, voelde Bilbo een vreemde opluchting in zijn hart, alsof een zware last onder zijn vest was weggenomen.
'Kom, kom!' zei hij. '"Zolang er leven is, is er hoop", zei mijn vader altijd, en "Alle goede dingen bestaan uit drieën". Ik zal nog eens helemaal door de tunnel *naar beneden* gaan. Ik ben die weg al twee keer gegaan toen ik wist dat er een draak aan het andere einde was; ik zal dus nog een derde bezoek wagen, nu ik er niet langer zeker van ben. In ieder geval leidt de enige uitweg naar omlaag. En ik geloof dat het deze keer beter is dat jullie allemaal met mij meegaan.'

In hun wanhoop stemden zij hiermee in, en Thorin was de eerste die naast Bilbo vooropging.
'Wees nu voorzichtig!' fluisterde de hobbit, 'en hou je zo stil mogelijk! Misschien is er geen Smaug beneden, maar misschien ook wel. Laten wij geen onnodig risico nemen.'
Zij gingen steeds verder naar omlaag. De dwergen haalden het natuurlijk niet bij de hobbit wat sluipen betrof, en zij maakten een hoop puffende en schuifelende geluiden die de echo's angstwekkend versterkten; maar hoewel Bilbo af en toe angstig bleef staan om te luisteren, viel er beneden geen geluid te horen. Toen hij, zover hij kon beoordelen, onderaan was, liet Bilbo de ring aan zijn vinger glijden en ging vooruit. Maar hij had hem niet nodig; er heerste volslagen duisternis en ze waren allen onzichtbaar, ring of geen ring. Het was werkelijk zo zwart dat de hobbit onverwacht bij de opening kwam, met zijn hand in de lucht greep, voorover viel en halsoverkop de zaal in tuimelde!
Daar bleef hij met zijn gezicht op de grond liggen en durfde niet op te staan en nauwelijks adem te halen. Maar er verroerde zich niets. Er was geen sprankje licht – tenzij, zoals het hem toescheen toen hij eindelijk langzaam zijn hoofd ophief, er een bleekwitte glinstering was, boven hem ver weg in de duisternis. Maar dit was zeker geen vonk drakenvuur, hoewel de stank van het ondier te snijden was en de smaak van rook op zijn tong lag.
Ten slotte kon meneer Balings het niet langer uithouden. 'Wel verdraaid nog aan toe, Smaug, ondier!' piepte hij hardop. 'Speel niet langer verstoppertje! Maak eens wat licht en vreet me dan op als je me kunt pakken!'
Flauwe echo's weerkaatsten in de onzichtbare zaal, maar er kwam geen antwoord.
Bilbo stond op en merkte dat hij niet wist welke kant hij uit moest. 'Ik vraag me af wat voor de drommel Smaug in zijn schild voert,' zei hij. 'Hij is vandaag (of vannacht, wat het ook is) niet thuis, geloof ik. Als Oín en Gloín hun tondeldozen niet verloren hebben, kunnen we misschien licht maken en rondkijken voor het geluk zich tegen ons keert.'
'Licht!' riep hij. 'Kan iemand licht maken?'

De dwergen waren natuurlijk bijzonder ontsteld toen Bilbo met een bons voorover van de trap in de zaal viel, en ze zaten dicht opeen op de plaats waar hij hen aan het einde van de tunnel had achtergelaten.
'Sst, sst,' sisten ze toen ze zijn stem hoorden; en hoewel dat de hob-

bit hielp erachter te komen waar ze zaten, duurde het toch enige tijd voor hij iets anders uit hen kon krijgen. Maar ten slotte, toen Bilbo echt op de vloer ging stampen en met schrille stem keihard 'licht' gilde, liet Thorin zich vermurwen en werden Oín en Gloín teruggestuurd naar hun pakken boven aan de tunnel.

Na een tijdje kondigde een twinkelende lichtstraal aan dat zij op de terugweg waren. Oín met een kleine lichtende sparrentoorts in de hand en Gloín met een bos toortsen onder zijn arm. Vlug liep Bilbo naar de deur en nam de toorts, maar hij kon de dwergen nog niet overhalen om de andere te ontsteken of zich bij hem te voegen. Zoals Thorin zorgvuldig uitlegde, meneer Balings was nog altijd officieel hun deskundige inbreker en verkenner. Als hij een licht wilde riskeren, dan was dat zijn zaak. Zij zouden in de tunnel op zijn verslag wachten. Dus gingen zij bij de deur zitten kijken.

Ze zagen de kleine donkere gestalte van de hobbit de vloer oversteken terwijl hij zijn kleine licht omhooghield. Af en toe, terwijl hij nog dicht genoeg in de buurt was, zagen zij een schittering en een glans als hij over een of ander gouden voorwerp struikelde. Het licht werd kleiner toen hij verder de enorme zaal in liep; toen begon het dansend omhoog te gaan. Bilbo was de enorme schatheuvel aan het beklimmen. Weldra stond hij er bovenop en ging nog verder. Toen zagen ze dat hij bleef staan en zich een ogenblik vooroverboog; maar zij wisten niet waarom.

Het was de Arkensteen, het Hart van de Berg. Dit leidde Bilbo uit Thorins beschrijving af, want het was werkelijk onmogelijk dat er twee van dergelijke juwelen konden bestaan, ook in zo'n wonderbaarlijke schat, of in de hele wereld. Terwijl hij klom, had dezelfde witte glans voor hem geschenen en zijn voeten er naartoe getrokken. Langzaam groeide hij uit tot een kleine bol van bleek licht. Nu hij dichtbij kwam, bleek hij aan de oppervlakte doorschoten van een flikkerende vonk met vele kleuren die werden weerkaatst en gebroken door het flakkerende licht van zijn toorts. Ten slotte keek hij erop neer en de adem stokte hem in de keel. De grote edelsteen straalde aan zijn voeten met een eigen inwendig licht, maar toch, gekloofd en geslepen door de dwergen die hem langgeleden uit het hart van de Berg hadden opgegraven, nam hij al het licht dat erop scheen in zich op en veranderde het in tienduizenden wit schitterende vonken, doorstraald met kleuren van de regenboog.

Plotseling schoot Bilbo's arm ernaar uit, aangetrokken door zijn betovering. Zijn kleine hand weigerde zich er omheen te sluiten, want het was een grote, zware edelsteen; maar hij pakte hem op, sloot zijn ogen en stak hem in zijn diepste zak.

Nu ben ik echt een inbreker! dacht hij. Ik veronderstel dat ik het de dwergen moet vertellen – bij gelegenheid. Ze zeiden dat ik mijn eigen deel mocht uitzoeken; en ik denk dat ik dit zou kiezen, als zij al het andere namen! Maar toch had hij het onbehaaglijke gevoel dat het niet echt de bedoeling was geweest dat dit wonderbaarlijke juweel bij de uitzoekerij inbegrepen zou zijn geweest, en dat er nog moeilijkheden van zouden komen.

Nu ging hij weer verder. Hij daalde aan de andere kant van de grote heuvel af en de vonk van zijn toorts verdween uit het zicht van de toekijkende dwergen. Maar weldra zagen zij hem weer een eind in de verte. Bilbo liep over de vloer naar de andere kant van de zaal.

Hij ging verder tot hij bij de grote deuren aan de andere kant kwam en daar verkwikte een luchtstroom hem, maar blies zijn licht bijna uit. Hij gluurde er schuchter door en ving een glimp op van grote gangen en het vage begin van brede trappen die in het donker omhoog leidden. Nog steeds was er niets van Smaug te zien of te horen. Hij was net van plan zich om te draaien en terug te gaan toen een zwarte gedaante op hem neerdook en langs zijn gezicht streek. Hij piepte en schrok, deed wankelend een paar passen achteruit en viel. Zijn fakkel viel met de kop naar beneden en doofde.

'Alleen maar een vleermuis, veronderstel en hoop ik,' zei hij ongelukkig. 'Maar wat moet ik nu beginnen? Waar is het Oosten, Zuiden, Noorden of Westen?'

'Thorin! Balin! Oín! Gloín! Fíli! Kíli!' riep hij zo hard hij kon – maar het klonk als een iel geluid in de enorme zwartheid. 'Het licht is uitgegaan! Laat iemand me komen zoeken en helpen.' Op dat ogenblik was de moed hem helemaal in de voeten gezonken.

Flauw hoorden de dwergen zijn kleine kreten, hoewel het enige woord dat zij konden verstaan 'help!' was.

'Wat ter wereld, of eronder, is er gebeurd?' vroeg Thorin. 'Vast niet de draak, anders zou hij niet blijven piepen.'

Ze wachtten enkele ogenblikken, maar nog steeds klonken er geen drakengeluiden, in feite klonk er helemaal geen ander geluid dan Bilbo's verre stem. 'Vooruit, een van jullie moet nog een paar fakkels gaan halen,' beval Thorin. 'Het ziet ernaar uit dat we onze inbreker te hulp moeten komen.'

'Het is nu onze beurt om te helpen,' zei Balin, 'en ik ben graag bereid om te gaan. In ieder geval verwacht ik dat het op het ogenblik veilig is.'

Gloín ontstak nog een paar fakkels en toen kropen ze allen tevoorschijn, één voor één, en liepen langs de muur, zo vlug ze konden. Het duurde niet lang voor ze Bilbo tegenkwamen, die zelf op de te-

rugweg was. Hij was zichzelf weer spoedig meester geworden zodra hij hun lichten zag schitteren.
'Alleen maar een vleermuis en een gevallen fakkel, anders niet!' zei hij in antwoord op hun vragen. Hoewel zij zeer opgelucht waren, waren ze geneigd te mopperen omdat ze voor niets bang waren gemaakt, maar wat zij zouden hebben gezegd als hij hun op dat ogenblik van de Arkensteen had verteld, weet ik niet. De vluchtige blikken die zij op de schat hadden geworpen toen ze voortliepen, hadden alle vuur in hun dwergenharten doen herleven; en wanneer het hart van een dwerg, ook dat van de eerbiedwaardigste, wordt gewekt door goud en juwelen, wordt hij plotseling moedig en kan hij zelfs fel worden.
De dwergen behoefden niet langer te worden aangespoord. Allen verlangden er nu naar de zaal te doorzoeken zolang zij daartoe de kans hadden en waren bereid om, op dit ogenblik althans, te geloven dat Smaug van huis was. Elk van hen greep nu een brandende fakkel en terwijl ze keken, eerst aan één kant, en toen aan de andere, lieten zij hun angst en behoedzaamheid varen. Zij spraken luid, en schreeuwden tegen elkaar toen ze de schatten van de hoop of van de muur pakten en in het licht hielden, terwijl zij ze streelden en betastten.
Fíli en Kíli waren bijna in een vrolijke bui, en toen zij zagen dat er nog vele gouden harpen met zilveren snaren hingen, pakten zij die en tokkelden erop; en omdat het toverharpen waren (en ook nooit door de draak, die weinig belangstelling voor muziek had, waren aangeraakt) waren zij nog gestemd. In de donkere zaal weerklonk een melodie die in lang niet gespeeld was. Maar de meesten van de dwergen waren praktischer ingesteld: zij vergaarden juwelen en propten er hun zakken mee vol, en wat zij niet konden dragen, lieten zij met een zucht door de vingers terugglijden. Thorin was niet de minste onder hen, maar hij zocht steeds links en rechts naar iets dat hij niet kon vinden. Het was de Arkensteen, maar hij sprak er vooralsnog met niemand over.
Nu haalden de dwergen de maliënkolders en wapens van de muren en wapenden zich. En voorwaar, Thorin zag er vorstelijk uit, gehuld in een buis van gouden maliën met een bijl met zilveren steel in een gordel die bezaaid was met scharlaken stenen.
'Meneer Balings!' riep hij uit. 'Hier is de eerste betaling van uw beloning! Doe uw oude jas uit en trek dit aan!'
En hierop trok hij Bilbo een kleine maliënkolder aan die langgeleden voor de een of andere jonge elfenprins was gemaakt. Hij was van zilverstaal dat de elfen *mithril* noemen, en daarbij behoorde

een gordel van parels en kristallen. Een lichte helm van bewerkt leer, daaronder versterkt met stalen lussen en aan de rand afgezet met witte juwelen, werd op het hoofd van de hobbit gezet.
Ik voel mij schitterend, dacht hij, maar ik heb een idee dat ik er nogal absurd uitzie. Wat zouden ze lachen op De Heuvel thuis! Maar toch wou ik dat er een spiegel bij de hand was.
Toch liet meneer Balings zich het hoofd minder op hol brengen door de betovering van de schat dan de dwergen. Lang voor de dwergen het moe waren om de schatten te onderzoeken, kreeg hij er genoeg van en ging op de grond zitten; en hij begon zich zenuwachtig af te vragen waar dit alles op zou uitdraaien. Ik zou een heleboel van deze kostbare bokalen geven, dacht hij, voor een verkwikkende dronk uit een van Beorns houten nappen.
'Thorin!' riep hij luid. 'Wat nu? Wij zijn gewapend, maar wat heeft ooit een wapenrusting uitgehaald tegen Smaug de Verschrikkelijke? Deze schat is nog niet heroverd. Wij zoeken nu nog niet naar goud, maar naar een weg om te ontsnappen; wij hebben het geluk te lang getart!'
'Het is waar wat je zegt!' antwoordde Thorin, die weer bij zinnen kwam. 'Laat ons gaan. Ik zal jullie leiden. In geen duizend jaar zou ik de weg in dit paleis vergeten.' Toen riep hij de anderen en zij verzamelden zich, en terwijl zij hun fakkels boven hun hoofden hielden, gingen zij door de gapende deuren, maar niet zonder vele verlangende blikken over hun schouders te werpen.
Zij hadden hun glinsterende maliën weer met hun oude mantels bedekt en hun schitterende helmen met hun gehavende kappen, en een voor een liepen zij achter Thorin aan, een rij lichtjes in de duisternis die vaak stil bleef staan, opnieuw angstig luisterend of zij de draak hoorden komen. Hoewel alle oude versieringen sedert lang waren verweerd of vernield, en hoewel alles door het komen en gaan van het monster was bevuild en geblakerd, kende Thorin iedere gang en iedere bocht. Zij bestegen lange trappen, beschreven een bocht en gingen langs brede galmende wegen naar beneden, waar zij weer een hoek om sloegen en nog meer trappen bestegen en daarna nog meer. Deze waren vlak, uit de levende rots gehakt, breed en mooi: en al hoger en hoger klommen de dwergen en kwamen geen enkel teken van leven tegen – slechts vluchtige schaduwen die vloden bij de nadering van hun toortsen die in de tocht flakkerden.
Maar de treden waren niet gemaakt voor hobbitbenen, en ineens voelde Bilbo dat hij niet veel verder meer zou kunnen gaan toen het dak plotseling hoog verrees, ver buiten het bereik van het licht van

hun toortsen. Er was een wit schijnsel te zien dat door een of andere opening van boven kwam, en de lucht geurde zoeter. Voor hen scheen vaag licht door grote deuren die verwrongen en half verbrand in hun scharnieren hingen.

'Dit is de grote zaal van Thrór,' zei Thorin, 'de feestzaal en de raadzaal. De Voordeur is niet ver hier vandaan.'

Zij trokken de verwoeste kamer door. Tafels stonden er te rotten; stoelen en banken lagen omver gesmeten, geblakerd en in ontbinding. Schedels en beenderen lagen te midden van flessen en bekers en gebroken drinkhoorns en stof op de grond. Toen zij nog meer deuren aan de andere kant doorgingen, hoorden zij het geluid van water, en het grijze licht werd plotseling voller.

'Daar is de oorsprong van de rivier de Running,' zei Thorin. 'Van hier snelt zij naar de Poort. Laten wij haar volgen.'

Uit een donkere opening in een rotswand kwam kokend water tevoorschijn, en dit stroomde kolkend in een nauw kanaal, uitgeschuurd en recht en diep gemaakt door de vaardigheid van handen in een ver verleden. Daarnaast liep een met stenen geplaveide weg, zo breed dat vele mensen er naast elkaar op konden lopen. Hier liepen zij snel langs, en om een wijde bocht en zie – voor hen was het klare daglicht. Voor hun ogen verrees een hoge boog, die aan de binnenkant nog fragmenten van oud beeldhouwwerk te zien gaf, verweerd, versplinterd en geblakerd als hij was. Een omnevelde zon wierp haar bleke licht tussen de uitlopers van de Bergen, en gouden stralen vielen op het plaveisel bij de drempel.

Een troep vleermuizen die door hun walmende fakkels uit hun slaap waren opgeschrikt, fladderden over hen heen; en toen ze naar voren renden, glibberden hun voeten over stenen die door het komen en gaan van de draak waren gladgeschuurd en slijmerig waren geworden. Voor hun voeten stortte het water zich nu luidruchtig naar buiten en stroomde schuimend het dal in. Ze wierpen hun zwakke fakkels op de grond en bleven met verwonderde ogen staan kijken. Zij waren bij de Voorpoort gekomen en keken op Dal uit.

'Nou,' zei Bilbo. 'Ik had nooit verwacht dat ik nog eens door die deur naar buiten zou kijken. En ik had nooit gedacht dat ik zo blij zou zijn om de zon weer te zien en de wind op mijn gezicht te voelen. Maar oei! Deze wind is koud!'

En dat was hij ook. Er woei een bittere oostenwind met de dreiging van een invallende winter. Hij warrelde over de uitlopers van de Berg de vallei in en zuchtte tussen de rotsen. Na lange tijd in de benauwende diepten van de door de draak bezochte grotten te hebben doorgebracht, rilden zij in de zon.

Plotseling besefte Bilbo dat hij niet alleen moe was, maar ook erge honger had. 'Het schijnt laat in de ochtend te zijn,' zei hij, 'en ik veronderstel daarom dat het min of meer tijd is om te ontbijten – als er tenminste iets te ontbijten valt. Maar ik heb zo'n idee dat Smaugs voordeur nu niet bepaald de veiligste plaats is voor een maaltijd. Laten we ergens heen gaan waar we een tijdje rustig kunnen zitten.'
'Daar heb je volkomen gelijk in!' zei Balin. 'En ik denk dat ik iets geschikts weet: we moeten naar de oude uitkijkpost aan de Zuidwesthoek van de berg gaan.'
'Hoe ver is dat?' vroeg de hobbit.
'Vijf uur lopen, schat ik. Het zal niet gemakkelijk zijn. De weg van de Poort langs de linkeroever van de stroom lijkt helemaal opgebroken. Maar kijk daarbeneden eens! De rivier beschrijft ineens een bocht naar het oosten dwars door Dal voor de verwoeste stad. Op dat punt was eens een brug die naar een steile trap leidde, die langs de rechteroever omhoogliep en vandaar naar een weg die naar de Ravenheuvel ging. Daar is (of was) een pad dat van de weg afboog en omhoogliep naar de uitkijkpost. Een zware klim, ook als de oude trap er nog is!'
'Lieve help!' mopperde de hobbit. 'Nog meer lopen en klimmen zonder ontbijt! Ik vraag me af hoeveel ontbijten en andere maaltijden wij in dat nare uurwerkloze, tijdloze hol hebben gemist?'
In werkelijkheid waren twee nachten en de dag daartussen verlopen (en niet helemaal zonder eten) sinds de draak de toverdeur had verwoest, maar Bilbo was de tel helemaal kwijtgeraakt en het had net zo goed een nacht of een week van nachten geweest kunnen zijn wat hem betrof.
'Kom, kom!' zei Thorin lachend – hij was weer opgewekt geworden en rammelde met de edelstenen in zijn zak. 'Noem mijn paleis geen akelig hol. Wacht maar tot het is schoongemaakt en opnieuw is gestoffeerd.'
'Dat zal pas zijn als Smaug dood is,' zei Bilbo somber. 'Maar ondertussen, waar is hij? Ik zou er een goed ontbijt voor overhebben om het te weten. Ik hoop dat hij niet boven op de Berg op ons zit neer te kijken.'
Dat denkbeeld ontstelde de dwergen hevig en zij besloten snel dat Bilbo en Balin gelijk hadden.
'We moeten hier weggaan,' zei Dori. 'Het is alsof ik zijn ogen op mijn achterhoofd voel.'
'Het is een koude eenzame plek,' zei Bombur. 'Misschien is er water, maar ik zie geen spoor van eten. Een draak zou altijd honger hebben in dit soort streken.'

'Schiet op! Schiet op!' riepen de anderen. 'Laat ons Balins pad volgen!'

Onder de rotswand rechts van hen was geen pad, dus sjokten zij voort tussen de stenen aan de linkerkant van de rivier, en de ledigheid en woestheid maakten zelfs Thorin weldra weer nuchter. De brug waarover Balin had gesproken, was, naar zij merkten, langgeleden ingestort en de meeste van haar stenen waren nu alleen maar blokken in de smalle luidruchtige stroom, maar zij doorwaadden het water zonder veel moeite en vonden de oude trap en beklommen de hoge oever. Na een eindje te zijn gegaan, kwamen zij bij de oude weg en het duurde niet lang voor zij bij een diepe beschutte plek tussen de rotsen kwamen; daar bleven zij een tijdje uitrusten en aten ze iets dat je nauwelijks een ontbijt kunt noemen, voornamelijk *cram* en water. (Als je wilt weten wat *cram* is, kan ik alleen maar zeggen dat ik het recept niet ken, maar het lijkt op beschuit, blijft bijzonder lang goed, wordt verondersteld heel voedzaam te zijn, maar het is in geen geval aangenaam, omdat het eigenlijk hoogst oninteressant is, behalve als kauwoefening. Het werd door de meermensen gemaakt voor lange reizen.)
Daarna gingen zij weer verder; en nu boog de weg zich naar het westen van de rivier af; en de grote rug van de naar het zuiden wijzende uitloper kwam steeds dichterbij. Eindelijk bereikten zij het pad van de heuvel. Het leidde steil naar boven en zij sjokten langzaam achter elkaar aan tot zij ten slotte laat in de middag de top van de rug bereikten en de winterse zon in het westen zagen ondergaan.
Hier troffen zij een vlakke plek zonder wand aan drie zijden, maar in het noorden afgeschermd door een rotsachtige muur waarin een opening als een deur zat. Door die deur had men een wijde blik op het oosten, zuiden en westen.
'Hier,' zei Balin, 'zetten wij vroeger altijd wachtposten uit, en die deur daarachter leidt naar een in de rotsen uitgehouwen vertrek dat daar als wachtlokaal was bedoeld. Er waren verschillende van dat soort plaatsen rondom de Berg. Maar er scheen weinig behoefte aan bewaking te zijn in de dagen van onze voorspoed, en de schildwachten werd het misschien wat al te gerieflijk gemaakt – anders waren wij misschien wel tijdiger gewaarschuwd voor de komst van de draak en zou alles anders zijn gelopen. Maar hoe dan ook, hier kunnen wij ons nu schuilhouden en beschutting vinden, en kunnen veel zien zonder gezien te worden.'
'Daar hebben we niet veel aan als onze komst hier opgemerkt is,'

zei Dori, die voortdurend omhoogkeek naar de top van de Berg alsof hij verwachtte Smaug daar als een vogel op een kerkspits te zien zitten.
'Dat moeten we erop wagen,' zei Thorin. 'We kunnen vandaag niet verdergaan.'
'Bravo! Bravo!' riep Bilbo en hij wierp zich op de grond. In de rotskamer zou wel ruimte voor honderd zijn geweest, en er was nog een kleiner vertrek meer naar binnen, verder van de kou buiten. Dit was helemaal verlaten; zelfs wilde dieren schenen het niet gebruikt te hebben sinds Smaugs heerschappij. Daar legden zij hun lasten neer; en sommigen wierpen zich meteen op de grond en vielen in slaap, maar de anderen bleven bij de buitendeur zitten om hun plannen te bespreken. Maar in al hun gesprekken kwamen zij voortdurend weer terug op die ene vraag: waar was Smaug? Zij keken naar het Westen, maar zagen niets, en in het Oosten was niets en in het Zuiden was ook geen teken van de draak te zien, maar er was een verzameling van heel veel vogels. Daar zaten zij verwonderd naar te kijken; maar zij begrepen er nog niets meer van toen de eerste koude sterren aan de hemel verschenen.

XIV. Vuur en water

Wanneer je, evenals de dwergen, nieuws over Smaug wilt horen, moet je teruggaan tot de avond toen hij de deur verwoestte en woedend wegvloog, twee dagen geleden.

De meeste bewoners van de Meerstad Esgaroth zaten vrijwel allemaal binnenshuis, want de wind woei kil uit het zwarte Oosten, maar enkelen liepen op de kaden en keken, zoals ze zo graag deden, naar de sterren die in de vlakke stukken water van het meer spiegelden toen zij aan de hemel verschenen. Van hun stad uit was de Eenzame Berg grotendeels aan het zicht onttrokken door de lage heuvels aan de andere kant van het meer, door een kloof waarvan de rivier de Running uit het Noorden omlaag stroomde. Alleen zijn hoge top konden zij bij helder weer zien, maar zij keken er zelden naar, want hij was onheilspellend en naargeestig, zelfs in het ochtendlicht. Nu was hij helemaal verdwenen, in het donker uitgewist. Plotseling kwam hij flakkerend weer in het zicht: hij werd door een korte gloed aangeraakt en toen vervaagde hij.

'Kijk,' zei iemand. 'Alweer die lichten! Gisteravond zagen de schildwachten ze van middernacht tot de dageraad oplichten en vervagen. Er is daar iets aan de hand.'

'Misschien is de Koning onder de Berg goud aan het smeden,' zei een ander. 'Het is lang geleden sinds hij naar het Noorden ging. Het is tijd dat de liederen zich weer beginnen te bewijzen.'

'Welke koning?' vroeg een ander, met een grimmige stem. 'Waarschijnlijk is het 't plunderende vuur van de draak, de enige koning onder de Berg die wij ooit hebben gekend.'

'Jij voorspelt altijd naargeestige dingen!' zeiden de anderen. 'Van overstromingen tot vergiftigde vis. Bedenk eens wat vrolijks!'

Toen verscheen er ineens een groot licht in de inkeping tussen de heuvels en het noordelijke einde van het meer veranderde in goud.

'De Koning onder de Berg!' riepen zij uit. 'Zijn rijkdom is als de Zon, zijn zilver als een fontein, zijn rivieren stromen goud! De rivier voert goud van de Berg mee!' riepen zij en overal werden ramen opengeschoven en klonken haastige voetstappen.

Opnieuw heersten er een enorme opwinding en enthousiasme.

Maar de man met het grimmige gezicht rende in allerijl naar de Meester. 'De draak komt eraan of ik ben gek!' riep hij uit. 'Verniel de bruggen. Te wapen! Te wapen!'
Toen klonken er ineens waarschuwende trompetten, en het geluid weerkaatste langs de rotsachtige oevers. Het gejuich hield op en de angst sloeg om in ontzetting. Zo kwam het dat de draak hen niet helemaal onvoorbereid aantrof.
Het duurde niet lang, zo groot was zijn snelheid, of ze konden hem zien als een vonk die op hen toesnelde en al groter en helderder werd, en het waren de dwaasten niet die vermoedden dat er iets behoorlijk misgegaan was met de voorspellingen. Toch hadden zij nog even tijd. Iedere ton in de stad werd met water gevuld, iedere krijger bewapend, iedere pijl en speer in gereedheid gebracht, en de brug naar het land werd omvergehaald en verwoest voor het gebrul van Smaugs afgrijselijke nadering luid werd, en het meer rood als vuur onder het afschuwelijke geklapwiek van zijn vleugels rimpelde.
Te midden van het gegil en geschreeuw van mensen vloog hij over hen heen, scheerde naar de bruggen, maar kwam bedrogen uit. De brug was weg en zijn vijanden zaten op een eiland in diep water – te diep en donker en koud naar zijn smaak. Als hij erin dook, zou er zoveel nevel en stoom opstijgen dat het hele land dagenlang in mist zou worden gehuld; maar het meer was machtiger dan hij; het zou hem verstikken voor hij erdoor kon komen.
Brullend scheerde hij weer over de stad heen. Een salvo van donkere pijlen schoot omhoog en brak en kletterde tegen zijn schubben en juwelen en hun schachten vielen, ontstoken door zijn adem, brandend en sissend in het meer terug. Je zou je geen vuurwerk hebben kunnen voorstellen dat het ook maar haalt bij het schouwspel van die avond. Bij het snerpen van de bogen en het geschetter van de trompetten bereikte de woede van de draak een hoogtepunt tot hij er blind en gek van werd. Eeuwenlang had niemand slag met hem durven te leveren, en dat zou ook nu nog niet het geval zijn geweest als de man met de strenge stem er niet geweest was (Bard heette hij), die heen en weer rende om de boogschutters aan te moedigen en er bij de Meester op aandrong hun te bevelen dat zij tot de laatste pijl moesten doorvechten.
Vuur schoot uit de kaken van de draak. Hij cirkelde een tijdje hoog in de lucht boven hen rond, het hele meer verlichtend. De bomen bij de oevers blonken als koper en als bloed met diepzwarte schaduwen aan hun voeten. Toen dook hij recht naar beneden door de regen van pijlen, roekeloos in zijn razernij, zonder zijn schubachtige

flanken naar zijn vijanden toe te keren, slechts bezeten van het denkbeeld de stad in lichterlaaie te zetten.
Vlammen sprongen op van rieten daken en houten dakspanten toen hij naar beneden gierde, erlangs en weer omhoog, hoewel alles kletsnat was gemaakt met water voor hij kwam. Opnieuw werd door honderden handen met water gegooid zodra ergens een vonkje verscheen. En weer kwam de draak terug. Eén zwiep van zijn staart en het dak van het Grote Huis werd verwoest en stortte in. Onblusbare vlammen sprongen hoog de nacht in. Nog een duik, en nog een, weer een huis en toen vloog er weer een in brand en stortte in; en nog steeds hinderde of verwondde geen pijl Smaug meer dan een vlieg uit het moeras.

Aan alle kanten sprongen de mensen al in het water. Vrouwen en kinderen werden in zwaarbeladen boten in het marktbassin gepakt. Wapens werden neergegooid. Er klonk geweeklaag en gehuil waar nog kortgeleden de oude liederen over komende vreugde over de dwergen waren gezongen. Maar nu vervloekten mensen hun namen. De Meester zelf was op weg naar zijn grote vergulde boot en hoopte in de verwarring weg te roeien en zijn leven te redden. Weldra zou de hele stad verlaten zijn en tot aan de oppervlakte van het meer platgebrand.
Daar hoopte de draak op. Wat hem betrof mochten ze allemaal in boten stappen. Daar kon hij ze lekker achterna jagen, of ze mochten blijven zitten tot ze verhongerden. Maar als ze probeerden aan land te komen, zou hij klaar voor ze zijn. Weldra zou hij alle bossen op de oever in brand steken en elk veld en iedere weide blakeren. Op dit ogenblik genoot hij meer van de sport om de stad te vernielen dan hij in jaren van iets had genoten.
Maar nog steeds hield een compagnie van boogschutters stand te midden van de brandende huizen. Hun aanvoerder was Bard, met strenge stem en bars gezicht, wiens vrienden hem ervan hadden beschuldigd dat hij overstromingen en vergiftigde vis had voorspeld, hoewel ze zijn karakter en moed kenden. Hij was een verre afstammeling van Girion, Heer van Dal, wiens vrouw en kinderen langgeleden over de rivier de Running aan de ondergang waren ontkomen. Nu schoot hij met een grote boog van taxushout tot al zijn pijlen op één na waren verbruikt. De vlammen waren vlakbij hem. Zijn metgezellen lieten hem in de steek. Hij spande zijn boog voor de laatste keer.
Plotseling kwam er in het donker iets op zijn schouder fladderen. Hij schrok – maar het was slechts een oude lijster. Zonder enige

angst kwam deze vlak bij zijn oor zitten en bracht hem nieuws. Verbaasd merkte hij dat hij zijn taal kon verstaan, want hij was van het soort uit Dal.
'Wacht! Wacht!' zei de lijster. 'De maan komt op. Probeer de holte van de linkerborst te vinden terwijl hij vliegt en zich boven je wendt.' En terwijl Bard verwonderd bleef staan, vertelde de vogel hem het nieuws van boven op de Berg en alles wat hij gehoord had. Toen spande Bard de boogpees tot aan zijn oor. De draak vloog in kringen terug, hij vloog laag en terwijl hij eraan kwam, ging de maan op boven de oostelijke oever en gaf zijn vleugels een zilveren glans.
'Pijl!' zei de boogschutter. 'Zwarte pijl! Ik heb jou voor het laatste bewaard. Jij hebt me nog nooit in de steek gelaten en altijd weer heb ik je teruggevonden. Ik heb je van mijn vader gekregen, en hij ver daarvoor. Als je ooit uit de smidsen van de ware koning onder de Berg bent gekomen, ga dan nu en het ga je goed!'
Opnieuw kwam de draak nog weer lager dan ooit overschieten en toen hij zich wendde en dook, schitterde zijn buik wit van de vonkende vuren van juwelen in de maan – behalve op één plaats. De grote boog zoefde. De zwarte pijl vloog recht van de boog, recht naar de holte bij de linkerborst, waar de voorpoot breed uitstak. En daarin verdwenen haak, schacht en veer, zo fel was zijn vlucht. Met een kreet die mensen doof maakte, bomen velde en stenen spleet, schoot Smaug spuwend de lucht in, draaide zich om en viel van heel hoog te pletter.
Hij viel midden op de stad. Zijn laatste stuiptrekkingen deden die in vonken en sintels opgaan. Het meer stroomde brullend naar binnen. Een enorme stoomwolk schoot omhoog, wit in het plotselinge donker onder de maan. Er klonk gesis, een gutsende kolking, en toen stilte. En dat was het einde van Smaug en Esgaroth, maar niet van Bard.

De wassende maan steeg steeds hoger en hoger en de wind wakkerde aan, luid en koud. Hij boog de witte mist in overhangende zuilen en jagende wolken en dreef die naar het westen waar hij boven de moerassen voor het Demsterwold in flarden uiteenscheurde. Toen kon men de vele boten als donkere stippen op de oppervlakte van het meer zien, en op de wind kwamen de stemmen van de mensen van Esgaroth die over hun verloren stad en bezittingen en verwoeste huizen jammerden. Maar eigenlijk hadden zij veel om dankbaar voor te zijn, als ze eraan hadden gedacht, hoewel men nauwelijks kon verwachten dat zij dat op dat ogenblik zouden doen: driekwart van de bevolking van de stad was de drakendans ten minste levend ontsprongen; hun bossen, velden, weiden en vee en de meeste van hun boten waren gespaard gebleven; en de draak was dood. Wat dat betekende, hadden zij nog niet beseft.

Zij dromden in sombere menigten op de westelijke oevers samen, huiverend in de koude wind, en hun eerste klachten en woede waren tegen de Meester gericht, die de stad zo gauw had verlaten, terwijl er nog mensen waren die bereid waren haar te verdedigen.

'Hij mag dan een goed hoofd voor zaken hebben gehad – vooral voor zijn eigen zaken,' mompelden sommigen, 'maar als er iets ernstigs gebeurt, heb je niets aan hem!' En zij prezen de moed van Bard en zijn laatste machtige schot.

'Was hij maar niet gedood,' zeiden ze allen, 'dan zouden we hem tot koning uitroepen. Bard de Drakendoder van het geslacht Girion! Helaas, hij is verloren!'

Maar terwijl zij zo spraken, kwam een rijzige figuur uit de schaduwen naar voren. Hij was drijfnat, zijn zwarte haar hing druipend over zijn gezicht en schouders, maar er straalde een fel licht uit zijn ogen.

'Bard is niet verloren!' riep hij uit. 'Hij dook van Esgaroth toen de vijand verslagen was. Ik ben Bard, van het geslacht Girion; ik ben de doder van de draak!'

'Koning Bard! Koning Bard!' riepen zij uit; maar de Meester knarste met zijn klapperende tanden.

'Girion was Heer van Dal, niet Koning van Esgaroth,' zei hij. 'In de Meerstad hebben wij onze meesters altijd uit de oudsten en wijzen gekozen en niet de regering aanvaard van mensen die alleen maar kunnen vechten. Laat "Koning Bard" teruggaan naar zijn eigen koninkrijk – Dal is nu door zijn dapperheid bevrijd, en niets staat zijn terugkeer in de weg. En eenieder die dat wil, kan met hem meegaan als hij aan de koude stenen in de schaduw van de Berg de voorkeur geeft boven de groene oevers van het meer. De wijzen zullen hier blijven en hopen onze stad te herbouwen, en te zijner tijd weer van zijn rust en rijkdom te genieten.'

'Wij willen Koning Bard!' riepen de mensen in de nabijheid ten antwoord. 'Wij hebben genoeg van de oude mannen en de geldtellers!' En verderop namen mensen de kreet over: 'Hoera voor de Boogschutter, en weg met Gierigaards,' tot het lawaai langs heel de oever weerschalde.

'Ik ben de laatste die Bard de Boogschutter zal onderschatten,' zei de Meester voorzichtig (want Bard stond nu vlak bij hem). 'Hij heeft zich vannacht een eminente plaats verworven op de lijst van weldoeners van onze stad; en hij is vele onvergankelijke liederen waard. Maar waarom, O volk?' – en hier stond de Meester op en sprak zeer luid en helder – 'Waarom krijg ik alle schuld? Wat heb ik misdaan dat ik word afgezet? Wie heeft de draak uit zijn slaap gewekt, vraag ik u? Wie heeft rijke gaven en ruime hulp van ons ontvangen en ons doen geloven dat oude liederen bewaarheid konden worden? Wie heeft op onze goedige harten en onze prettige droombeelden gespeculeerd? Wat voor goud hebben zij over de rivier naar ons gezonden om ons te belonen? Drakenvuur en verwoesting! Op wie moeten wij de vergoeding voor onze schade en steun voor onze weduwen en wezen verhalen?'

Zoals je ziet, had de Meester zijn positie niet voor niets gekregen. Het resultaat van zijn woorden was dat de mensen voor het ogenblik hun denkbeeld van een nieuwe koning helemaal vergaten en hun angstige gedachten op Thorin en zijn gezelschap richtten. Wilde en bittere woorden werden van vele kanten geschreeuwd; en sommigen van hen die de oude liederen eerst het hardst hadden gezongen, hoorde men nu luid roepen dat de dwergen de draak met opzet tegen hen hadden opgestookt!

'Dwazen!' zei Bard. 'Waarom woorden en woede aan die ongelukkige schepselen verspillen? Zij zijn ongetwijfeld zelf eerst in het vuur omgekomen, voordat Smaug naar ons toe kwam.' Maar terwijl hij dit zei, moest hij denken aan de schat die volgens de overlevering zonder bewaking of eigenaar in de Berg lag, en plotseling zweeg hij. Hij dacht aan de woorden van de Meester en aan het herbouwde Dal dat met gouden klokken zou worden gevuld als hij de mensen er maar voor kon vinden. Tenslotte sprak hij opnieuw: 'Dit is geen tijd voor boze woorden, Meester, of om gewichtige plannen voor veranderingen in overweging te nemen. Er is werk te doen. Ik sta nog steeds in uw dienst – hoewel ik misschien over enige tijd uw woorden weer in overweging zal nemen en met hen die mij willen volgen naar het Noorden zal gaan.'

Toen liep hij weg om te helpen bij het opslaan van de kampen en om de zieken en gewonden te verzorgen. Maar de Meester verwenste hem achter zijn rug en bleef op de grond zitten. Hij dacht veel, maar zei weinig, behalve dat hij luid riep dat men hem vuur en eten moest brengen.

Overal nu waar Bard ging, merkte hij dat er gesprekken als een lopend vuur onder de mensen gingen over de enorme schat die nu niet langer bewaakt werd. De mensen spraken over de beloning voor al hun schade die zij weldra zouden krijgen en over grote rijkdom waarmee zij kostbare voorwerpen uit het zuiden konden kopen, en dit monterde hen aanzienlijk op in hun ellende. Dat was maar goed ook, want de nacht was bitter koud en ellendig. Slechts voor weinigen konden schuilplaatsen worden gemaakt (de Meester had er een) en er was weinig eten (zelfs de Meester kreeg niet genoeg). Velen van hen die onverlet aan de verwoesting van de stad waren ontsnapt, werden die nacht ziek van het vocht en de kou en het verdriet, en stierven later; en in de dagen die volgden, heersten er veel ziekte en grote honger.

Ondertussen nam Bard de leiding en regelde dingen naar eigen goeddunken, hoewel altijd in naam van de Meester, en had een zware taak om de mensen te besturen en de voorbereidingen voor hun veiligheid en huisvesting te treffen. De meesten van hen zouden waarschijnlijk in de winter die nu vlug achter de herfst aankwam, gestorven zijn als er geen hulp was gekomen. Maar deze kwam vlug, want Bard had onmiddellijk snelle boodschappers via de rivier naar het Bos gezonden om de elfenkoning van het Woud om hulp te vragen, en deze boodschappers hadden gezien dat er al een leger onderweg was, hoewel het toen pas de derde dag na de val van Smaug was.

De elfenkoning had van zijn eigen boodschappers nieuws ontvangen en van de vogels die van zijn volk hielden, en wist al veel van wat er gebeurd was. En zeer groot was inderdaad de beroering onder alle schepselen met vleugels die aan de grenzen van de Woestenij van de draak woonden. De lucht was bezaaid met rondcirkelende vogelzwermen en hun snelvliegende boodschappers vlogen af en aan door de lucht. Boven de grenzen van het Woud klonk gefluit, gekrijs en gezang. Ver over het Demsterwold verbreidde zich het nieuws: 'Smaug is dood!' Bladeren ritselden en oren spitsten zich verbaasd. Nog voordat de elfenkoning uitreed, was het nieuws al naar het westen gegaan, naar de naaldwouden van de Nevelbergen; Beorn had het in zijn houten huis gehoord en de aardmannen waren aan het beraadslagen in hun holen.

'Dat zal, vrees ik, het laatste zijn wat wij over Thorin Eikenschild te horen krijgen,' zei de koning. 'Hij zou er beter aan hebben gedaan mijn gast te blijven. Maar geen ongeluk zo groot,' voegde hij eraan toe, 'of er is wel een gelukje bij.' Want hij had ook de legende van de rijkdom van Thrór niet vergeten. En zo kwam het dat Bards boodschappers hem nu aan het hoofd van vele speerwerpers en boogschutters aantroffen; en boven hem zag het zwart van de kraaien, want zij dachten dat er opnieuw een oorlog zou uitbreken als deze streek eeuwenlang niet had gezien. Maar toen de koning de smeekbeden van Bard ontving, kreeg hij medelijden, want hij was de heer van een goed en vriendelijk volk; en hij staakte zijn opmars, die eerst in de richting van de Berg was gegaan, en spoedde zich nu de rivier af naar het Lange Meer. Hij had geen boten of vlotten genoeg voor zijn leger en daarom moest het wel de langzamere weg te voet gaan; maar hij stuurde een grote voorraad goederen over het water vooruit. Maar elfen zijn lichtvoetig en hoewel zij in die tijden niet erg gewend waren aan marsen en het verraderlijke terrein tussen het Woud en het Meer, schoten zij toch vlug op. Zij werden hartelijk ontvangen, zoals men kon verwachten en de mensen en hun Meester waren bereid om iedere overeenkomst voor de toekomst aan te gaan in ruil voor de hulp van de elfenkoning.

Hun plannen waren spoedig gereed. Met de vrouwen en de kinderen, de ouden van dagen en hulpbehoevenden bleef de Meester achter; en met hem enkele handwerkslieden en vele vaardige elfen; en die hielden zich bezig met het vellen van bomen, en het verzamelen van het timmerhout dat uit het Woud werd gestuurd. Toen richtten zij vele hutten bij de oever op tegen de invallende winter; en ook begonnen zij op aanwijzing van de Meester een nieuwe stad te ontwerpen, mooier en groter nog dan eerst, maar op een andere plaats. Zij verhuisden naar het noorden verder landinwaarts, want daarna behielden zij altijd een angst voor het water waarin de draak lag. Hij zou nooit meer naar zijn gouden bed terugkeren, maar lag uitgestrekt, koud als steen, verwrongen op de bodem van het ondiepe water. Daar kon men bij rustig weer nog eeuwenlang zijn enorme beenderen zien te midden van de verwoeste palen van de oude stad. Maar weinigen durfden de vervloekte plek langs te trekken en geen durfde in het huiverende water te duiken of de edelstenen op te vissen die uit zijn rottende karkas vielen.

Maar alle krijgers die nog gezond waren en de meesten uit het gevolg van de elfenkoning maakten zich gereed om noordwaarts naar de Berg op te marcheren. En zo geviel het dat elf dagen na de ondergang van de stad de spits van hun leger de rotspoorten aan het einde van het meer doortrok en de onherbergzame landen binnenreed.

XV. De wolken pakken zich samen

Laat ons nu naar Bilbo en de dwergen terugkeren. De hele nacht had een van hen op de uitkijk gestaan, maar toen de ochtend aanbrak, hadden zij geen enkel teken van gevaar gezien of gehoord. Maar er kwamen steeds meer vogels. Hun troepen kwamen uit het zuiden aanvliegen en de kraaien die nog in de buurt van de Berg woonden, cirkelden er onophoudelijk krijsend boven rond.

'Er is iets vreemds aan de hand,' zei Thorin. 'De tijd voor de herfsttrek is voorbij; en dit zijn vogels die hier altijd wonen; er zijn spreeuwen en zwermen vinken; en in de verte zijn veel aasvogels alsof er een veldslag op handen is!'

Plotseling wees Bilbo: 'Daar is die oude lijster weer!' riep hij. 'Hij schijnt ontsnapt te zijn toen Smaug de bergwand vernietigde, maar de slakken niet, denk ik.'

En inderdaad, daar zat de oude lijster en toen Bilbo wees, vloog hij op hen af en ging op een steen vlakbij zitten. Toen sloeg hij met zijn vleugels en zong; daarna hield hij zijn kopje schuin alsof hij luisterde en zong weer, en weer luisterde hij.

'Ik denk dat hij ons iets probeert te vertellen,' zei Balin, 'maar ik kan de taal van dit soort vogels niet volgen, die is heel vlug en moeilijk. Kun jij er wijs uit worden, Balings?'

'Niet erg goed,' zei Bilbo (in werkelijkheid snapte hij er helemaal niets van), 'maar de oude baas schijnt erg opgewonden.'

'Ik wou maar dat het een raaf was!' zei Balin.

'Ik dacht dat je ze niet mocht! Je scheen erg bang van ze toen we hier eerder waren.'

'Dat waren kraaien! Dat zijn inderdaad nare, achterdochtig uitziende schepselen, en brutaal bovendien. Je hebt toch zeker de lelijke namen wel gehoord die ze ons nariepen? Maar de raven zijn anders. Er bestond vroeger grote vriendschap tussen hen en het volk van Thrór; en zij brachten ons vaak geheim nieuws, en werden dan beloond met de fonkelende voorwerpen die zij graag in hun nesten verbergen.

Zij worden heel oud en hebben een goed geheugen en geven hun wijsheid door aan hun kinderen. Ik heb veel raven van de rotsen ge-

kend toen ik een dwergenknaap was. Deze hoogte werd eens de Ravenheuvel genoemd, omdat er een wijs en beroemd paar was, de oude Carc en zijn vrouw, dat hier boven het wachtlokaal woonde. Maar ik denk niet dat hier nu nog afstammelingen van dat oude ras over zijn.'
Hij had dit nauwelijks gezegd of de oude lijster slaakte een luide roep en vloog meteen daarop weg.
'Al verstaan wij hem dan niet, ik weet zeker dat die oude vogel ons verstaat,' zei Balin. 'Kijk uit nu en zie wat er gebeurt!'
Het duurde niet lang of er klonk geklepper van vleugels en de lijster was terug en hij had een afgeleefde oude vogel bij zich. Deze was bijna blind, kon nauwelijks vliegen en de kruin van zijn kop was kaal. Het was een oude, zeer grote raaf. Hij kwam vlak voor hen op de grond neer, klapperde langzaam met de vleugels en knikte met de kop in Thorins richting.
'O Thorin zoon van Thraín, en Balin zoon van Fundin,' kraste hij (en Bilbo kon verstaan wat hij zei, want hij sprak de gewone taal en niet de vogeltaal). 'Ik ben Roäc, de zoon van Carc. Carc is dood, maar eens heb je hem goed gekend. Het is honderddrieënvijftig jaar geleden sinds ik uit het ei kwam, maar ik ben niet vergeten wat mijn vader mij vertelde. Nu ben ik het hoofd van de grote raven van de Berg. Wij zijn maar met weinigen, maar wij herinneren ons nog de koning van weleer. De meesten van mijn volk zijn weg, want er zijn grote tijdingen in het zuiden – sommige zijn vreugdevolle tijdingen voor u, andere zult u minder goed vinden!
En zie! De vogels verzamelen zich weer tot de Berg en tot Dal uit het Zuiden, Oosten en Westen, want het nieuws doet de ronde dat Smaug dood is!'
'Dood! Dood?' riepen de dwergen. 'Dood! Dan zijn we nodeloos bang geweest – en dan is de schat van ons!' Zij sprongen allemaal overeind en begonnen kuitenflikkers te slaan van vreugde.
'Ja, dood,' zei Roäc. 'De lijster – mogen zijn veren nooit uitvallen – heeft hem zien sterven en wij kunnen hem op zijn woord geloven. Hij zag hem vallen in gevecht met de mensen van Esgaroth, drie nachten geleden bij het opkomen van de maan.'
Het duurde enige tijd voordat Thorin de dwergen ertoe kon brengen te zwijgen en naar het nieuws van de raaf te luisteren. Ten slotte, toen hij het hele verhaal van de slag had verteld, vervolgde hij:
'Zover wat de vreugde betreft, Thorin Eikenschild. U kunt veilig naar de zalen van uw voorvaderen terugkeren – de hele schat behoort u toe – voor het ogenblik. Maar velen zijn op weg hierheen, behalve de vogels. Het nieuws van de dood van de bewaker is al

wijd en zijd bekend, en de legende van de rijkdom van Thrór is er niet minder op geworden door de overlevering van vele jaren; velen zijn begerig naar een aandeel van de buit. Er is al een leger van elfen onderweg, en aasvogels die hopen op strijd en slachting begeleiden hen. Bij het meer mompelen de mensen dat hun ellende aan de dwergen te wijten is, want zij zijn dakloos en velen zijn gestorven en Smaug heeft hun stad verwoest. Ook zij hopen zich schadeloos te stellen uit uw schat, of u in leven bent of dood.
Uw eigen wijsheid moet uw handelwijze bepalen, maar dertien is een klein restant van het grote volk van Durin dat hier eens woonde en nu verspreid is. Als u mijn raad wilt aanhoren, vertrouw dan de Meester van de Meermensen niet, maar veeleer hem die de draak met zijn boog heeft doodgeschoten. Bard heet hij, van het ras van Dal, van de tak van Girion; hij is een streng man, maar rechtschapen. Wij zouden graag weer vrede zien tussen dwergen en mensen en elfen na de lange troosteloosheid, maar dat zal u op veel goud te staan kunnen komen. Ik heb gezegd.'
Toen barstte Thorin in woede uit: 'Wij danken u, Roäc, zoon van Carc. U en uw volk zullen niet worden vergeten. Maar niets van ons goud zullen dieven zich toe-eigenen of de gewelddadigen van ons afnemen zolang wij leven. Als u ons nog meer aan u zou willen verplichten, breng ons dan nieuws van iedereen die naderbij komt. Ook zou ik u willen vragen, als er nog onder u zijn die nog jong zijn en sterk van vleugel, om boodschappers naar onze verwanten in de bergen in het Noorden te sturen, zowel ten westen als ten oosten van hier, en hun van ons lot op de hoogte te stellen. Maar ga vooral naar mijn neef Daín in de IJzerheuvels, want hij heeft vele goedbewapende krijgers en woont hier het dichtstbij. Vraag hem zich te haasten!'
'Ik zal niet zeggen of deze raad goed is of slecht,' kraste Roäc, 'maar ik zal doen wat ik kan.' Toen vloog hij langzaam terug.
'En nu terug naar de Berg,' riep Thorin uit. 'Er valt geen tijd te verliezen!'
'En weinig te eten!' riep Bilbo uit, die in dergelijke dingen altijd praktisch was. In ieder geval had hij het gevoel dat het avontuur met de dood van de draak eigenlijk afgelopen was – waarin hij zich zwaar vergiste – en hij zou het leeuwendeel van zijn aandeel in de winst hebben willen opgeven voor een vredige afloop van deze affaire.
'Terug naar de Berg!' riepen de dwergen uit alsof ze hem niet hadden gehoord; en dus moest hij wel met hen mee teruggaan.

Aangezien je sommige van de gebeurtenissen al hebt gehoord, zul je zien dat de dwergen nog een paar dagen de tijd hadden. Zij doorzochten de grotten opnieuw, en kwamen tot de ontdekking, zoals zij ook verwachtten, dat alleen de Voorpoort openbleef; alle andere poorten (behalve natuurlijk de kleine geheime deur) waren langgeleden door Smaug afgebroken en geblokkeerd, en er was geen spoor meer van over. Dus nu gingen zij hard aan het werk om de hoofdingang te versterken en een nieuw pad te maken dat er vandaan leidde. Er waren volop werktuigen te vinden die de mijnwerkers en graafarbeiders en bouwers in de oude tijd hadden gebruikt; en in dit soort werkzaamheden waren de dwergen nog altijd bijzonder bedreven.

Terwijl zij werkten, brachten de raven hun voortdurend nieuws. Op die manier vernamen zij dat de elfenkoning een omweg had gemaakt naar het Meer, en dat ze nog een adempauze hadden. Beter nog, zij hoorden dat drie van hun pony's waren ontsnapt en ergens langs de oevers van de rivier de Running los rondliepen, niet ver van de plek waar de rest van hun voorraden was achtergelaten. Terwijl de anderen verdergingen met hun arbeid, werden Fíli en Kíli, met een raaf als gids, erop uitgezonden om de pony's te zoeken en alles mee terug te brengen dat zij konden.

Zij waren vier dagen onderweg en tegen die tijd wisten zij dat de gezamenlijke legers van de meermensen en de elfen zich naar de Berg spoedden. Maar nu koesterden zij meer hoop, want zij hadden voor enige weken eten als ze voorzichtig waren – voornamelijk *cram* natuurlijk en het stond hun erg tegen, maar *cram* is beter dan niets – en de poort was al versperd door een muur van vierkante stenen, die zonder specie, maar heel dik en hoog in de opening waren opgestapeld. Er waren gaten in de muur waardoor zij konden kijken (of schieten), maar geen ingang. Zij klommen met ladders naar binnen of buiten, en hesen voorwerpen met touwen op. Om de stroom een uitweg te geven hadden zij een kleine lage boog onder de nieuwe muur gemaakt, maar bij de ingang hadden zij de nauwe bedding zo verlegd dat zich een brede plas van de bergwand tot het begin van de waterval waarover de stroom naar Dal voerde, uitstrekte. Het was nu alleen mogelijk de Poort zonder zwemmen te naderen via een smal pad dat vlak langs de steile rechterwand liep (als je van de muur naar buiten keek). Zij hadden de pony's niet verder dan de trap boven de oude brug gebracht en nadat zij hen daar hadden afgeladen, hadden zij hen gelast naar hun meesters terug te keren en hen zonder ruiters naar het zuiden gezonden.

Er kwam een nacht toen er plotseling vele lichten als van vuren en toortsen in het zuiden in Dal waren.
'Ze zijn gekomen!' riep Balin. 'En hun kamp is heel groot. Zij moeten onder dekking van de schemering het dal langs beide oevers van de rivier zijn binnengekomen.'
Die nacht sliepen de dwergen weinig. De ochtend was nog flets toen zij een compagnie zagen naderen. Vanachter hun muur zagen zij hen naar het begin van het dal komen en langzaam naar boven klimmen. Het duurde niet lang voor zij konden zien dat er zowel mensen van het meer die als voor oorlog gewapend waren, als elfenboogschutters onder hen waren. Ten slotte beklommen de voorsten van hen de neergestorte rotsen en verschenen boven aan de watervallen; en heel groot was hun verbazing toen zij de poel voor zich zagen en merkten dat de Poort versperd was door een muur van pasgehakte steen.
Terwijl zij stonden te wijzen en met elkaar spraken, riep Thorin hen aan. 'Wie zijn jullie?' riep hij met zeer luide stem, 'die als in oorlog komt naar de poorten van Thorin, zoon van Thraín, Koning onder de Berg, en wat willen jullie?'
Maar zij gaven geen antwoord. Sommigen maakten vlug rechtsomkeert, en de anderen volgden hen nadat ze een tijdje naar de poort en de verdedigingswerken hadden gekeken. Die dag werd het kamp naar het oosten van de rivier verplaatst, precies tussen de uitlopers van de Berg. De rotsen galmden toen van de stemmen en liederen als zij in lang niet hadden gedaan. En ook klonk het geluid van elfenharpen en van zoete muziek; en toen het naar boven kaatste, scheen het dat de kilte van de lucht werd verwarmd, en zij roken heel vaag de geur van bloemen in een bos die in de lente bloeiden.
Toen voelde Bilbo het verlangen om uit het donkere fort te ontsnappen en omlaag te gaan en deel te nemen aan de vrolijkheid en het eten bij de vuren. Sommigen van de jongere dwergen werden ook in hun harten geroerd en zij mompelden dat zij wilden dat de zaken anders waren gelopen en dat zij dergelijke lieden als vrienden mochten verwelkomen, maar Thorin gromde.
Toen haalden de dwergen zelf harpen en instrumenten die uit de schat waren teruggevonden tevoorschijn en maakten muziek om zijn stemming wat milder te maken; maar hun lied was geen elfenlied en leek heel veel op het lied dat zij langgeleden in Bilbo's kleine hobbithol hadden gezongen.

Onder de Berg, zwart, hoog, verweerd,
Zetelt de Koning, als weleer!

Het monster snood, de draak, is dood,
Wee al wie zich tegen hem keert!

De speer is lang, het zwaard vlijmscherp,
Pijl vliegensvlug, de Poort is sterk;
Het hart is stout bij 't zien van goud;
Der dwergen onrecht uitgewerkt!

Menige spreuk met toverkracht
Onder rinklende hamerslag
Werd daar gewrocht in diepe krocht
Onder de Berg, waar 't duister wacht.

Aan zilvren ketens regen zij
De sterrenbloei; aan kronenrij
Het drakenvuur; in garnituur
Werd licht van maan en zon getwijnd.

De bergtop is opnieuw weer vrij,
O zwervend volk, door woestenij
Snel toe, snel toe, hoor onze roep,
De vorst in nood uw komst verbeidt!

Wij roepen over bergen koud:
'Keer terug, keer terug naar grotten oud!'
De koning wacht bij Poort en gracht,
Beladen met juwelen en goud.

De koning zetelt als weleer
Onder de Berg, zwart, hoog, verweerd.
Het Monster snood, de draak, is dood
Wee al wie zich tegen hem keert!

Dit lied scheen Thorin genoegen te doen en hij glimlachte weer en werd vrolijk; en hij begon de afstand tot de IJzerheuvels te berekenen om te zien hoe lang het zou duren voor Daín de Eenzame Berg kon bereiken, als hij op weg was gegaan zodra de boodschap hem had bereikt. Maar Bilbo's moed zonk hem in de voeten, zowel door het lied als door het gepraat; het klonk hem allemaal te oorlogszuchtig.

De volgende morgen vroeg zagen zij een compagnie speerdragers de rivier oversteken en door de vallei opmarcheren. Zij droegen de

groene banier van de elfenkoning en de blauwe banier van het Meer met zich mee, en zij rukten op tot vlak voor de muur van de Poort.
Opnieuw riep Thorin hun met luide stem aan: 'Wie zijn jullie die gewapend voor oorlog naar de poorten van Thorin, zoon van Thraín, Koning onder de Berg komen?' Deze keer kwam er antwoord.
Een grote man kwam naar voren, met donkere haren en een streng gezicht en hij riep: 'Gegroet Thorin! Waarom kruipt u hier weg als een rover in zijn hol? Wij zijn nog geen vijanden en wij verheugen ons dat u in leven bent, wat wij niet durfden hopen. Wij kwamen hier in de verwachting niemand levend te zullen aantreffen, maar nu wij elkaar hier hebben ontmoet, is het zaak om een bespreking en een vergadering te houden.'
'Wie ben je en waarover wil je spreken?'
'Ik ben Bard en het was door mijn hand dat de draak werd gedood en uw schat uitgeleverd. Is dat niet een zaak die u aangaat? Bovendien ben ik de wettige afstammeling van Girion van Dal, en uw schat bevat veel van de rijkdommen van zijn zalen en stad, die Smaug vroeger gestolen heeft. Is dat niet een kwestie om te bespreken? En ook heeft Smaug in zijn laatste slag de woningen van de mensen van Esgaroth vernietigd, en ik ben nog altijd de dienaar van hun Meester. Ik wil namens hem spreken en vragen of u niet wilt denken aan het verdriet en de ellende van zijn volk. Zij hebben u geholpen in uw nood en als beloning hebt u tot dusver alleen maar verwoesting over hen gebracht, hoewel zonder twijfel onopzettelijk.'
Deze woorden nu waren eerlijk en waarachtig, hoewel zij trots en streng werden gesproken; en Bilbo dacht dat Thorin de rechtvaardigheid ervan onmiddellijk zou erkennen. Natuurlijk verwachtte hij niet dat iemand zich zou herinneren dat hij het was geweest die moederziel alleen de zwakke plek van de draak had ontdekt; en dat was maar goed ook, want niemand herinnerde het zich ooit. Maar ook hield hij geen rekening met de macht die het goud heeft waarop een draak lang heeft liggen broeden, en ook niet met dwergenharten. In de afgelopen dagen had Thorin vele uren in de schatkamer doorgebracht en de begeerte ernaar drukte zwaar op hem. Hoewel hij voornamelijk naar de Arkensteen had gezocht, had hij toch ook oog voor vele andere wonderbaarlijke dingen die daar lagen waaraan oude herinneringen verbonden waren van de inspanningen en het leed van zijn volk.
'U hebt uw slechtste zaak op de laatste en op de voornaamste plaats gesteld,' antwoordde Thorin. 'Op de schat van mijn volk kan nie-

mand aanspraak maken, want Smaug, die haar van ons stal, beroofde ook hem van leven of huis. De schat was niet van hem zodat zijn boze daden behoren te worden vergoed met een deel ervan. De prijs van de goederen en de hulp die wij van de meermensen ontvingen, zullen wij eerlijk betalen – te zijner tijd. Maar wij zullen *niets* geven, nog niet ter waarde van een brood, onder bedreiging met geweld. Zolang er een gewapende strijdmacht voor onze deuren staat, beschouwen wij u als vijanden en dieven.
Ik zou u willen vragen welk deel van hun erfenis u aan onze afstammelingen zou hebben betaald als u de schat onbewaakt en ons dood had aangetroffen.'
'Een gerechte vraag,' antwoordde Bard. 'Maar u bent niet dood en wij zijn geen rovers. Bovendien kunnen de rijken medelijden hebben met de noodlijdenden die hun vriendschap bewezen toen zij in nood verkeerden, zonder zich op het recht te beroepen. Maar toch blijven mijn andere aanspraken onbeantwoord.'
'Ik wil niet, zoals ik al zei, met gewapende lieden voor mijn poort onderhandelen. En zeker niet met het volk van de elfenkoning, aan wie ik weinig vriendelijke herinneringen heb. Dit gesprek gaat hun niet aan. En ga nu weg voor onze pijlen snorren! En als u opnieuw met mij wilt spreken, stuur dan eerst het elfenleger naar de bossen waar het thuishoort, en kom dan terug en leg uw wapens neer voor u de drempel nadert.'
'De elfenkoning is mijn vriend en hij heeft de mensen van het Meer in hun nood geholpen, hoewel zij geen aanspraak op zijn vriendschap konden doen gelden,' antwoordde Bard. 'Wij zullen u tijd geven om uw woorden te berouwen. Verzamel uw wijsheid eer wij terugkomen!' Toen vertrok hij en ging terug naar het kamp.
Voor er vele uren waren verlopen, keerden de banierdragers terug, en trompetters traden naar voren en bliezen.
'In de naam van Esgaroth en het Woud,' riep er één, 'wij spreken tot Thorin Thraíns zoon Eikenschild, die zich de Koning onder de Berg noemt, en wij verzoeken hem de aanspraken die zijn gedaan goed in overweging te nemen, of tot onze vijand te worden verklaard. Hij zal minstens een twaalfde deel van de schat aan Bard geven, als degene die de draak gedood heeft en als de erfgenaam van Girion. Van dat deel zal Bard zelf bijdragen aan de hulp voor Esgaroth; maar als Thorin de vriendschap en de eer van de omliggende landen zou willen genieten, zoals zijn voorvaderen vroeger, dan zal hij ook iets van zijn eigen deel geven ten gerieve van de mensen van het Meer.'
Toen pakte Thorin een benen boog en schoot een pijl op de spreker

af. Deze boorde zich in zijn schild en bleef er trillend in steken.
'Aangezien dit uw antwoord is,' riep hij op zijn beurt, 'verklaar ik de Berg voor belegerd. U zult er niet van vertrekken voordat u van uw kant om een wapenstilstand en onderhandelingen verzoekt. Wij zullen de wapens niet tegen u opnemen, maar wij laten u aan uw goud over. Dat mag u opeten als u wilt!'
Hierop vertrokken de boodschappers snel en de dwergen bleven achter om zich over hun zaak te beraden. Thorin was zo grimmig geworden dat de anderen, ook als ze gewild hadden, niets op hem hadden durven aanmerken; maar de meesten schenen het eigenlijk met hem eens te zijn – behalve natuurlijk de oude dikke Bombur en Fíli en Kíli. Bilbo keurde de hele gang van zaken natuurlijk af. Hij had nu onderhand meer dan genoeg van de Berg gekregen, en het idee om daarbinnen belegerd te worden was wel het allerlaatste waarnaar hij verlangde.
'Het hele hol stinkt naar draak,' mopperde hij bij zichzelf, 'en het maakt me misselijk. En *cram* kan ik gewoonweg niet meer door mijn keel krijgen.'

XVI. Een dief in de nacht

Nu gingen de dagen langzaam en moeizaam voorbij. Velen van de dwergen brachten hun tijd door met het opstapelen en ordenen van de schat; en Thorin sprak nu over de Arkensteen van Thraín en vroeg hun verlangend die in alle hoeken en gaten te zoeken.
'Want de Arkensteen van mijn vader,' zei hij, 'is op zichzelf meer waard dan een rivier van goud en voor mij is hij onschatbaar. Van heel de schat eis ik die steen voor mijzelf op en ik zal mij wreken op eenieder die hem vindt en hem mij onthoudt.'
Bilbo hoorde deze woorden en werd bang en vroeg zich af wat er zou gebeuren als de steen gevonden werd, verpakt in een bundeltje oude vodden dat hij als kussen gebruikte. Maar toch sprak hij er niet over, want toen de verveling van de dagen zwaarder begon te wegen, was er het begin van een plan in zijn kleine hoofd opgekomen.
Zo verliep de tijd tot de raven meldden dat Daín en meer dan vijfhonderd dwergen, die zich van de IJzerheuvels spoedden, nu op twee dagmarsen van Dal waren, uit het Noordoosten komend.
'Maar zij kunnen de Berg niet onopgemerkt bereiken,' zei Roäc, 'en ik vrees dat er slag in het dal zal worden geleverd. Ik vind dit geen goede raad. Hoewel zij vastberaden lieden zijn, is het toch niet waarschijnlijk dat zij de vijand die u belegert, zullen overwinnen; en ook al deden zij dat wel, wat zou u er wijzer van worden? Winter en sneeuw zijn snel achter hen in aantocht. Hoe zult u zich voeden zonder de vriendschap en de goede wil van de landen om u heen? De schat zal waarschijnlijk uw dood worden, ook al is de draak er niet meer!'
Maar Thorin bleef onvermurwbaar. 'Winter en sneeuw zullen zowel mensen als elfen teisteren,' zei hij, 'en wellicht vinden zij hun verblijf in de woestenij zwaar te dragen. Met mijn vrienden achter hen en de winter die hen belaagt, zullen zij misschien plooibaarder zijn om mee te onderhandelen.'
Die nacht nam Bilbo zijn besluit. De hemel was zwart en maanloos. Zodra het helemaal donker was, ging hij naar een hoek van een binnenvertrek vlak binnen de poort en haalde uit zijn pakje een

touw en ook de Arkensteen in een vod tevoorschijn. Toen klom hij boven op de muur. Daar was alleen Bombur, die de beurt had om de wacht te houden, want de dwergen zetten maar één wachtpost tegelijk uit.
'Het is enorm koud,' zei Bombur. 'Ik wou dat we hier een vuur konden hebben zoals in het kamp.'
'Het is binnen warm genoeg,' zei Bilbo.
'Dat zou ik denken; maar ik moet hier tot middernacht staan,' mopperde de dikke dwerg. 'Een nare geschiedenis dit alles. Niet dat ik het waag met Thorin van mening te verschillen, moge zijn baard steeds langer worden, maar hij was altijd al een stijfkop van een dwerg.'
'Niet zo stijf als mijn benen,' zei Bilbo. 'Ik ben moe van trappen en stenen gangen. Ik zou er heel wat voor overhebben om gras onder mijn tenen te voelen.'
'En ik zou er heel wat voor overhebben om een goeie pittige slok in mijn keel te voelen en een zacht bed na een goed avondmaal.'
'Ik kan je die niet geven zolang het beleg voortduurt. Maar het is langgeleden sinds ik de wacht heb gehouden en ik zal je beurt van je overnemen als je wilt. Ik heb vannacht helemaal geen slaap.'
'Je bent een goeie kerel, meneer Balings, en ik neem je aanbod dankbaar aan. Als er iets bijzonders is, maak mij dan eerst wakker, denk erom! Ik ga in de binnenkamer liggen, links, vlakbij.'
'Ga maar!' zei Bilbo. 'Ik zal je om middernacht wakker maken, dan kun jij de volgende wachter wekken.'
Zodra Bombur weg was, deed Bilbo de ring aan zijn vinger, maakte zijn touw vast, liet zich over de muur glijden en was verdwenen. Hij had ongeveer vijf uur de tijd. Bombur zou slapen (hij kon op ieder ogenblik slapen en sinds zijn avontuur in het bos probeerde hij altijd de mooie dromen die hij toen had gehad weer terug te vinden); en alle anderen waren druk in de weer met Thorin. Het was onwaarschijnlijk dat iemand, zelfs Fíli en Kíli, buiten op de muur zouden komen voor het hun beurt was.
Het was heel donker en na een tijdje, toen hij het pas aangelegde pad verliet en omlaag klom naar de benedenloop van de stroom, was de weg hem vreemd. Eindelijk kwam hij bij de bocht waar hij het water moest oversteken als hij het kamp wilde bereiken, zoals zijn bedoeling was. De bedding van de stroom was daar ondiep, maar al breed en het was niet gemakkelijk voor de kleine hobbit om die in het donker te doorwaden. Hij was er bijna overheen toen hij een ronde steen miste en met een plons in het koude water viel. Hij was nauwelijks bibberend en sputterend de andere oever opge-

klauterd, toen er in de duisternis elfen aankwamen met helle lantaarns om de oorzaak van het lawaai te onderzoeken.
'Dat was geen vis!' zei iemand. 'Er is een spion in de buurt. Verberg je lichten! Die zullen hem meer van dienst zijn dan ons, als het dat vreemde kleine schepsel is dat naar men zegt hun dienaar is.'
'Dienaar, wel nog aan toe,' mopperde Bilbo; en terwijl hij dit gromde, nieste hij luid en de elfen kwamen meteen op het geluid af.
'Maak eens wat licht!' zei hij. 'Ik ben hier als jullie me zoeken!' en hij deed de ring af en dook vanachter een rots op.
Ze grepen hem snel, ondanks hun verbazing. 'Wie ben je? Ben jij de hobbit van de dwergen? Wat voer je uit? Hoe ben je zover langs onze schildwachten heen gekomen?' vroegen ze na elkaar.
'Ik ben meneer Bilbo Balings,' antwoordde hij, 'de metgezel van Thorin als jullie het willen weten. Ik ken jullie koning heel goed van gezicht hoewel hij mij van uiterlijk misschien niet kent. Maar Bard zal zich mij nog wel herinneren, en ik wil voornamelijk Bard spreken.'
'Werkelijk!' zeiden ze. 'En waarover dan wel?'
'Waarover, dat gaat alleen mij aan, mijn waarde elfen. Maar als jullie ooit nog uit deze koude sombere streek naar jullie eigen bossen willen terugkeren,' zei hij rillend, 'moeten jullie me heel vlug naar een vuur brengen waar ik mij kan drogen – en dan moeten jullie mij zo snel mogelijk met jullie meesters laten spreken. Ik heb maar een uur of twee de tijd.'

En zo kwam het dat Bilbo ongeveer twee uur na zijn ontsnapping uit de Poort naast een warm vuur voor een grote tent zat, en daar zaten ook de elfenkoning en Bard die hem nieuwsgierig aanstaarden. Een hobbit in elfenwapenrusting, gedeeltelijk gehuld in een oude deken, was iets nieuws voor hen.
'Weet u,' zei Bilbo op zijn beste zakelijke manier, 'de toestand is werkelijk onmogelijk. Persoonlijk ben ik de hele zaak beu. Ik wou dat ik terug was in het Westen, in mijn eigen huis, waar lieden redelijker zijn. Maar ik heb een belang bij deze zaak – een veertiende aandeel, om precies te zijn, volgens een brief die ik gelukkig, geloof ik, bewaard heb.' Hij haalde uit een zak in zijn oude jasje (dat hij nog over zijn maliënkolder droeg) Thorins brief, verfrommeld en tot op de vouwen versleten, die op die dag in mei onder de klok op zijn schoorsteenmantel was gelegd!
'Let wel, een aandeel in de *winst*,' vervolgde hij. 'Dat besef ik. Persoonlijk ben ik maar al te graag bereid om al uw aanspraken zorg-

vuldig in overweging te nemen, en datgene waar anderen recht op hebben van het totaal af te trekken alvorens mijn eigen aandeel op te eisen. Maar u kent Thorin Eikenschild niet zo goed als ik nu. Ik verzeker u dat hij ertoe in staat is om op een berg goud te gaan zitten en te verhongeren, zolang u hier blijft.'

'Nou, laat hem dat maar doen!' zei Bard. 'Zo'n dwaas verdient het om te verhongeren.'

'Inderdaad,' zei Bilbo. 'Ik begrijp uw standpunt. Maar vergeet niet dat de winter snel nadert. Het zal niet lang duren voor er sneeuw valt en zo, en de bevoorrading zal moeilijk zijn – zelfs voor elfen, stel ik mij voor. Ook zullen er zich andere moeilijkheden voordoen. Hebt u niet gehoord van Daín en de dwergen uit de IJzerheuvels?'

'Dat hebben wij, langgeleden; maar wat heeft dat met ons te maken?' vroeg de koning.

'Dat dacht ik al. Ik zie dat ik over informatie beschik die u niet hebt. Daín, kan ik u zeggen, is nu nog geen twee dagmarsen hier vandaan en hij heeft minstens vijfhonderd vastberaden dwergen bij zich – van wie er velen ervaring hebben opgedaan in de afschuwelijke oorlogen tussen dwergen en aardmannen waarvan u ongetwijfeld hebt gehoord. Wanneer ze hier aankomen, zullen er ernstige moeilijkheden kunnen ontstaan.'

'Waarom vertel je ons dit? Ben je je vrienden aan het verraden, of dreig je ons?' vroeg Bard grimmig.

'Mijn waarde Bard!' piepte Bilbo. 'Wees niet zo haastig! Ik heb nog nooit zulke achterdochtige lieden ontmoet! Ik probeer alleen maar moeilijkheden voor alle betrokkenen te vermijden. Nu zal ik jullie een voorstel doen!'

'Laat horen!' zeiden ze.

'Jullie mogen het zien,' zei hij. 'Hier is het!' en hij haalde de Arkensteen tevoorschijn en gooide het windsel weg.

De elfenkoning zelf, wiens ogen gewend waren aan wonderschone dingen, stond verbijsterd op. Zelfs Bard keek ernaar in verwonderd zwijgen. Het was alsof een bol met maanlicht was gevuld en voor hen hing in een net dat geweven was van het schijnsel van ijzige sterren.

'Dit is de Arkensteen van Thraín,' zei Bilbo, 'het Hart van de Berg; maar het is ook het hart van Thorin. Hij heeft voor hem meer waarde dan een rivier van goud. Ik geef hem aan u. Hij zal u te pas komen bij uw onderhandelingen.' Toen overhandigde Bilbo, niet zonder huivering en niet zonder een blik van verlangen, de schitterende steen aan Bard en hij hield hem in zijn hand alsof hij verdoofd was.

'Maar hoe komt het dat hij aan jou is om weg te geven?' vroeg hij ten slotte met moeite.
'O wel,' zei de hobbit, niet op zijn gemak. 'Hij is eigenlijk niet van mij, maar ik ben bereid hem tegenover al mijn aanspraken te stellen, weet u. Ik mag dan een inbreker zijn – zo noemen zij me tenminste; persoonlijk heb ik me er nooit een gevoeld – maar ik ben een eerlijke, hoop ik, min of meer. In ieder geval ga ik nu terug en de dwergen kunnen met me doen wat ze willen. Ik hoop dat u hem nuttig zult vinden.'
De elfenkoning keek Bilbo met hernieuwde verwondering aan. 'Bilbo Balings,' zei hij. 'Je bent het meer waard om de wapenrusting van elfenprinsen te dragen dan velen die deze beter heeft gestaan. Maar ik vraag me af of Thorin Eikenschild er ook zo over zal denken. Ik weet over het algemeen meer van dwergen af dan jij. Ik raad je aan bij ons te blijven, want hier zul je geëerd worden en driewerf welkom zijn.'
'Ik dank u werkelijk heel hartelijk,' zei Bilbo met een buiging. 'Maar ik vind dat ik mijn vrienden niet zo mag achterlaten na alles wat we samen hebben doorgemaakt. En ik heb bovendien beloofd dat ik Bombur om middernacht zou wekken. Ik moet werkelijk gaan en vlug ook.'
Niets dat zij zeiden, kon hem tegenhouden; dus kreeg hij een escorte en toen hij ging, brachten zowel de koning als Bard hem een ere-saluut. Toen zij door het kamp liepen, stond een oude man op die in een donkere jas gehuld voor de ingang van een tent zat, en kwam naar hen toe.
'Goed gedaan, meneer Balings!' zei hij, terwijl hij Bilbo op de rug klopte. 'Je bent altijd meer waard dan iemand verwacht!' Het was Gandalf.
Voor de eerste keer in vele dagen was Bilbo werkelijk opgetogen. Maar er was geen tijd om alle vragen te stellen die onmiddellijk bij hem opkwamen.
'Alles op zijn tijd!' zei Gandalf. 'De dingen lopen nu ten einde of ik zou mij wel heel erg moeten vergissen. Er staat jullie nog een onprettige tijd te wachten; maar houd moed! Er is nieuws op til dat zelfs de raven nog niet hebben gehoord. Goedenacht!'
Verbaasd maar opgewekt haastte Bilbo zich verder. Hij werd naar een veilige voorde geleid en droog overgezet en toen nam hij afscheid van de elfen en klom voorzichtig terug naar de Poort. Een grote vermoeidheid begon over hem te komen; maar het was ver voor middernacht toen hij weer langs het touw omhoogklom – het lag nog waar hij het had achtergelaten. Hij knoopte het los en ver-

borg het, en ging toen op de muur zitten en vroeg zich angstig af wat er vervolgens zou gebeuren.
Om middernacht maakte hij Bombur wakker en rolde zich toen op zijn beurt in zijn hoekje op, zonder naar de dankbetuigingen van de oude dwerg te luisteren (die hij, naar hij meende, nauwelijks verdiend had). Weldra was hij vast in slaap en vergat al zijn zorgen tot de ochtend. In feite droomde hij van eieren met spek.

XVII. De wolken breken

De volgende morgen schalden de trompetten vroeg in het kamp. Weldra zag men een renbode het smalle pad langs snellen. Op enige afstand bleef hij staan en riep hen aan, en vroeg of Thorin nu naar een nieuwe boodschap wilde luisteren, omdat er iets nieuws te melden viel en de toestand was veranderd.
'Dat zal Daín zijn!' zei Thorin toen hij het hoorde. 'Zij hebben lucht van zijn komst gekregen. Ik dacht wel dat het hen van gedachten zou doen veranderen. Vraag hun met enkelen te komen, en ongewapend, dan zal ik hen aanhoren,' riep hij tegen de boodschapper.
Tegen de middag zag men de banieren van het Woud en het Meer weer op weg gaan. Er naderde een compagnie van twintig man. Aan het begin van de smalle weg legden zij zwaarden en speren af en kwamen naar de Poort toe. Tot hun verbazing zagen de dwergen dat zowel Bard als de elfenkoning erbij waren, voor wie een oude man in een mantel en kap gehuld een sterke kist van met ijzer beslagen hout droeg.
'Heil Thorin!' zei Bard. 'Bent u nog niet van gedachten veranderd?'
'Mijn gedachten veranderen niet met het op- en ondergaan van een paar zonnen,' antwoordde Thorin. 'Bent u gekomen om mij nutteloze vragen te stellen? Het elfenleger is nog steeds niet vertrokken, zoals ik heb verzocht! Zolang dat niet gebeurd is, komt u tevergeefs om met mij te onderhandelen.'
'Is er dan niets waarvoor u afstand zou doen van een deel van uw goud?'
'Niets dat u of uw vrienden te bieden hebben.'
'Wat zou u zeggen van de Arkensteen van Thraín?' vroeg hij, en op hetzelfde ogenblik opende de oude man het kistje en hield het juweel omhoog. Het licht sprong uit zijn hand, fonkelend wit in de ochtend.
Toen was Thorin als met stomheid geslagen van verbijstering en verwarring. Lange tijd sprak niemand een woord.
Toen eindelijk verbrak Thorin de stilte en zijn stem was dof van woede. 'Die steen behoorde aan mijn vader toe, en is van mij,' zei

hij. 'Waarom zou ik kopen wat van mij is?' Maar hij werd overmand door verbazing en hij voegde eraan toe: 'Maar hoe bent u aan dit erfstuk van mijn geslacht gekomen – als het nodig is zoiets aan dieven te vragen?'

'Wij zijn geen dieven,' antwoordde Bard. 'Wij zullen u uw eigendom teruggeven in ruil voor wat ons toekomt.'

'Hoe bent u eraan gekomen?' schreeuwde Thorin met stijgende woede.

'Ik heb hem aan hen gegeven!' piepte Bilbo, die over de muur gluurde en nu vreselijk bang was.

'Jij! Jij!' riep Thorin terwijl hij op hem afkwam en hem met beide handen beetpakte. 'Jij ellendige hobbit! Jij onderkruipsel van een inbreker!' schreeuwde hij terwijl hij naar woorden zocht en de arme Bilbo als een konijn door elkaar schudde.

'Bij de baard van Durin! Ik wou dat Gandalf hier was! Vervloekt dat hij jou heeft uitgekozen. Moge zijn baard verschrompelen! En wat jou betreft, ik zal je op de rotsen smijten!' schreeuwde hij en hij tilde Bilbo in zijn armen op.

'Hou op! Je wens is vervuld,' zei een stem. De oude man met de kist wierp zijn kap en mantel af. 'Hier is Gandalf! En geen ogenblik te vroeg, naar het schijnt. Als mijn Inbreker je niet aanstaat, beschadig hem dan alsjeblieft niet. Zet hem neer en luister eerst naar wat hij te zeggen heeft.'

'Jullie schijnen allemaal samen te spannen,' zei Thorin terwijl hij Bilbo boven op de muur liet vallen. 'Ik wil nooit meer iets met tovenaars of hun vrienden te maken hebben. Wat heb je te zeggen, jij rattengebroed!'

'Lieve help. Lieve help!' zei Bilbo. 'Dit is allemaal heel erg vervelend. Misschien herinnert u zich dat u zei dat ik mijn eigen veertiende deel mocht uitzoeken? Misschien heb ik dat wel wat al te letterlijk opgevat – men heeft mij gezegd dat dwergen soms beleefder zijn met woorden dan met daden. Maar in ieder geval is er een tijd geweest dat u scheen te vinden dat ik toch wel van enig nut was geweest. Rattengebroed, heb je ooit! Is dit heel het dienstbetoon van u en uw familie dat mij beloofd is, Thorin? Beschouw het maar zo dat ik afstand heb gedaan van mijn aandeel zoals ik zelf wenste, en laat het daarbij.'

'Dat zal ik doen,' zei Thorin grimmig. 'En ik zal je laten gaan – en hopelijk ontmoeten wij elkaar nooit meer!' Toen draaide hij zich om en sprak over de muur. 'Ik ben verraden,' zei hij. 'Men heeft terecht vermoed dat ik geen afstand zou kunnen doen van de Arkensteen, de schat van mijn geslacht. Ik zal er een veertiende deel van de schat in zilver en goud voor geven, met uitzondering van de juwelen; maar dat zal als het beloofde aandeel van deze verrader gelden en met die beloning zal hij heengaan en u kunt die verdelen zoals u wilt. Ik twijfel er niet aan dat hij er niet te veel van zal krijgen. Neem hem, als u wilt dat hij blijft leven; mijn vriendschap zal hem niet vergezellen.'

'En ga nu naar beneden naar je vrienden,' zei hij tegen Bilbo, 'of ik zal je naar beneden gooien.'

'En het goud en het zilver?' vroeg Bilbo.

'Dat komt later, dat kan geregeld worden,' zei hij. 'Naar beneden!'

'Tot zolang houden wij de steen,' riep Bard.

'U slaat niet bepaald een schitterend figuur als Koning onder de Berg,' zei Gandalf. 'Maar de dingen kunnen nog veranderen.'

'Dat kan inderdaad,' zei Thorin. En zo hevig was hij door de schat in de war gebracht, dat hij zich afvroeg of hij de Arkensteen niet met behulp van Daín kon heroveren en het aandeel van de beloning in zijn zak houden.

En zo werd Bilbo over de muur gegooid, en vertrok met helemaal niets voor al zijn moeite, behalve de wapenrusting die Thorin hem al geschonken had. Verscheidenen van de dwergen voelden in hun harten schaamte en medelijden bij zijn vertrek.

'Vaarwel!' riep hij hun toe. 'Wellicht komen wij elkaar nog eens tegen als vrienden.'

'Wegwezen!' riep Thorin. 'Je hebt een maliënhemd aan dat door mijn volk werd gemaakt en te goed voor je is. Het kan niet door pijlen worden doorboord; maar als je niet opschiet, zal ik je ellendige voeten doorboren. Dus schiet op!'

'Niet zo haastig!' zei Bard. 'Wij zullen u tot morgen de tijd geven. Om twaalf uur komen wij terug om te zien of u van de schat het aandeel hebt gebracht dat tegen de steen wordt geruild. Als dat zonder bedrog is gebeurd, zullen wij vertrekken en het elfenleger zal naar het Woud terugkeren. In de tussentijd vaarwel!'

Hierop gingen zij terug naar het kamp, maar Thorin stuurde boodschappers met Roäc om Daín te vertellen wat er gebeurd was, en hem te vragen zich te haasten.

Die dag verliep en ook de nacht. De volgende dag draaide de wind naar het westen, en de hemel was donker en somber. Het was nog vroeg in de ochtend toen men in het kamp een kreet hoorde. Boodschappers snelden aan en berichtten dat een leger dwergen om de oostelijke uitloper van de Berg was verschenen en zich nu naar Dal spoedde. Daín was gearriveerd. Hij had zich de hele nacht verder gehaast en was zodoende vlugger gekomen dan zij hadden verwacht. Al zijn krijgers waren gekleed in maliën van staal die tot op de knieën hingen en hun benen waren bedekt met een broek van dun en soepel metalen gaas waarvan alleen het volk van Daín wist hoe het gemaakt werd. De dwergen zijn buitengewoon sterk voor lieden van hun lengte, maar de meesten van dezen waren zelfs sterk voor dwergen. In de slag hanteerden zij zware houwelen met twee handgrepen, maar elk van hen had ook een klein breed zwaard aan zijn zijde en een rond schild op de rug. Hun baarden waren gevorkt en gevlochten en in hun gordels gestoken. Hun kappen waren van ijzer en zij hadden ijzeren schoeisel en hun gezichten stonden verbeten.

Trompetten riepen mensen en elfen te wapen. Weldra zagen zij de dwergen met grote snelheid door het dal aankomen. Zij hielden stil tussen de rivier en de oostelijke uitloper; maar enkelen liepen door, en nadat zij de rivier waren overgestoken, naderden zij het kamp; en daar legden zij hun wapens neer en staken de handen omhoog ten teken van vrede. Bard ging hen tegemoet en Bilbo ging met hem mee.

'Wij worden gezonden door Daín, de zoon van Naín,' zeiden ze toen ze werden ondervraagd. 'Wij spoeden ons naar onze verwanten in de Berg, nu wij gehoord hebben dat het vroegere koninkrijk is hernieuwd. Maar wie bent u die in de vlakte zit als vijanden voor verdedigde muren?' Dit betekende natuurlijk, in de beleefde en nogal ouderwetse taal die bij dergelijke gelegenheden gebruikt wordt: 'U hebt hier niets te maken, dus opzij voor ons, anders zullen we tegen u vechten!' Zij waren van plan verder op te rukken tussen de Berg en de bocht in de rivier, want de smalle landstrook daar scheen niet sterk te worden bewaakt.

Bard weigerde de dwergen natuurlijk rechtdoor naar de Berg te gaan. Hij was vastbesloten te wachten tot het goud en het zilver in ruil voor de Arkensteen naar buiten waren gebracht; want hij geloofde niet dat dit gebeuren zou wanneer het fort eenmaal met zo'n groot, oorlogszuchtig gezelschap was bemand. Zij hadden grote voorraden meegebracht, want de dwergen kunnen zeer zware lasten dragen, en bijna al Daíns dwergen droegen ondanks hun snelle opmars, behalve hun wapens, enorme pakken op de rug. Zij zouden een beleg wekenlang kunnen doorstaan en tegen die tijd zouden er wellicht nog meer dwergen komen, want Thorin had veel verwanten. En ook zouden zij een andere poort kunnen heropenen en bewaken, zodat de belegeraars de hele berg zouden moeten omsingelen, en daarvoor waren zij met te weinigen.

Dit nu was precies wat zij van plan waren (want de ravenboodschappers hadden druk heen en weer gevlogen tussen Thorin en Daín), maar op dit ogenblik was de weg versperd, zodat de dwergenboodschappers, na boze woorden te hebben gesproken, heengingen terwijl ze in hun baarden mopperden. Bard zond toen onmiddellijk afgezanten naar de Poort; maar zij troffen er geen goud of betaling aan. Er kwamen pijlen gevlogen zodra zij binnen schootsafstand waren, en zij haastten zich ontsteld terug. In het kamp was nu alles in rep en roer, als voor een ophanden zijnde slag, want de dwergen van Daín rukten langs de oostelijke oever op.
'Dwazen,' zei Bard lachend, 'om zo onder de uitloper van de Berg te komen! Zij begrijpen niets van de oorlogvoering boven de grond, hoeveel zij ook van de oorlog in de mijnen af mogen weten. Velen van onze boogschutters en speerdragers liggen nu in hinderlaag tussen de rotsen op hun rechterflank. Dwergenmaliën mogen dan goed zijn, zij zullen spoedig heet worden bestookt. Laten wij hen nu van beide kanten aanvallen, voor ze helemaal zijn uitgerust.'
Maar de elfenkoning zei: 'Ik zal lang dralen eer ik deze oorlog om goud begin. De dwergen kunnen ons niet voorbijkomen, tenzij wij het hun toestaan, of iets doen dat ons ontgaat. Laat ons hopen dat er toch nog een verzoening tot stand zal komen. Ons numerieke overwicht zal genoeg zijn als het ten slotte tot een ongelukkig treffen mocht komen.'
Maar hij had buiten de dwergen gerekend. De wetenschap dat de Arkensteen in handen van de belegeraars was, brandde in hun gedachten, en ook vermoedden zij de aarzeling van Bard en zijn vrienden en besloten toe te slaan terwijl zij zich aan het beraden waren.
Plotseling, zonder teken, sprongen zij geruisloos naar voren om aan te vallen. Bogen snerpten en pijlen floten; de slag stond op het punt te beginnen.
Maar nog onverhoedser viel een duisternis met angstaanjagende snelheid! Een zwarte wolk trok snel langs de hemel. Winterse donder kwam brullend op een wilde wind aanrollen en gromde in de Berg en de bliksem verlichtte zijn piek. En onder de donder kon men nog een zwartheid zien aanwervelen, maar die kwam niet op de wind; hij kwam uit het Noorden, als een enorme wolk van vogels, zo dicht dat er geen licht tussen hun vleugels te zien was.
'Halt!' riep Gandalf, die plotseling verscheen en alleen met opgeheven handen tussen de oprukkende dwergen stond en de rijen die hen opwachtten. 'Halt!' riep hij met bulderende stem en uit zijn

staf schoot een vuurstraal als de bliksem. 'Vrees is over u allen gekomen. Helaas, hij is vlugger gekomen dan ik gedacht had. De aardmannen zijn in aantocht. Bolg uit het Noorden komt eraan, O Daín! wiens vader u in Moria hebt gedood. Zie! De vleermuizen vliegen boven zijn leger als een zee van sprinkhanen. Zij rijden op wolven en ook wargs zijn in hun gevolg!'
Verbazing en verwarring overvielen hen allen. Terwijl Gandalf sprak, werd het nog duisterder. De dwergen bleven staan en staarden naar de hemel. De elfen riepen het uit met vele stemmen.
'Kom!' riep Gandalf. 'Er is nog tijd voor beraad. Laat Daín, zoon van Naín, vlug naar ons toekomen!'

Zo begon een slag die niemand had verwacht; en hij werd de Slag van de Vijf Legers genoemd en hij was heel afschuwelijk. Aan de ene kant vochten de aardmannen en de wilde Wolven, en aan de andere kant elfen, mensen en dwergen. En die slag kwam als volgt tot stand. Sinds de val van de Grote Aardman uit de Nevelbergen was de haat van hun soort jegens de dwergen opnieuw tot furie opgelaaid. Boodschappers waren tussen al hun steden, koloniën en vestingen heen en weer gereisd, want zij hadden nu besloten zich meester te maken van de heerschappij over het Noorden. In het geheim hadden zij nieuws verzameld en in alle bergen werd er gesmeed en bewapend. Toen gingen zij op weg en verzamelden zich bij heuvel en vallei, steeds door tunnels of in het duister gaand tot rondom en onder de grote berg Gundabad in het Noorden, waar hun hoofdstad was, een enorm leger verzameld was dat klaarstond om tijdens een noodweer het zuiden onverhoeds te overvallen. Toen hoorden zij dat Smaug dood was en vreugde was in hun harten en zij haastten zich nacht na nacht door de bergen en kwamen zo eindelijk uit het Noorden vlak achter Daín aan. Zelfs de raven wisten niet van hun komst af tot zij in de woeste landen kwamen die de Eenzame Berg van de heuvels daarachter scheidde. Hoeveel Gandalf wist, valt niet te zeggen, maar het is duidelijk dat hij deze plotselinge aanval niet had verwacht.
Dit is het plan dat hij in overleg met de elfenkoning en met Bard maakte; en ook met Daín, want de dwergenvorst sloot zich nu bij hen aan; de aardmannen waren de vijanden van allen en bij hun komst waren alle andere twisten vergeten. Hun enige hoop was de aardmannen de vallei in te lokken tussen de uitlopers van de Berg en zelf de grote uitlopers te bemannen die zich naar het zuiden en oosten uitstrekten. Maar dit zou levensgevaarlijk zijn als de aardmannen sterk genoeg waren om de Berg zelf te overmeesteren en

hen zo ook van achteren en van boven aan te vallen; maar er was geen tijd om nog een ander plan te maken of hulp in te roepen.
Weldra trok het onweer voorbij en dreef naar het Zuidoosten af, maar de vleermuizenwolk kwam, lager vliegend, over de Bergrug en wervelde boven hen, het licht uitsluitend, en vervulde hen van angst.
'Naar de Berg!' riep Bard. 'Naar de Berg! Laten wij onze stellingen innemen zolang er nog tijd voor is.'
Op de zuidelijke uitloper, op de lagere hellingen en tussen de rotsen aan zijn voet, werden de elfen geplaatst; op de Oostelijke uitloper stonden mensen en dwergen. Maar Bard en enkelen van de handigste mensen en elfen klommen helemaal omhoog naar de Oostelijke rug om naar het Noorden te kunnen uitkijken. Weldra konden zij de landen voor de voet van de Berg zien die zwart zagen van een zich haastende menigte. Het duurde niet lang of de voorhoede zwermde om het einde van de uitloper heen en kwam Dal binnen snellen. Dit waren de snelste wolvenruiters, en hun gekrijs en gehuil reten de lucht al ver uiteen. Enkele dappere mannen werden op een rij voor hen geplaatst om een schijn van verzet te wekken en velen vielen daar voor de rest zich terugtrok en naar beide kanten vluchtte. Zoals Gandalf had gehoopt, had het aardmannenleger zich achter de tot staan gebrachte voorhoede verzameld en stroomde nu razend het dal binnen, woest oprukkend tussen de uitlopers van de Berg, op zoek naar de vijand. Zij droegen talloze banieren, zwart en rood, en stormden aan als een vloedgolf, woedend en in wanorde.
Het was een vreselijke slag – de verschrikkelijkste van al Bilbo's ervaringen die hij toentertijd het meest verafschuwde – wat wil zeggen dat het degene was waar hij het trotst op was en die hij zich lang daarna het liefst herinnerde, hoewel hij er een onbelangrijke rol in speelde. Ik mag eigenlijk wel zeggen dat hij zijn ring al heel vroeg aandeed en zich aan het zicht onttrok, hoewel niet aan alle gevaar. Een dergelijk soort toverring biedt geen volledige bescherming bij een aanval van aardmannen, en houdt ook geen rondvliegende pijlen en speren tegen, maar hij helpt toch als je je uit de voeten wilt maken, en voorkomt dat je hoofd als doelwit wordt uitgekozen voor een wervelende slag van het zwaard van een aardmansoldaat.
De elfen waren de eersten die aanvielen. Hun haat jegens de aardmannen is koud en bitter. Hun speren en zwaarden schitterden in de duisternis met een glans van koud vuur, zo dodelijk was de woede van de handen die ze vasthielden. Zodra de vijandelijke leger-

schare dicht in het dal opeen was gepakt, zonden zij er een regen van pijlen op af en zij flikkerden één voor één terwijl zij als een bijtend vuur de lucht doorkliefden. Achter de pijlen sprongen duizend van hun speerdragers naar beneden om een charge uit te voeren. De kreten waren oorverdovend. De rotsen waren zwart gevlekt van het aardmannenbloed.

Net toen de aardmannen zich van de aanval herstelden en de elfencharge tot staan werd gebracht, steeg er over het dal een diepkelig gebrul op. Met de kreten 'Moria!' en 'Daín, Daín!' stortten de dwergen van de IJzerheuvels zich met hun bijlen zwaaiend aan de andere kant in het strijdgewoel, en naast hen kwamen de mensen van het Meer met lange zwaarden.

De aardmannen raakten in paniek; en toen zij zich omdraaiden om deze nieuwe aanval het hoofd te bieden, vielen de elfen opnieuw met verse troepen aan. Velen van de aardmannen vluchtten al terug naar de rivier om uit de val te ontsnappen; en vele van hun eigen wolven keerden zich tegen hen en verscheurden de doden en gewonden. De overwinning scheen nabij toen er op de hoogten boven hen een kreet weerklonk.

Aardmannen hadden de Berg van de andere kant beklommen en velen bevonden zich al op de hellingen boven de Poort terwijl anderen zich roekeloos naar omlaag stortten zonder acht te slaan op hen die gillend van rotswand en afgrond vielen om de uitlopers van boven aan te vallen. Deze waren beide te bereiken door middel van paden die in het midden van het massief van de Berg omlaag liepen en de verdedigers waren met te weinigen om de weg lang te versperren. De hoop op de overwinning verdween nu. Zij hadden alleen de eerste aanval van de zwarte vloedgolf afgeslagen.

De dag lengde. De aardmannen verzamelden zich weer in het dal. Daar kwam een leger wargs aanstormen en met hen kwam de lijfwacht van Bolg, enorm grote aardmannen met stalen kromzwaarden. Weldra viel de duisternis in een stormachtige hemel terwijl de grote vleermuizen nog om de hoofden en oren van elfen en mensen zwermden, of zich als vampiers aan de gevallenen vastgrepen. Nu vocht Bard om de oostelijke uitloper te verdedigen, terwijl hij zich langzaam terugtrok; en de elfheren waren in het nauw rond hun koning op de zuidelijke uitloper vlak bij de wachtpost op de Ravenheuvel.

Plotseling klonk er een enorme schreeuw en uit de Poort klonk trompetgeschal. Zij waren Thorin vergeten! Een gedeelte van de muur, in beweging gezet door koevoeten, stortte onder geraas naar buiten in de poel. En de Koning onder de Berg sprong tevoorschijn en zijn metgezellen volgden hem. Kap en mantel waren verdwenen; zij stonden in blinkende wapenrusting, en rood licht ontvonkte in hun ogen. In de duisternis straalde de grote dwerg als goud in een stervend vuur.

Rotsblokken werden van boven door de aardmannen naar beneden gesmeten; maar zij hielden stand, sprongen omlaag naar de voet van de waterval en snelden voorwaarts om slag te leveren. Wolf en ruiter vielen, of vluchtten voor hen uit. Thorin zwaaide zijn bijl met machtige slagen in het rond en niets scheen hem te deren.

'Tot mij! Tot mij! Elfen en mensen! Tot mij! O mijn verwanten!' riep hij uit en zijn stem schalde als een hoorn in het dal.

En alle dwergen van Daín snelden naar beneden, zonder aan de slagorde te denken, om hem te hulp te komen. En ook velen van de meermensen kwamen naar omlaag, want Bard kon hen niet tegenhouden; en aan de andere kant verschenen velen van de speerdragers van de elfen. Opnieuw werden de aardmannen in het dal overweldigd; en zij werden in hopen opeen gedreven tot Dal duister en afzichtelijk was van hun lijken. De wargs werden verstrooid en Thorin hakte recht op de lijfwacht van Bolg in. Maar hij kon niet door hun linies heen breken.

Achter hem lagen tussen de dode aardmannen al veel mensen en veel dwergen en ook menige mooie elf die nog eeuwenlang gelukkig in de bossen had behoren te leven. En naarmate het dal zich verbreedde, werd zijn opmars steeds trager. Hij had te weinig strijdkrachten. Zijn flanken waren ongedekt. Weldra werden de aanvallers aangevallen en zij werden in een grote kring gedreven en waren aan alle kanten ingesloten door aardmannen en wolven die terugkeerden voor de aanval. De lijfwacht van Bolg stormde huilend op hen in en botste op hun flanken als golven op klippen van zand. Hun vrienden konden hen niet helpen, want de aanval van de Berg werd met verdubbelde kracht hernieuwd en aan beide kanten werden mensen en elfen langzaam neergeslagen.

Bilbo zag dit alles ongelukkig aan. Hij had zijn plaats te midden van de elfen op de Ravenheuvel ingenomen – gedeeltelijk omdat er van dat punt af een grotere kans was om te ontsnappen en gedeeltelijk (uit meer Toek-achtige overwegingen) omdat hij, als hij in een wanhopige positie zou komen, er over het geheel genomen de voorkeur aan gaf om de elfenkoning te verdedigen. En ook Gandalf, moet ik zeggen, was daar, op de grond gezeten alsof hij diep in gedachten verzonken was, maar ik veronderstel dat hij een laatste uitbarsting van tovenarij voorbereidde voor het einde.

En dat scheen niet ver meer af. Het zal nu niet lang meer duren,

dacht Bilbo, voor de aardmannen de Poort veroveren en wij allen worden afgeslacht of nagejaagd en gevangengenomen. Heus, het is om te huilen na alles wat je hebt meegemaakt. Ik zou liever hebben gezien dat de oude Smaug met zijn hele vermaledijde schat met rust was gelaten dan dat deze veile schepselen hem krijgen en de arme oude Bombur en Balin en Fíli en Kíli en alle anderen slecht aan hun einde komen; en ook Bard en de meermensen en de vrolijke elfen. Arme ik! Ik heb liederen over vele slagen gehoord en heb er altijd uit opgemaakt dat de nederlaag eervol kan zijn. Het ziet er heel onaangenaam, om niet te zeggen verontrustend, uit. Ik wou maar dat ik er niets mee te maken had.
De wolken werden door de wind uiteen gescheurd, en een rode zonsondergang zette het Westen in vuur en vlam. Toen hij de plotselinge gloed zag, keek Bilbo om zich heen. Hij slaakte een luide kreet; hij had iets gezien dat zijn hart deed opspringen: donkere gestalten, klein maar majestueus tegen de verre gloed.
'De adelaars! De adelaars!' riep hij uit. 'De adelaars komen eraan!'
Bilbo's ogen hadden het zelden mis. De adelaars kwamen op de wind aangevlogen, rij na rij, met zo'n schare dat die wel uit alle adelaarsnesten van het Noorden bijeengebracht moest zijn.
'De adelaars! De adelaars!' riep Bilbo uit, dansend en met de armen zwaaiend. Hoewel de elfen hem niet konden zien, konden zij hem wel horen. Weldra namen zij de kreet over en deze schalde door het dal. Vele verwonderde ogen keken omhoog, hoewel er nog niets te zien was, behalve van de zuidelijke hellingen van de Berg af.
'De adelaars!' riep Bilbo nogmaals, maar op dat ogenblik trof een steen die van boven werd gegooid zijn helm met een zware klap en hij stortte neer en was zich van niets meer bewust.

XVIII. De terugreis

Toen Bilbo tot zichzelf kwam, was hij letterlijk alleen. Hij lag op de platte stenen van de Ravenheuvel en er was niemand in de buurt. Een onbewolkte maar koude dag welfde zich breed boven hem. Hij rilde en was kil als steen, maar zijn hoofd brandde als vuur.
'Ik zou wel eens willen weten wat er gebeurd is,' zei hij bij zichzelf. 'In ieder geval ben ik nog niet een van de gevallen helden; maar ik veronderstel dat daar nog tijd genoeg voor is!'
Hij ging pijnlijk overeind zitten. Toen hij het dal inkeek, kon hij geen levende aardmannen zien. Na een tijdje werd zijn hoofd wat helderder; hij meende dat hij elfen op de rotsen beneden zich zag bewegen. Hij wreef zijn ogen uit. Er was toch zeker een kamp ergens in de vlakte een eind weg; en er was een komen en gaan bij de Poort. Dwergen schenen druk doende te zijn de muur omver te halen. Maar alles was doodstil. Er klonk geen roep en geen echo van een lied. Droefheid scheen de lucht te vervullen.
'Dus per slot van rekening toch een overwinning,' zei hij, terwijl hij zijn pijnlijke hoofd betastte. 'Nou, het ziet er erg naargeestig uit.'
Plotseling zag hij een man naar boven klimmen en op zich afkomen.
'Hallo daar,' riep hij met een beverige stem. 'Hallo daar. Wat is er voor nieuws?'
'Welke stem spreekt daar tussen de stenen?' vroeg de man die bleef staan en om zich heen keek, niet ver vanwaar Bilbo zat.
Toen herinnerde Bilbo zich zijn ring! 'Allemachies!' zei hij. 'Die onzichtbaarheid heeft toch ook wel nadelen. Anders zou ik waarschijnlijk een warme behaaglijke nacht in bed hebben doorgebracht!'
'Ik ben het, Bilbo Balings, metgezel van Thorin,' riep hij uit terwijl hij haastig de ring afdeed.
'Het is goed dat ik je gevonden heb,' zei de man, terwijl hij naar hem toekwam. 'Men heeft je nodig en we hebben lang naar je gezocht. Je zou tot de doden zijn gerekend – er zijn er velen – als Gandalf de tovenaar niet had gezegd dat je stem op deze plaats voor de laatste keer gehoord was. Ik ben gestuurd om je hier voor de laatste keer te zoeken. Ben je erg gewond?'

'Een harde klap op het hoofd, denk ik,' zei Bilbo. 'Maar ik heb mijn helm en een harde schedel. Maar toch voel ik me misselijk en mijn benen zijn net strootjes.'
'Ik zal je naar het kamp in het dal dragen,' zei de man en hij pakte hem moeiteloos op.
De man was snel en stevig ter been. Het duurde niet lang of Bilbo werd voor een tent in Dal neergezet; en daar stond Gandalf met zijn arm in een draagdoek. Zelfs de tovenaar was niet zonder verwonding ontsnapt; slechts weinigen in het hele leger waren niet gewond.
Toen Gandalf Bilbo zag, was hij opgetogen. 'Balings!' riep hij uit. 'Wel heb ik ooit! Dus toch in leven – daar ben ik blij om! Ik begon mij al af te vragen of zelfs jouw geluk groot genoeg zou zijn om je tot een goed einde te brengen. Een afschuwelijke zaak en het was bijna rampzalig. Maar ander nieuws kan wachten. Kom!' zei hij ernstiger nu. 'Er is naar je gevraagd,' en hij nam de hobbit mee de tent in.
'Heil! Thorin,' zei hij toen hij binnenkwam. 'Ik heb hem meegebracht.'
En daar lag voorwaar Thorin Eikenschild, gewond door vele wonden, en zijn gehavende wapenrusting en getande bijl lagen op de grond. Hij keek op toen Bilbo naast hem kwam staan.
'Vaarwel, waarde dief,' zei hij. 'Ik ga nu naar de wachtzalen om naast mijn voorvaderen te zitten tot de wereld hernieuwd wordt. Daar ik nu al het goud en zilver achterlaat en ergens heen ga waar dit weinig waarde heeft, wil ik in vriendschap van je scheiden en ik zou mijn woorden en daden bij de Poort terug willen nemen.' Bilbo zeeg op een knie neer, vervuld van droefheid. 'Vaarwel, Koning onder de Berg!' zei hij. 'Dit is een bitter avontuur als het zo moet eindigen; en geen berg van goud kan het goedmaken. Toch ben ik blij dat ik uw gevaren heb gedeeld – dat is meer geweest dan welke Balings ook verdient.'
'Nee!' zei Thorin. 'Er schuilt meer goeds in je dan je weet, kind van het vriendelijke Westen. Wat moed en wat wijsheid, met mate vermengd. Indien meer van ons prijs op eten en vrolijkheid en liederen zouden stellen dan op bijeengegaard goud zou het een vrolijker wereld zijn. Maar of hij droef is of vrolijk, ik moet hem nu verlaten. Vaarwel!'
Toen wendde Bilbo zich af en ging alleen weg en zat eenzaam in een deken gewikkeld en, of je het gelooft of niet, hij huilde tot zijn ogen rood zagen en zijn stem hees was. Hij was een vriendelijke kleine ziel. En het duurde lang voor hij zich er weer toe kon bren-

gen een grap te maken. 'Het is een zegen,' zei hij ten slotte bij zichzelf, 'dat ik op tijd wakker ben geworden. Ik wou dat Thorin nog leefde, maar ik ben blij dat wij als vrienden uiteen zijn gegaan. Je bent een dwaas, Bilbo Balings, en je hebt die zaak met de steen mooi in het honderd gestuurd; en er is gevochten ondanks al je inspanningen om vrede en rust te kopen, maar ik denk dat jou dat nauwelijks kan worden verweten.'

Alles dat er gebeurd was nadat hij buiten westen was geraakt, hoorde Bilbo later, maar het schonk hem meer verdriet dan vreugde, en hij was zijn avontuur nu beu. Hij verlangde tot in zijn botten naar de thuisreis. Die werd echter een weinig vertraagd en daarom zal ik je ondertussen iets vertellen van wat er was gebeurd. De adelaars hadden allang boze vermoedens gekoesterd omtrent de samenkomst van de aardmannen; hun bewegingen in de bergen konden niet geheel en al aan hun waakzaamheid ontsnappen. Dus hadden zij zich ook in groten getale onder leiding van de Grote Adelaar van de Nevelbergen verzameld; en toen zij ten slotte van veraf roken dat er slag zou worden geleverd, waren zij net op tijd op de stormwind komen aansnellen. Zij waren het geweest die de aardmannen van de berghellingen hadden gegooid en ze over de afgronden hadden geworpen of ze gillend en in verbijstering tussen hun vijanden hadden gedreven. Het duurde niet lang voor zij de Eenzame Berg hadden bevrijd, en elfen en mensen aan weerskanten van het dal eindelijk te hulp konden snellen naar de strijd beneden.
Maar zelfs met de adelaars waren zij nog in de minderheid. In dat laatste uur was Beorn zelf verschenen – niemand wist hoe of waarvandaan. Hij kwam alleen en in de gedaante van een beer; en in zijn toorn scheen hij welhaast gegroeid te zijn tot de grootte van een reus.
Het gebrul van zijn stem klonk als trommels en kanonnen; en hij wierp de wolven en aardmannen als strootjes en veren van zijn pad. Hij overviel hen van achteren en brak als een donderslag door de kring. De dwergen hielden nog steeds stand om hun heren op een lage ronde heuvel. Toen boog Beorn zich voorover en tilde Thorin, die doorboord met speren was neergevallen, op en droeg hem uit het strijdgewoel.
Hij keerde snel terug en zijn woede was verdubbeld, zodat niets hem kon tegenhouden, en geen enkel wapen hem scheen te kunnen deren. Hij sloeg de lijfwacht uiteen, trok Bolg zelf omver en verpletterde hem. Toen werden de aardmannen door ontzetting aangegrepen en vluchtten alle kanten uit. Maar moedeloosheid ver-

liet hun vijanden toen zij nieuwe hoop kregen, en zij zaten hen dicht op de hielen en beletten de meesten te ontsnappen waar dat kon. Velen van hen joegen zij de rivier de Running in, en degenen die naar het zuiden of westen vluchtten, dreven zij de moerassen rondom de Woudrivier in; en daar kwamen de meesten van de vluchtelingen om, terwijl degenen die de grens van het gebied van de boselfen bereikten daar werden gedood of erin werden gelokt om diep in de ongebaande duisternis van het Demsterwold te sterven. In liederen is gezegd dat driekwart van de aardmannenkrijgers van het Noorden die dag om het leven kwam, en de bergen kregen vele jaren vrede.
De overwinning was verzekerd voor de avond viel, maar de achtervolging was nog steeds aan de gang toen Bilbo naar het kamp terugkeerde en er waren niet velen meer in het dal behalve de meer ernstig gewonden.
'Waar zijn de adelaars?' vroeg hij Gandalf die avond toen hij in vele warme dekens lag gewikkeld.
'Sommige zijn nog op jacht,' zei de tovenaar, 'maar de meeste zijn naar hun nesten teruggekeerd. Zij wilden hier niet blijven en zijn bij het ochtendkrieken vertrokken. Daín heeft hun aanvoerder met goud gekroond en hun voor eeuwig vriendschap gezworen.'
'Het spijt mij. Ik bedoel, ik had ze graag nog eens willen zien,' zei Bilbo slaperig, 'misschien zal ik ze op de terugweg naar huis zien. Ik neem aan dat ik spoedig naar huis zal gaan?'
'Zo gauw je maar wilt,' zei de tovenaar.
Maar in werkelijkheid duurde het nog enige dagen voor Bilbo op weg ging. Zij begroeven Thorin diep onder de Berg en Bard legde de Arkensteen op zijn borst.
'Laat hem daar liggen tot de Berg instort!' zei hij. 'Moge hij allen van zijn volk die hier zullen wonen geluk brengen!'
Op zijn graf legde de elfenkoning toen Orcrist, het elfenzwaard dat Thorin tijdens zijn gevangenschap was afgenomen. In liederen wordt gezegd dat hij voor eeuwig in het duister glansde als er vijanden in de buurt waren, en dat het fort van de dwergen niet bij verrassing kon worden ingenomen. Daar vestigde Daín, zoon van Naín, zich nu en hij werd Koning onder de Berg en op den duur verzamelden zich vele andere dwergen rond zijn troon in de oude zalen. Van de twaalf metgezellen van Thorin waren er tien over. Fíli en Kíli waren gesneuveld toen zij hem met schild en lijf verdedigden, want hij was de oudste broer van hun moeder. De anderen bleven bij Daín; want Daín deelde zijn schat eerlijk.
Er was nu natuurlijk geen sprake meer van de schat zo te verdelen

als eerst het plan was geweest, aan Balin en Dwalin en Dori en Nori en Ori en Oín en Gloín en Bifur en Bofur en Bombur – of aan Bilbo. Toch werd een veertiende deel van al het zilver en goud, bewerkt en onbewerkt, aan Bard gegeven, want Daín zei: 'Wij zullen de overeenkomst van de dode naleven, en hij heeft nu de Arkensteen in zijn hoede.'

Maar ook een veertiende deel betekende een enorm grote rijkdom, groter dan die van vele sterflijke koningen. Van die rijkdom zond Bard veel goud aan de Meester van Meerstad en hij beloonde zijn vrienden en volgelingen rijkelijk. Aan de elfenkoning schonk hij de smaragden van Girion, de juwelen die hem het dierbaarst waren, welke Daín hem had teruggegeven.

Tegen Bilbo zei hij: 'Deze schat komt jou evenzeer toe als mij; hoewel de vroegere afspraken niet van kracht zijn omdat zovelen aanspraken kunnen doen gelden omdat zij hem hebben helpen veroveren of verdedigen. Maar zelfs al was je bereid al je aanspraken op te geven, ik wil graag dat de woorden van Thorin, waar hij berouw van had, niet bewaarheid worden: dat we je weinig moesten geven. Ik zou jou het rijkst van allen willen belonen.'

'Heel vriendelijk van je,' zei Bilbo. 'Maar het is eigenlijk een opluchting voor me. Hoe zou ik in 's hemelsnaam die hele schat mee naar huis hebben kunnen nemen zonder me onderweg oorlog en moord op de hals te halen? En ik weet niet wat ik er thuis mee had moeten doen. Ik weet zeker dat hij in jouw handen beter op zijn plaats is.'

Uiteindelijk wilde hij slechts twee kleine kisten aannemen, de een gevuld met zilver, de ander met goud, precies zoveel als een sterke pony kon dragen. 'Met meer zou ik echt geen raad weten,' zei hij.

Ten slotte brak de tijd voor hem aan om afscheid van zijn vrienden te nemen. 'Vaarwel, Balin,' zei hij, en 'vaarwel, Dwalin en vaarwel Dori, Nori, Ori, Oín en Gloín, Bifur, Bofur en Bombur! Mogen jullie baarden nooit uitvallen!' En zich tot de Berg wendend, voegde hij eraan toe: 'Vaarwel, Thorin Eikenschild! En Fíli en Kíli! Moge de herinnering aan jullie nooit vervagen!'

Toen maakten de dwergen een diepe buiging voor hun Poort, maar woorden bleven hun in de keel steken. 'Vaarwel, en veel geluk op al je wegen!' zei Balin ten slotte. 'Als je ons ooit weer komt bezoeken, wanneer onze zalen weer mooi gemaakt zullen zijn, dan zal er voorwaar een schitterend festijn worden aangericht!'

'Als jullie ooit mijn kant uit komen,' zei Bilbo, 'aarzel dan niet om aan te kloppen. Om vier uur wordt er thee gedronken; maar jullie zijn allemaal te allen tijde welkom!' Toen ging hij weg.

Het elfenleger was op mars en hoewel het jammerlijk verminderd was, waren velen toch blij, want nu zou de noordelijke wereld lange tijd vrolijker zijn. De draak was dood en de aardmannen verslagen, en hun harten verheugden zich na de winter op een vreugdevolle lente.

Gandalf en Bilbo reden achter de elfenkoning aan en naast hen schreed Beorn, nu weer in mensengedaante, en hij lachte en zong met luide stem onderweg. Zo gingen zij verder tot zij bij de grenzen van het Demsterwold kwamen, ten noorden van de plaats waar de Woudrivier eruit stroomde. Daar bleven zij staan, want de tovenaar en Bilbo wilden het bos niet betreden, hoewel de koning hen uitgenodigd had een tijd in zijn zalen te verblijven. Zij waren van plan langs de rand van het woud te gaan en dan om het noordelijke einde naar de open vlakte die tussen het bos en het begin van de Grijze Bergen lag. Het was een lange troosteloze weg, maar nu de aardmannen verpletterd waren, leek deze hun veiliger dan de afschuwelijke paden onder de bomen. Bovendien ging Beorn die weg ook.

'Vaarwel, O elfenkoning!' zei Gandalf. 'Moge het groene woud gelukkig zijn zolang de wereld nog jong is. En moge heel uw volk gelukkig zijn!'

'Vaarwel, O Gandalf!' zei de koning. 'Moge u altijd verschijnen waar het nodig is en het minst wordt verwacht. Hoe vaker ik u in mijn zalen zie, des te verheugder ik zal zijn!'

'Ik verzoek u,' zei Bilbo hakkelend, terwijl hij op één been stond, 'dit geschenk van mij aan te nemen,' en hij haalde een halssnoer van zilver en parels tevoorschijn dat Daín hem bij hun afscheid had gegeven.

'Waaraan heb ik een dergelijk geschenk verdiend, O hobbit?' zei de koning.

'Nou, eh, ik dacht, weet u?' zei Bilbo, nogal schuchter, 'dat ik, eh, wat terug moest doen voor uw, eh, gastvrijheid. Ik bedoel eh, ook een inbreker heeft gevoel. Ik heb veel van uw wijn gedronken en veel van uw brood gegeten.'

'Ik zal je geschenk aannemen, O Bilbo de Luisterrijke!' zei de koning ernstig. 'En ik noem je elfenvriend en gezegend. Moge je schaduw nooit minder worden (anders zou hij te gemakkelijk te stelen zijn)! Vaarwel!'

Toen gingen de elfen naar het Woud, en Bilbo aanvaardde de lange weg naar huis.

Hij leed vele ontberingen en maakte vele avonturen mee voor hij thuis was. De Wildernis was nog steeds de Wildernis en er waren in die dagen vele andere dingen behalve de aardmannen; maar hij werd goed geleid en goed bewaakt – de tovenaar was bij hem en Beorn, het grootste deel van de weg – en hij verkeerde nooit meer in groot gevaar. In ieder geval, tegen het midden van de winter waren Gandalf en Bilbo de hele weg teruggegaan, langs beide randen van het Woud tot aan de deuren van Beorns huis, en daar bleven zij beiden een tijdje. De Joeltijd was daar warm en vrolijk; en mensen kwamen op Beorns uitnodiging van wijd en zijd om feest te vieren. Er waren nu nog maar weinig doodsbange aardmannen in de Nevelbergen en ze verscholen zich in de diepste holen die zij konden vinden; en de wargs waren uit de bossen verdwenen zodat de mensen zonder angst konden reizen. Beorn werd naderhand een grote leider in die streken en regeerde over een brede strook land tussen de bergen en het woud; en men zegt dat vele generaties lang de mensen die van hem afstamden het vermogen bezaten de gedaante van een beer aan te nemen, en sommigen waren grimmige, slechte mensen, maar de meesten waren in hun hart als Beorn, hoewel kleiner van stuk en minder sterk. In hun tijd werden de laatste aardmannen uit de Nevelbergen weggejaagd en een nieuwe vrede kwam over de rand van de Wildernis.

Het was lente, en een hele mooie met zacht weer en een stralende zon, voor Bilbo en Gandalf ten slotte afscheid van Beorn namen en hoewel hij naar huis verlangde, vertrok Bilbo spijtig, want de bloemen in Beorns tuinen waren in het voorjaar niet minder schitterend dan midden in de zomer.

Ten slotte kwamen zij op de lange weg en bereikten dezelfde pas waar de aardmannen hen eerst gevangen hadden genomen. Maar zij kwamen in de ochtend op dat hoge punt aan en toen zij achteromkeken, zagen zij een witte zon over de uitgestrekte landen schijnen. Daarachter lag het Demsterwold blauw in de verte, en donkergroen bij de dichtstbijzijnde rand, zelfs in het voorjaar. Daar heel ver weg stond de Eenzame Berg aan de gezichtseinder. Op de hoogste top ervan glansde flets de nog niet gesmolten sneeuw.

'Zo komt sneeuw na vuur en zelfs draken vinden hun eind,' zei Bilbo en hij keerde zijn avontuur de rug toe. De Toek in hem begon nu heel vermoeid te raken, en de Balings werd iedere dag sterker. 'Ik wou nu alleen nog maar dat ik in mijn eigen leunstoel zat!' zei hij.

XIX. De laatste etappe

Op de eerste mei kwam het tweetal eindelijk weer aan de rand van de vallei van Rivendel, waar het Laatste (of Eerste) Huiselijke Huis stond. Weer was het avond; hun pony's waren moe, vooral het dier dat de bagage droeg, en ze hadden allen behoefte aan rust. Toen ze het steile pad afreden, hoorde Bilbo de elfen in de bomen zingen alsof ze niet hadden opgehouden sinds hij was vertrokken; en zodra de ruiters afdaalden naar de lager gelegen open plekken in het bos hieven zij een lied aan dat veel leek op dat wat zij vroeger hadden gezongen. Het ging ongeveer zo:

De draak is verpletterd,
Verpulverd zijn beendren,
Zijn harnas ontredderd,
Zijn luister verdwenen!
Hoewel zwaard zal roesten,
Vergaan troon en kronen,
Met kracht van de noesten
En weelde van 't schone -
Hier groeit gras gestadig
En ritselt 't gebladert';
Wit bruist hier het water
En elfenzang klatert,
Kom! Tral-lal-lallei!
Terug naar de vallei!

De sterren zijn feller
Dan reuzenjuwelen,
De maan schijnt hier heller
Dan zilveren weelde
Het vuur glanst sterker
In haard bij dags sterven
Dan goud uit mijnkerker;
Dus waarom gaan zwerven?
O tral-lal-lallei!
Terug naar de vallei!

O waar ga je henen
Na zo late terugkeer?
Stroom snelt over stenen,
't Gesternte ontvonkt weer!
Waarheen zo bevracht en
Zo droevig te moede?
Het elfenvolk wacht en
Begroet de vermoeiden.
Met tral-lal-lallei
Terug naar de vallei!
Tral lal-lal-lallei
Fa-lal-lal-lallei
Fa-la!

Toen kwamen de elfen van het dal tevoorschijn en begroetten hen en leidden hen over het water naar het huis van Elrond. Daar werd hun een warm onthaal bereid, en er waren die avond vele nieuwsgierige oren om naar het verhaal van hun avonturen te luisteren. Gandalf deed het woord, want Bilbo was stil en slaperig geworden. Het grootste deel van het verhaal kende hij al, want hij had het zelf meegemaakt en had er zelf veel van aan de tovenaar verteld op hun thuisreis of in het huis van Beorn; maar af en toe opende hij één oog en luisterde wanneer er een deel van het verhaal kwam dat hij niet zelf had beleefd.

Op die manier kwam hij te weten waar Gandalf heen was geweest, want hij hoorde de woorden die de tovenaar tegen Elrond sprak. Het bleek dat Gandalf naar een grote vergadering van de Witte Tovenaars was geweest, meesters op het gebied van kennis en goede toverkunst; en dat zij ten slotte de Zwarte Tovenaar uit zijn donkere veste in het zuiden van het Demsterwold hadden verdreven.

'Het zal niet lang duren,' zei Gandalf, 'voor het Woud wat gezonder zal worden. Het Noorden is vele jaren lang van die plaag bevrijd, hoop ik. Maar toch wou ik dat hij uit de wereld was verbannen!'

'Dat zou inderdaad goed zijn', zei Elrond, 'maar ik vrees dat het in deze era van de wereld niet zal gebeuren, en ook vele eeuwen daarna niet.'

Toen het verhaal van hun omzwervingen was verteld, kwamen er andere verhalen en nog meer verhalen, verhalen van langgeleden en verhalen over nieuwe dingen en verhalen over geen enkele tijd, tot Bilbo's hoofd voorover op zijn borst viel en hij behaaglijk in een hoek aan het snurken was.

Toen hij wakker werd, merkte hij dat hij in een wit bed lag, en de maan scheen door een open raam. Daaronder zongen vele elfen luid en helder op de oevers van de stroom:

Zingt allen die vrolijk zijt, zingt allen blijde,
De wind wiegt de boomtop, de wind wiegt de heide,
De sterren zijn bloesems, de maan staat in bloei en
In toren van nacht, zie hoe vensters gloeien.

Danst al die vrolijk zijt, danst allen blijde,
Zacht is het gras, laat voeten licht glijden,
De rivier is van zilver, de schaduwen nu heen zijn,
Blij is de meimaand, blij ons bijeenzijn!

Laat ons zacht zingen, met dromen hem kussen,
Windt hem in sluimer en laat hem daar rusten.
De moede zwerver slaapt, zacht zij zijn peluw!
Wiegelied! Wiegelied! Staakt, bomen in heel uw

Rijk elk gerucht tot aan de ochtendbries!
Doof maan! Laat 't land donker zijn!
Sst! Eik, Es, Doorn. Ssst!
Stil zij al 't water tot zon weer schijnt!

'Welaan, vrolijk volkje!' zei Bilbo terwijl hij naar buiten keek. 'Hoe laat is het volgens de maan? Jullie slaapliedje zou een dronken aardman wakker maken! Maar toch dank ik jullie.'
'En uw gesnurk zou een stenen draak wakker maken – maar toch danken we u,' antwoordden ze lachend. 'Het is al bijna dageraad en u hebt nu geslapen sinds het begin van de nacht. Morgen zult u misschien van moeheid genezen zijn.'
'Een dutje is bijzonder geneeskrachtig in het huis van Elrond,' zei hij, 'maar ik zal alle medicijn nemen die ik kan krijgen. Nogmaals goedenacht, mooie vrienden!' En daarop ging hij terug naar bed en sliep tot ver in de ochtend.
De moeheid viel snel van hem af in dat huis en hij maakte vele vrolijke grappen en dansjes, vroeg en laat, met de elfen van het dal. Maar zelfs dat oord kon hem nu niet lang ophouden, want hij dacht voortdurend aan zijn eigen huis. Daarom nam hij na een week afscheid van Elrond en nadat hij hem ertoe had bewogen enkele kleine geschenken te aanvaarden, reed hij met Gandalf weg.
Al terwijl zij het dal verlieten, betrok de lucht in het Westen voor hen uit en de wind en de regen kwamen hen tegemoet.

'Vrolijk is de meimaand!' zei Bilbo toen de regen hem in het gezicht striemde. 'Maar we hebben de legenden de rug toegekeerd en we zijn op weg naar huis. Ik veronderstel dat dit het eerste voorproefje ervan is.'
'De weg is nog lang,' zei Gandalf.
'Maar het is de laatste weg,' zei Bilbo.
Zij kwamen bij de rivier die de rand van het grensgebied van de Wildernis markeerde, en naar de voorde onder aan de steile oever die je je wellicht nog herinnert. Het water was hoog gestegen door de smeltende sneeuw bij de nadering van de zomer, en door de dagenlange regen; en zij staken haar met enige moeite over en vervolgden hun weg toen de avond viel op de laatste etappe van hun reis.
Dit leek erg veel op de heenweg behalve dat het gezelschap kleiner en zwijgzamer was; ook waren er deze keer geen trollen. Op elk punt van de weg herinnerde Bilbo zich de gebeurtenissen en de woorden van een jaar geleden – het schenen hem er eerder tien toe – zodat hij natuurlijk snel de plaats opmerkte waar de pony in de rivier was gevallen, en zij de weg hadden verlaten voor hun griezelige avontuur met Tom, Bert en Willem.
Niet ver van de weg vonden zij het goud van de trollen dat zij hadden begraven, nog verborgen en onaangeraakt. 'Ik heb genoeg voor mijn verdere leven,' zei Bilbo toen ze het hadden opgegraven. 'Neem jij dit maar, Gandalf. Ik denk wel dat je er een bestemming voor kunt vinden.'
'Dat kan ik zeker!' zei de tovenaar. 'Maar we moeten eerlijk delen. Misschien kom je tot de ontdekking dat je behoeften groter zijn dan je verwacht.'
Dus deden zij het goud in zakken en laadden die op de pony's die dat helemaal niet prettig vonden. Daarna kwamen zij minder snel vooruit, want nu liepen zij meestentijds. Maar het land was groen en er was veel gras waar de hobbit tevreden door liep. Hij veegde zijn gezicht af met een roodzijden zakdoek – nee, niet een van zijn eigen had het overleefd; hij had deze van Elrond geleend – want juni had nu de zomer gebracht en het weer was mooi en warm.
Zoals aan alle dingen een einde komt, zelfs aan dit verhaal, kwam er ten slotte een dag waarop zij in het zicht kwamen van het land waar Bilbo geboren en getogen was, waar de contouren van het land en de bomen hem even vertrouwd waren als zijn eigen handen en tenen. Toen hij op een hoogte stond, kon hij zijn eigen Heuvel in de verte zien en hij bleef plotseling staan en zei:

Wegen gaan verder, almaar door,
Over rots en onder boom,
Langs rotsen waar geen zon ooit gloort,
Langs nooit in zee eindende stroom;
Over sneeuw die winter zaait
Door waar junibloemen staan,
Over steen, gras ongemaaid,
En onder bergen in de maan.

Wegen gaan verder, almaar door,
Onder wolk en onder ster;
Maar zij die zwerven zonder spoor,
Keren naar huis terug van ver.
Ogen die zagen zwaard en vuur
In rotsgewelf, door angst benauwd,
Zien weide en groen in 't blijde uur,
Bomen en heuvels, lang vertrouwd.

Gandalf keek hem aan. 'M'n beste Bilbo,' zei hij. 'Er is iets met je aan de hand! Je bent niet meer de hobbit van vroeger.'
En zo staken zij de brug over, en passeerden de molen bij de rivier en kwamen tot vlak voor Bilbo's deur.
'Lieve help! Wat is hier aan de hand?' riep hij uit. Er heerste grote opwinding en alle mogelijke lieden, eerbiedwaardige en oneerbiedwaardige, verdrongen zich om de deur en velen liepen in en uit – en veegden niet eens hun voeten op de mat, naar Bilbo geërgerd opmerkte.
Zo hij verbaasd was, zij waren het nog veel meer. Hij was midden in een veiling teruggekomen! Er hing een groot bord in zwart en rood aan de poort waarop stond dat op tweeëntwintig juni de heren Engerling, Engerling, en Wroeter de bezittingen van wijlen de weledele heer Bilbo Balings van Balingshoek, Onderheuvel, Hobbitstee bij opbod zouden verkopen. De verkoping zou om tien uur precies beginnen. Het was nu bijna tijd voor het middageten en de meeste van de dingen waren al verkocht, voor uiteenlopende prijzen, variërend van bijna niets tot een appel en een ei (zoals wel meer gebeurt op veilingen). Bilbo's neef en nicht, de Buul-Balingsen, waren effectief bezig zijn kamers op te meten om te zien of hun eigen meubilair zou passen. Kortom, Bilbo werd verondersteld dood te zijn en niet iedereen die dit zei, vond het jammer dat de veronderstelling onjuist bleek.
De terugkeer van meneer Bilbo Balings veroorzaakte een hele op-

schudding, zowel Onder de Heuvel als Over de Heuvel en aan de overkant van Het Water; het was heel wat meer dan een korte sensatie. De juridische moeilijkheden duurden feitelijk jaren. Pas na heel lange tijd werd het meneer Bilbo officieel toegestaan weer te leven. De mensen die bijzonder voordelige koopjes hadden gehad op de veiling waren niet gemakkelijk te overtuigen en ten slotte moest Bilbo, om tijd te winnen, een hoop van zijn eigen inboedel terugkopen. Vele van zijn zilveren lepels verdwenen op geheimzinnige wijze en kwamen nooit meer terecht. Persoonlijk verdacht hij de Buul-Balingsen. Maar van hun kant erkenden zij nooit dat de teruggekeerde Balings echt was, en daarna verkeerden zij nooit meer op vriendelijke voet met Bilbo. Zij hadden werkelijk zo graag in zijn mooie hobbithol willen wonen.
Bilbo kwam tot de ontdekking dat hij niet alleen lepels was kwijtgeraakt – hij had ook zijn reputatie verloren. Weliswaar bleef hij na die tijd altijd een vriend van de elfen en werd hem eer bewezen door dwergen, tovenaars en al dat soort lieden als ze langskwamen; maar hij was niet meer helemaal achtenswaardig. Eigenlijk beschouwden alle hobbits in de buurt hem als 'vreemd' – behalve zijn neven en nichten van Toekszijde, maar ook hun vriendschap werd niet door hun oudere familieleden aangemoedigd.
Het spijt me dat ik moet zeggen dat het hem niet kon schelen. Hij was volkomen tevreden, en het zingen van de ketel boven zijn haardvuur was daarna nog veel muzikaler dan het was geweest in de rustige dagen vóór het Onverwachte Feest. Zijn zwaard hing hij boven de schoorsteenmantel. Zijn maliënkolder werd opgehangen aan een kapstok in de hal (tot hij hem aan een museum uitleende). Zijn goud en zilver ging grotendeels weg aan cadeautjes, zowel nuttige als buitensporige, wat de genegenheid van zijn neven en nichten ten dele verklaart. Zijn toverring hield hij diep geheim, want hij gebruikte hem voornamelijk wanneer hij onprettig bezoek kreeg. Hij begon poëzie te schrijven en de elfen te bezoeken, en hoewel velen het hoofd schudden en op hun voorhoofd wezen en 'arme ouwe Balings' zeiden en weinigen zijn verhalen geloofden, bleef hij heel gelukkig tot het einde van zijn dagen, en die waren buitengewoon lang.

Op een herfstavond, enige jaren later, zat Bilbo in zijn werkkamer zijn memoires te schrijven – hij was van plan ze 'Daarheen en Weer Terug – een hobbitvakantie' te noemen – toen er aan de deur werd gebeld. Het was Gandalf met een dwerg; en de dwerg bleek Balin te zijn.

'Kom erin! Kom erin!' zei Bilbo en weldra zaten zij gezellig op stoelen bij het vuur. Terwijl Balin opmerkte dat meneer Balings' vest veel duurder was (en echte gouden knopen had), merkte Bilbo op dat Balins baard verscheidene decimeters langer was en dat hij een prachtige gordel van juwelen aan had.
Natuurlijk begonnen zij over hun gezamenlijke avonturen te praten en Bilbo vroeg hoe de zaken stonden in de landen van de Berg. Het scheen dat ze erg goed gingen. Bard had de stad in Dal herbouwd en mensen waren naar hem toe gekomen van het Meer en uit het Zuiden en Westen, en de hele vallei was bebouwd en rijk geworden, en de woestenij was nu vol vogels en bloesems in het voorjaar en fruit en feesten in de herfst. En Meerstad was herbouwd en was welvarender dan ooit, en veel rijkdom voer af en aan over de rivier de Running; en er was vriendschap in die streken tussen elfen, dwergen en mensen.
De oude Meester was slecht aan zijn einde gekomen. Bard had hem veel goud geschonken om zijn meermensen te helpen, maar omdat hij een van die mensen was die erg vatbaar zijn voor deze besmetting, overviel hem de drakenziekte en hij nam het grootste deel van het goud, vluchtte ermee en stierf van honger in de Woestijn, door zijn metgezellen verlaten.
'De nieuwe Meester is wijzer,' zei Balin, 'en heel populair, want natuurlijk oogst hij de grootste lof voor de huidige welvaart. Ze maken liederen waarin gezegd wordt dat in zijn tijd goud door de rivieren zal stromen.'
'Dan zijn de voorspellingen van de oude liederen dus toch min of meer bewaarheid geworden,' zei Bilbo.
'Natuurlijk!' zei Gandalf. 'En waarom zouden ze niet bewaarheid worden? Je hebt toch zeker geen reden om niet in voorspellingen te geloven omdat je zelf de hand hebt gehad in hun verwerkelijking? Je veronderstelt toch niet echt, wel, dat al je avonturen en ontsnappingen door louter geluk werden bewerkstelligd, alleen om jou te helpen? Je bent een fijn iemand, meneer Balings en ik mag je bijzonder graag, maar per slot van rekening ben je maar een heel klein kereltje in een grote wereld!'
'De hemel zij dank!' zei Bilbo lachend en hij reikte hem de tabakspot aan.